Animal Farm

George Orwell
Animal Farm

Roman

VERTAALD DOOR ANTHONY ROSS,
HERZIEN DOOR AART AARSBERGEN

UITGEVERIJ DE ARBEIDERSPERS
AMSTERDAM · ANTWERPEN

Eerste druk 1956
Zesentwintigste druk 2016

Omslagontwerp: Nico Richter
Omslagillustratie: Shutterstock

ISBN 978 90 295 8710 5 / NUR 302

www.arbeiderspers.nl

INHOUD

ANIMAL FARM

Boer Jansen van de Herenhoeve had de kippenhokken voor de nacht gesloten, maar hij was te dronken om eraan te denken de luikjes dicht te doen. In de heen en weer dansende lichtkring van zijn lantaarn slingerde hij over het erf, schopte bij de achterdeur zijn laarzen uit, tapte zichzelf een laatste glas bier uit het vat in de bijkeuken en ging naar bed, waar zijn vrouw al lag te snurken. Onmiddellijk nadat het licht in de slaapkamer uit was gegaan ontstond er beroering en gefladder in de gebouwen van de boerderij. Overdag had de mededeling de ronde gedaan dat de oude Majoor, het bekroonde rasvarken, in de voorafgaande nacht een vreemde droom had gehad en dat hij deze aan de andere dieren wilde vertellen. Zij hadden afgesproken dat zij elkaar zouden ontmoeten in de grote schuur zodra boer Jansen veilig zijn hielen gelicht had. De Majoor (zo werd hij altijd genoemd, hoewel zijn tentoonstellingsnaam Dorpsschoonheid was geweest) genoot op de boerderij zo'n aanzien dat iedereen direct bereid was een uur slaap te missen om te horen wat hij te zeggen had.

Aan het ene einde van de grote schuur lag, op een soort podium, de Majoor uitgestrekt op zijn bed van stro, onder een lantaarn die aan een balk hing. Hij was twaalf jaar oud en was de laatste tijd tamelijk zwaar ge-

9

worden, maar hij was nog steeds een imposant varken, met een verstandig en innemend voorkomen, ondanks het feit dat zijn slagtanden nooit verwijderd waren. Weldra verschenen de andere dieren en maakten het zich op hun eigen wijze gemakkelijk. Eerst kwamen de drie honden Hyacint, Jessie en Pincher, en daarna de varkens, die zich neervlijden in het stro vlak voor het podium. De kippen namen plaats op de vensterbanken, de duiven fladderden naar de dakspanten, de schapen en koeien lagen achter de varkens en begonnen te herkauwen. De twee trekpaarden, Bokser en Klaver, kwamen gezamenlijk binnen, langzaam stappend en hun grote harige hoeven bedachtzaam neerzettend, uit angst dat er wellicht kleine dieren in het stro verborgen zouden zitten. Klaver was een flinke merrie, zo tegen middelbare leeftijd, die na haar vierde veulen nooit haar vroegere figuur had teruggekregen. Bokser was een enorm beest, bijna een meter tachtig hoog, en even sterk als twee willekeurige andere paarden. Een witte streep over zijn neus gaf hem een wat dom uiterlijk, en hij was inderdaad niet bijzonder intelligent, maar wel algemeen geacht om zijn standvastig karakter en zijn kolossale werkkracht. Na de paarden kwamen Muriel, de witte geit, en Benjamin, de ezel. Benjamin was het oudste dier op de boerderij, en had het slechtste humeur. Hij sprak zelden en wanneer hij het al deed dan was het gewoonlijk om de een of andere cynische opmerking te maken – bijvoorbeeld om te zeggen dat God hem zijn staart had gegeven om de vliegen weg te jagen, maar dat hij liever van staart én vliegen verschoond zou zijn gebleven. Hij was de enige van de dieren op de boerderij die nooit lachte. Vroeg men hem waarom, dan zei hij dat hij niets wist om over te lachen. Desondanks bezat hij, zonder het openlijk te erkennen, een diepe genegenheid voor Bokser; ze brachten gewoonlijk hun zondagen gezamenlijk door binnen de omheining achter de boomgaard, zij aan zij grazend, zonder ooit een woord te zeggen.

De twee paarden hadden zich juist neergevlijd, toen een broed jonge eenden die hun moeder hadden verloren, zachtjes piepend achter elkaar de schuur in kwamen en heen en weer liepen op zoek naar een plaatsje waar niemand op hen zou kunnen trappen. Klaver maakte met haar voorbeen een soort muur om hen heen, en de eendjes nestelden zich daarbinnen en vielen prompt in slaap. Op het laatste ogenblik kwam Mollie, de dwaze, knappe merrie die de sjees van de boer trok, sierlijk naar binnen trippelen, kauwend op een klontje suiker. Zij zocht vooraan een plaatsje en liet haar witte manen zwaaien, in de hoop de aandacht te vestigen op de rode linten die erdoorheen gevlochten waren. Als laatste van allen kwam de kat, die als gewoonlijk rondzocht naar het warmste plaatsje, en zich ten slotte tussen Bokser en Klaver in wrong; daar bleef zij gedurende de hele toespraak van de Majoor tevreden spinnen zonder ook maar naar een van zijn woorden te luisteren.

Alle dieren waren nu present, behalve Mozes, de tamme raaf, die op een stok ergens achter de deur sliep. Toen de Majoor zag dat zij het zich allen gemakkelijk hadden gemaakt en oplettend zaten te wachten, schraapte hij zijn keel en begon:

'Kameraden, jullie hebben al vernomen van de vreemde droom die ik vannacht heb gehad. Maar op die droom kom ik later terug. Eerst heb ik iets anders te zeggen. Ik denk niet, kameraden, dat ik nog veel maanden in jullie midden zal zijn, en voordat ik sterf voel ik het als mijn plicht de wijsheid die ik vergaarde aan jullie over te dragen. Ik heb een lang leven gehad, ik heb veel tijd tot denken gehad wanneer ik alleen in mijn stal lag, en ik meen te mogen zeggen dat ik de zin van het leven op deze aarde even goed versta als enig thans levend dier. Het is daarover dat ik tot jullie wil spreken.

'Wel, kameraden, wat is de zin van ons leven? Laat me het maar ronduit zeggen: onze levens zijn ellendig, zwaar en kort. Wij worden geboren, wij krijgen zoveel voer als nodig is om te kunnen blijven ademen, en wie van ons daartoe geschikt is, is gedwongen te werken tot zijn laatste beetje kracht; en op het ogenblik dat we niet meer bruikbaar zijn, worden we met afzichtelijke wreedheid afgeslacht. Geen dier in het koninkrijk kent iets van geluk of vrije tijd nadat het de leeftijd van één jaar heeft bereikt. Geen dier in het koninkrijk is vrij. Het leven van een dier is misère en slavernij: dat is de zuivere waarheid.

'Doch, behoort dit eenvoudig tot de orde der natuur? Is dit zo omdat dit land van ons zo arm is dat het geen behoorlijk leven kan verschaffen aan hen die er wonen? Nee kameraden, duizendmaal nee! De grond van het koninkrijk is vruchtbaar, zijn klimaat is goed, het is in staat voedsel in overvloed te geven aan een enorm veel groter aantal dieren dan er nu wonen. Alleen deze boerderij van ons zou al een dozijn paarden, twintig koeien, honderden schapen kunnen onderhouden, en die allen bovendien zo comfortabel en waardig zouden leven dat wij ons er nu bijna geen voorstelling van kunnen maken. Hoe komt het dan dat wij in deze ellendige omstandigheden blijven verkeren? Omdat bijna alle vruchten van ons werk ons door de menselijke wezens ontstolen worden. Daar, kameraden, ligt het antwoord op al onze problemen. Het kan vervat worden in één enkel woord: de Mens. De Mens is onze enige werkelijke vijand. Verwijder de Mens van het toneel, en de wortel van onze honger en onze uitputting is voor altijd uitgeroeid.

'De Mens is het enige schepsel dat verbruikt zonder ook maar iets voort te brengen. Hij geeft geen melk, hij legt geen eieren, hij is te zwak om een ploeg te trekken, hij kan niet hard genoeg rennen om een konijn te vangen. Toch is hij de Heer aller dieren. Hij zet ze aan het werk, hij geeft hun slechts het absolute minimum terug dat hen voor de hongerdood kan behoeden, en houdt de rest voor zichzelf. Door ons werk wordt de grond bebouwd, onze mest maakt hem vruchtbaar, en desondanks bezit niemand van ons meer dan zijn naakte vel. Jullie koeien daar voor me, hoeveel duizenden liters hebben jullie dit jaar reeds gegeven? En wat is er gebeurd met deze melk waarvan krachtige kalveren hadden moeten opgroeien? Elke druppel ervan is in de kelen van onze vijanden verdwenen. En jullie kippen, hoeveel eieren hebben jullie dit jaar gelegd, en hoeveel van deze eieren zijn tot kuikens uitgebroed? De rest is naar de markt gegaan om Jansen en zijn mannen geld in 't laatje te brengen. En jij, Klaver, waar zijn de vier veulens die jij ter wereld bracht, de veulens die de steun en het geluk van je oude dag hadden behoren te zijn? Zij zijn allen verkocht toen zij een jaar oud waren – en nimmer zul je een van hen terugzien. Wat heb je ooit teruggekregen voor je vier drachten en al je werk op het veld, behalve een beetje voer en een stal?

'En zelfs de ellendige levens die wij moeten leiden, mogen nog niet hun natuurlijke einde krijgen. Ik klaag hier niet over voor mijzelf, want ik heb geluk gehad. Ik ben twaalf jaar oud en heb meer dan vierhonderd kinderen gehad. Dat is het natuurlijke leven van een varken. Maar geen dier ontsnapt uiteindelijk aan het wrede mes. Jullie jonge mestvarkens die daar voor mij zitten, ieder van jullie zal zijn laatste kreet binnen een jaar op het blok uitschreeuwen. Deze gruwel zal ons aller lot zijn, dat van onze koeien, varkens, kippen, schapen en wie nog meer. Zelfs de paarden en de honden wacht geen beter lot. Jij, Bokser, op de dag dat die machtige spieren van je hun kracht zullen verliezen, zal Jansen je naar de vilder sturen, die je de keel zal afsnijden en voer van je zal koken voor de jachthonden. En wat de honden betreft, wanneer zij oud en tandeloos worden zal Jansen een steen aan hun nek binden en hen verdrinken in de dichtstbijzijnde poel.

'Is het daarom niet glashelder, kameraden, dat alle kwaad in ons leven in de tirannie van de Mens zijn oorsprong vindt? Verlos ons van het mensdom, en de vruchten van onze arbeid zullen voor ons zijn. Wij zouden heel snel rijk en vrij kunnen worden. Wat moeten wij daartoe doen? Wel, dag en nacht werken, met hart en ziel, voor de omverwerping van het menselijke ras! Dat is mijn boodschap aan jullie, kameraden: Opstand! Ik weet niet wanneer deze Opstand zal komen, het kan over een week zijn of over honderd jaar; maar ik weet even zeker als ik dit stro onder mijn poten zie, dat vroeger of later gerechtigheid zal geschieden. Richt, kameraden, daar jullie ogen op in de korte tijd die jullie nog te leven hebben! En boven alles, breng deze boodschap van mij over aan hen die na jullie zullen komen, zodat toekomstige generaties de strijd tot aan de zege zullen voortzetten.

'En bedenkt, kameraden, dat jullie standvastig moeten zijn. Laat je door geen argumenten op een zijweg voeren. Luister nooit wanneer men jullie vertelt dat mens en dier een gemeenschappelijk belang hebben, dat de voorspoed van de een de voorspoed van de ander betekent. Niets dan leugens. De Mens dient het belang van geen enkel schepsel buiten zichzelf. En laat onder de dieren een volmaakte eenheid bestaan, volmaakte kameraadschap in de strijd. Alle mensen zijn vijanden. Alle dieren zijn kameraden.'

Op dat ogenblik ontstond er een groot tumult. Terwijl de Majoor sprak, waren vier grote ratten uit hun holen gekropen en zaten rechtop naar hem te luisteren. De honden hadden hen plotseling in de gaten gekregen en de ratten hadden slechts door een snelle vlucht naar hun holen hun leven kunnen redden. De Majoor maande met zijn poot tot stilte.

'Kameraden,' zei hij, 'dit is een punt waarover we het eens dienen te worden. De wilde schepselen, zoals ratten en konijnen – zijn dat onze vrienden of onze vijanden? Laten wij erover stemmen. Ik richt tot de vergadering de vraag: zijn ratten kameraden?'

Er werd onmiddellijk gestemd en een overweldigende meerderheid besliste dat ratten kameraden waren. Er waren slechts vier tegenstemmers, de drie honden en de kat, die achteraf zowel voor als tegen bleek te hebben gestemd.

De Majoor vervolgde:

'Ik heb nu weinig meer te zeggen. Ik herhaal slechts, denk steeds aan jullie plicht tot vijandschap jegens de Mens en al zijn doen en laten. Alles wat op twee poten loopt is een vijand. Alles wat op vier poten loopt of vleugels heeft, is een vriend. En bedenk ook dat wij in de strijd tegen de Mens niet op hem mogen gaan lijken. Zelfs wanneer wij hem hebben overwonnen, dienen jullie zijn ondeugden niet over te nemen. Geen dier mag ooit in een huis leven, of in een bed slapen, of kleren dragen, of alcohol drinken, of tabak roken, of geld aanraken, of handel drijven. Alle gewoonten van de Mens betekenen kwaad. En, boven alles, geen dier mag ooit zijn gelijke tiranniseren. Geen dier mag ooit een ander dier doden. Alle dieren zijn gelijk.

'En nu, kameraden, zal ik jullie over mijn droom van de vorige nacht vertellen. Ik kan jullie die droom niet beschrijven. Het was een droom over de aarde zoals zij zal zijn wanneer de Mens is verdwenen. Maar daardoor werd ik aan iets herinnerd wat ik al lang vergeten was. Vele jaren geleden, toen ik nog een big was, plachten mijn moeder en de andere zeugen een oud liedje te zingen, waarvan zij alleen de melodie en de eerste drie woorden kenden. In mijn jeugd heb ik het deuntje gekend, maar het was mij reeds lang ontschoten. Gisternacht echter keerde het in mijn droom weer tot mij terug. Maar bovendien kwamen de woorden van het liedje terug – woorden die ongetwijfeld lang en lang geleden door de dieren werden gezongen en die sinds generaties in vergetelheid zijn geraakt. Ik zal jullie nu dat lied voorzingen, kameraden. Ik ben oud en mijn stem is schor, maar wanneer ik jullie de melodie heb geleerd, kunnen jullie het beter zelf zingen. Het lied heet: "Dieren van het Koninkrijk".'

De oude Majoor schraapte zijn keel en begon te zingen. Zoals hij had gezegd was zijn stem schor, maar hij zong toch nog heel behoorlijk, en het was een aanstekelijk wijsje, zo ergens tussen 'Clementine' en 'La Cucaracha' in. De woorden luidden:

Dieren van het Koninkrijk,
Al gij dieren wijd en zijd,
Hoor wat ik u zal vertellen
Van de gouden toekomsttijd.

Vroeg of laat zal deze komen,
Als 't menselijk ras zal zijn onttroond,
En als de vruchtbaarste velden van dit land
Nog slechts door dieren zijn bewoond.

Geen paardetuig zal ons meer plagen,
Geen neusring dwingt meer tot een zucht,
Bit en spoor zullen eeuwig roesten,
Geen zweepslag suist meer door de lucht.

Meer dan wij ooit kunnen dromen,
Hooi en haver, gerst en graan,
Klaver, bonen, voederbieten,
Zullen slechts voor ons bestaan.

Klaarder zal het water zijn,
Stralen zal het veld in blijheid,
Zachter zal de wind ons strelen,
Op de dag van onze vrijheid.

Daarvoor moeten wij allen werken,
Ook al mogen wij 't zelf niet beleven,
En moeten koeien, paarden, ganzen,
Voor de zaak der vrijheid streven.

Dieren van het Koninkrijk,
Al gij dieren, wijd en zijd,
Hoor en voer mijn boodschap verder
Van de gouden toekomsttijd.

Het zingen van dit lied veroorzaakte een enorme opwinding onder de dieren. Nog bijna voor de Majoor aan het
eind gekomen was, begonnen zij het zelf te zingen. Zelfs
de domsten onder hen hadden het wijsje en een paar van
de woorden reeds te pakken, en de slimmeriken, zoals de
varkens en de honden, kenden het hele lied na een paar
minuten uit het hoofd. En toen, na een paar aanloopjes,
barstte het hele gezelschap uit in één geweldige samen-
zang van 'Dieren van het Koninkrijk'. De koeien loei-
den, de honden jankten, de schapen blaatten, de paarden
hinnikten, de eenden kwaakten het. Zij waren zo verrukt
van het lied dat zij het vijf maal achtereen zongen, en ze
zouden het de gehele nacht zijn blijven doorzingen wanneer zij niet gestoord waren.
    Helaas was boer Jansen door het rumoer wakker ge-
worden en hij sprong uit zijn bed in de veronderstelling

dat er een vos op het erf was. Hij greep zijn geweer, dat altijd in een hoek van zijn slaapkamer stond, en schoot een aantal jachtpatronen in het duister af. De hagelkorrels boorden zich in de muur van de schuur en de bijeenkomst werd inderhaast ontbonden. Een ieder snelde naar zijn eigen slaapplaats. De vogels zochten hun stok op, de andere dieren doken in het stro, en in één tel was de hele boerderij in slaap.

HOOFDSTUK II

Drie nachten later stierf de oude Majoor vreedzaam in zijn slaap. Zijn lichaam werd aan de rand van de boomgaard begraven.

Dit geschiedde vroeg in maart. In de daaropvolgende maanden was er veel geheime activiteit. De toespraak van de Majoor had de intelligentere dieren van de boerderij een geheel nieuwe kijk op het leven gegeven. Zij wisten niet wanneer de door de Majoor voorspelde Opstand plaats zou vinden, zij hadden geen reden om aan te nemen dat het nog tijdens hun leven zou zijn, maar zij zagen duidelijk in dat het hun plicht was met de voorbereiding ervan te helpen. De taak om de anderen te onderrichten en te organiseren berustte natuurlijk bij de varkens, die algemeen geacht werden de schrandersten onder de dieren te zijn. Voorop stonden hierbij twee jonge beren, Sneeuwbal en Napoleon genaamd, die Jansen voor de verkoop aan het opfokken was. Napoleon was een groot en nogal woest Berkshirevarken, tamelijk zwijgzaam, maar met de reputatie dat hij zijn zin wist door te zetten. Sneeuwbal was een levendiger varken dan Napoleon, beter van de tongriem gesneden en vindingrijker, maar men meende in hem niet die diepte van karakter te bespeuren. Alle andere beren van de boerderij waren voor de mest bestemd.

Het meest bekend van hen was een klein, vet mestvarken, genaamd Brulbeer, met een ronde toet, fonkelende ogen, snelle bewegingen en een schelle stem. Hij was een schitterend spreker, en wanneer hij een moeilijk onderwerp behandelde huppelde hij steeds met kwispelende staart heen en weer, waarvan op de een of andere manier een grote overredingskracht uitging. De anderen zeiden van Brulbeer dat hij recht kon praten wat krom was en omgekeerd.

Deze drie hadden de leringen van de Majoor uitgewerkt tot een ideologie waaraan zij de naam animalisme gaven. Vele avonden per week hielden zij, wanneer Jansen sliep, geheime samenkomsten in de schuur en zetten de anderen de beginselen van het animalisme uiteen. Aanvankelijk stuitten zij op veel domheid en berusting. Enkele dieren spraken over de plicht tot trouw aan Jansen, die zij de 'baas' noemden, of zij maakten simpele opmerkingen als 'Jansen geeft ons te vreten. Als hij weg was, zouden wij van honger omkomen.' Anderen stelden vragen als 'waarom zouden wij ons bekommeren om wat er na onze dood gebeurt?' of 'wanneer die Opstand toch komt, wat maakt het dan uit of wij ervoor werken of niet?' en de varkens hadden het niet gemakkelijk om hen in te doen zien dat dit alles in strijd was met de geest van het animalisme. De stomste vragen van allemaal stelde Mollie, de witte merrie. De eerste vraag die zij aan Sneeuwbal stelde, was: 'Zal er na de Opstand nog suiker zijn?'

'Nee,' zei Sneeuwbal beslist. 'Wij hebben geen middelen om op deze boerderij suiker te maken. Bovendien heb je helemaal geen suiker nodig. Je zult zoveel haver en hooi krijgen als je nodig hebt.'

'En zal ik nog lintjes in mijn manen mogen dragen?' vroeg Mollie.

'Kameraad,' zei Sneeuwbal, 'deze lintjes, waaraan jij zo gehecht bent, zijn het teken der slavernij. Kun je niet begrijpen dat vrijheid meer waard is dan lintjes?'

Mollie stemde daarmee in, maar erg overtuigd leek zij toch niet.

De varkens moesten een nog veel zwaardere strijd voeren tegen de leugens die de tamme raaf Mozes rondstrooide. Mozes, Jansens troeteldier, was een spion en een verklikker, maar hij was tevens een gewiekst spreker. Hij beweerde het bestaan te kennen van een geheimzinnig land, genaamd de Berg der Suikerklontjes, waar alle dieren na hun dood heen gingen. Het was ergens hoog in de lucht gelegen, een eindje voorbij de wolken, zei Mozes. Op de Berg der Suikerklontjes was het zeven dagen per week zondag, het hele jaar door was er klaver, en er groeiden suikerbroden en lijnkoeken aan de heggen. De dieren haatten Mozes omdat hij verhaaltjes vertelde en niet werkte, maar sommigen van hen geloofden in de Berg der Suikerklontjes en de varkens hadden moeite hen ervan te overtuigen dat zo'n plaats niet bestond.

Hun trouwste volgelingen waren Bokser en Klaver, de twee trekpaarden. Zij konden heel moeilijk zelf iets bedenken, maar na de varkens eenmaal als hun leermeesters aanvaard te hebben, slikten ze alles wat hun verteld werd en brachten ze het in eenvoudige woorden aan de andere dieren over. Zij verzuimden nimmer de geheime samenkomsten in de schuur bij te wonen en leidden het zingen van 'Dieren van het Koninkrijk', waarmee elke samenkomst eindigde.

Nu wil het geval dat de Opstand veel eerder en gemakkelijker slaagde dan iemand verwacht had. In vroeger jaren was Jansen hoewel een strenge baas, een bekwame boer geweest, maar de laatste tijd ging het hem slecht. Geldverlies als gevolg van een proces had hem ontmoedigd, en hij was meer gaan drinken dan goed voor hem was. Hij kon hele dagen in zijn luie stoel in de keuken zitten, drinkend en de krant lezend, terwijl hij af en toe Mozes in bier gesopte broodkorstjes voerde. Zijn knechten waren lui en oneerlijk, de akkers stonden vol onkruid, de daken schreeuwden om vernieuwing, de heggen waren verwaarloosd en de dieren ondervoed.

Juni kwam, en er kon bijna gehooid worden. Op midzomerdag, een zaterdag, ging Jansen 's avonds naar het dorp en in De Rode Leeuw zakte hij zo door dat hij pas zondag tegen de middag weer thuiskwam. De knechten hadden de koeien gemolken en waren toen konijnen gaan strikken, zonder zich om het voederen van de dieren te bekommeren. Toen Jansen terugkwam, viel hij onmiddellijk op de bank in de huiskamer in slaap, met de *Nieuwsbode* over zijn gezicht, zodat de dieren bij het vallen van de avond nog steeds niet waren gevoederd. Ten slotte konden zij het niet langer uithouden. Een van de koeien ramde met haar horens de deur van de voorraadschuur in en alle dieren bedienden zichzelf uit de troggen. Op dit ogenblik werd Jansen wakker. Het volgende ogenblik waren hij en zijn vier knechten in de voorraadschuur, gewapend met zwepen, waarmee zij naar alle kanten om zich heen sloegen. Dat was meer dan de hongerige dieren konden verdragen. Hoewel er geen enkele afspraak gemaakt was, wierpen zij zich eenparig op hun kwelgeesten. Jansen en zijn knechten voelden zich plotseling van alle kanten geduwd en geschopt. Ze hadden de situatie niet meer in handen. Nooit hadden zij dieren zich zo zien gedragen, en deze plotselinge opstand van wezens die zij gewend waren naar believen te ranselen en mishandelen, bracht hen bijna buiten zichzelf van angst. Na enkele ogenblikken gaven zij alle pogingen tot verdediging op en namen de benen. Een minuut later vluchtten zij alle vijf langs het karrepad dat naar de hoofdweg leidde, terwijl de dieren hen in triomf achtervolgden.

Vrouw Jansen keek uit het raam van de slaapkamer, zag wat er gebeurde, smeet inderhaast een paar bezittingen in een valies en vluchtte langs een andere weg uit de boerderij. Mozes sprong van zijn stok en fladderde luid krassend achter haar aan. Ondertussen hadden de dieren Jansen en zijn knechten de weg op gejaagd en het hek achter hen dichtgesmeten. En zo was nog voordat zij goed beseften wat er gaande was, de Opstand met succes bekroond: Jansen was verdreven, en de Herenhoeve van hen.

De eerste ogenblikken konden de dieren hun geluk niet op. Hun eerste daad was met z'n allen langs de grenzen van de boerderij te galopperen om zich ervan te verzekeren dat er geen menselijk wezen meer te vinden was; vervolgens renden zij terug naar de gebouwen teneinde de laatste sporen van Jansens gehate regime uit te wissen. De tuigkamer achter in de stal werd opengebroken; de bitten, de neusringen, de hondekettingen, de wrede messen waarmee Jansen biggen en lammeren castreerde, alles werd in de waterput gesmeten. De teugels, de halsters, de oogkleppen, de onterende voederzakken gingen op de brandende afvalhoop op het erf. Dezelfde weg gingen de zwepen. Alle dieren dansten van plezier toen zij zagen hoe de zwepen door de vlammen werden verteerd. Ook de linten waarmee op marktdagen de manen en staarten van de paarden gewoonlijk werden versierd, werden door Sneeuwbal aan het vuur prijsgegeven.

'Linten,' zei hij, 'moeten beschouwd worden als kleren, die een kenteken zijn van het menselijk wezen. Alle dieren behoren naakt te lopen.'

Toen Bokser dit hoorde, haalde hij het strooien kapje dat hij in de zomer droeg om de vliegen uit zijn ogen te houden, en slingerde het bij de rest in het vuur. In een mum van tijd hadden de dieren alles vernietigd wat hen aan boer Jansen herinnerde. Napoleon leidde hen vervolgens terug naar de voorraadschuur en gaf ieder een dubbele portie graan en voor elke hond twee biskwies. Toen zongen zij 'Dieren van het Koninkrijk' van het begin tot het eind zeven maal achtereen, gingen ter ruste en sliepen zoals zij nog nooit geslapen hadden.

Als gewoonlijk ontwaakten zij bij het ochtendgloren, en bij het plotselinge besef van de glorierijke gebeurtenissen van de vorige dag renden zij met elkaar de weide in. In de weide lag een heuveltje vanwaar het grootste deel van de boerderij was te overzien. De dieren renden naar de top en keken om zich heen in het heldere licht van de morgen. Ja, het was van hen – alles wat zij konden zien was van hen! Verrukt door deze gedachte dartelden zij in het rond en maakten luchtsprongen van pure opwinding. Zij rolden in de dauw, propten hun bek vol met het zoete zomergras, schopten kluiten aarde omhoog en snoven de rijke geur op. Daarna maakten zij een inspectietocht over de hele boerderij en keken in sprakeloze bewondering naar de akkers, het hooiland, de boomgaard, de vijver, het struikgewas. Het was alsof zij deze dingen nog nooit tevoren gezien hadden, en zelfs nu nog konden zij nauwelijks geloven dat dit alles van hen was.

Toen liepen ze achter elkaar terug naar de gebouwen en bleven zwijgend staan bij de deur van het woonhuis. Dat was ook van hen, maar zij waren bang om naar binnen te gaan. Na een ogenblik echter stootten Sneeuwbal en Napoleon de deur met hun schouders open en de dieren gingen in een rij naar binnen, uiterst voorzichtig lopend uit angst iets te beroeren. Op hun tenen liepen zij van kamer tot kamer, bang hun stemgeluid boven gefluister te verheffen en met iets van afschuw starend naar de ongelofelijke luxe, naar de bedden met de veren matrassen, de spiegels, de met paardehaar gevulde bank, het tapijt, de beeltenis van de koningin boven de schoorsteenmantel. Zij kwamen juist de trap af toen zij ontdekten dat Mollie ontbrak. Toen ze teruggingen vonden zij haar in de mooie slaapkamer. Ze had een stuk blauw lint van vrouw Jansens tafel genomen, hield het tegen haar schoft en bewonderde zichzelf op een dwaze manier in de spiegel. De anderen maakten haar scherpe verwijten en gingen naar buiten. Enkele hammen die in de keuken hingen werden meegenomen om begraven te worden en het biervat in de bijkeuken werd door een schop van Boksers hoef in duigen getrapt, maar voor het overige werd er niets in het huis aangeraakt. Unaniem werd ter plaatse het voorstel aanvaard dat het woonhuis als museum bewaard zou blijven. Allen waren het er over eens dat geen dier er ooit mocht wonen.

De dieren gebruikten hun ontbijt en vervolgens riepen Sneeuwbal en Napoleon hen weer bij elkaar. 'Kameraden,' zei Sneeuwbal, 'het is half zeven en wij hebben een lange dag voor ons. Vandaag beginnen we met hooien. Maar eerst dienen wij onze aandacht aan iets anders te wijden.'

De varkens onthulden toen dat zij zichzelf in de laatste drie maanden lezen en schrijven hadden bijgebracht uit een oud spelboekje dat aan boer Jansens kinderen had behoord en dat op de afvalhoop was gegooid. Napoleon liet potten zwarte en witte verf halen en leidde allen naar het hek dat toegang bood tot de hoofdweg. Toen nam Sneeuwbal (die het beste kon schrijven) een kwast tussen zijn voorpoten, smeerde de naam HE-RENHOEVE op de bovenste plank onder en schilderde ervoor in de plaats DIERENBOERDERIJ. Zo zou de boerderij voortaan heten. Hierna gingen zij terug naar de gebouwen, waar Sneeuwbal en Napoleon een ladder lieten halen om tegen de achtermuur van de grote schuur te plaatsen. Zij verklaarden dat zij er door hun studie van de laatste drie maanden in geslaagd waren de beginselen van het animalisme terug te brengen tot zeven geboden. Deze zeven geboden zouden nu op de muur worden vastgelegd; zij zouden een onwrikbare wet vormen die alle dieren van de boerderij voor altijd moesten naleven. Met enige moeite – het valt niet mee voor een varken zichzelf op een ladder in evenwicht te houden – klom Sneeuwbal naar boven en begon te schilde-

27

ren, terwijl Brulbeer enkele treden lager de verfpot vast-
hield. De geboden werden met grote witte letters op de
geteerde muur geschreven, zodat zij op dertig meter afstand leesbaar waren. Zij luidden als volgt:

DE ZEVEN GEBODEN

1. Al wat op twee poten loopt is een vijand.
2. Al wat op vier poten loopt, of vleugels heeft, is een vriend.
3. Geen dier mag kleren dragen.
4. Geen dier mag in een bed slapen.
5. Geen dier mag alcohol drinken.
6. Geen dier mag enig ander dier doden.
7. Alle dieren zijn gelijk.

Het was erg netjes gedaan, en behalve dat 'vriend' als
'vreind' was geschreven en een s achterstevoren stond,
was de spelling verder overal goed. Sneeuwbal las het
ten behoeve van de anderen hardop voor. Alle dieren
knikten uit volle instemming, en de schranderen begonnen meteen de geboden uit het hoofd te leren. 'En
nu, kameraden,' riep Sneeuwbal, terwijl hij de verfkwast
neersmeet, 'op naar het hooiland! Laten wij er een eer
in stellen, de oogst sneller binnen te halen dan Jansen en
zijn knechten het konden.'

Maar op dat ogenblik begonnen de drie koeien, die
zich al een tijdje niet op hun gemak schenen te voelen,
luid te loeien. Zij waren al vierentwintig uur lang niet
gemolken en hun uiers stonden op springen. Na enig
nadenken lieten de varkens emmers halen en zij mol-
ken de koeien op geslaagde wijze met hun voorpoten,

die uitstekend voor deze taak geschikt bleken. Weldra stonden er vijf emmers met schuimende romige melk, waarnaar menig dier met grote belangstelling stond te kijken. 'Wat moet er met al die melk gebeuren?' riep er een. 'Jansen deed er soms wat van door ons voer,' zei een van de kippen. 'Bekommer je niet om die melk, kameraden!' riep Napoleon, terwijl hij voor de emmers ging staan. 'Daar zal voor gezorgd worden. De oogst is belangrijker. Kameraad Sneeuwbal zal de weg wijzen. Ik volg over een paar minuten. Voorwaarts, kameraden! Het hooi wacht.'

Zo dromden de dieren naar het hooiland om aan de oogst te beginnen, en toen zij 's avonds terugkwamen merkten zij dat de melk verdwenen was.

Hoe zwoegden en zweetten zij om het hooi binnen te brengen! Maar hun inspanning werd beloond, want de oogst was een groter succes dan zij hadden durven hopen.

Soms was het werk moeilijk; de gereedschappen waren gemaakt voor menselijke wezens en niet voor dieren, en het was een grote belemmering dat geen dier een stuk gereedschap kon gebruiken waarbij het op zijn achterpoten moest staan. Maar de varkens waren zo knap, dat ze iedere moeilijkheid wisten te omzeilen. Wat de paarden betreft, deze kenden iedere vierkante centimeter van het land en verstonden de kunst van het maaien en harken veel beter dan Jansen en zijn knechten ooit hadden gedaan. De varkens lieten zich niet met het eigenlijke werk in, maar hielden leiding en toezicht op de anderen. Op grond van hun buitengewone kennis was het vanzelfsprekend dat zij het leiderschap op zich namen. Bokser en Klaver spanden zichzelf voor de maai- of de harkmachine (zonder bit of teugels, die natuurlijk niet meer nodig waren) en sjouwden gestadig het land af met een varken achter zich, dat commandeerde 'hort, kameraad!' of 'ho, kameraad!' al naar het te pas kwam. En elk dier, ook het kleinste, werkte mee aan het keren en bijeengaren van het hooi. Zelfs de eenden en de kippen zwoegden de hele dag in de zon, kleine bosjes hooi aandragend in hun snavels. Uiteindelijk was de oogst in twee dagen minder tijd binnen dan Jansen en zijn knechten er gewoonlijk voor nodig hadden gehad. Bovendien was het de rijkste oogst die de boerderij ooit had gekend. Er was niets verloren gegaan; de kippen en eenden met hun scherpe ogen hadden de laatste sprietjes bijeengegaard. En geen dier van de boerderij had ook maar een mondjevol gestolen. Die hele zomer door liep het werk op de boerderij met de regelmaat van een uurwerk. De dieren waren zo gelukkig als zij zich nooit hadden kunnen voorstellen. Elke hap voer was een uitgesproken plezier nu het werkelijk hun eigen voedsel was, door en voor henzelf voortgebracht en hun niet langer toebedeeld door een baas die het hun eigenlijk niet gunde. Nu de verachtelijke menselijke parasieten verdwenen waren, was er voor iedereen meer te eten. En ondanks de onervarenheid van de dieren was er ook meer vrije tijd. Zij stuitten op vele moeilijkheden – toen zij bijvoorbeeld later in het jaar het graan oogstten, moesten zij op de ouderwetse manier de korrels lostrappen en het kaf zelf wegblazen aangezien de boerderij geen dorsmachine rijk was, maar de varkens met hun schranderheid en Bokser met zijn enorme spieren sleepten hen er steeds door. Bokser werd door een ieder bewonderd. Hij was ook in Jansens tijd een harde werker geweest, maar nu leek hij eerder drie paarden te zijn dan één; er waren dagen dat het gehele werk op de boerderij op zijn machtige schouders leek te rusten. Van 's morgens tot 's avonds was hij aan het duwen en trekken, steeds daar waar het werk het zwaarst was. Hij was met een van de jonge hanen overeengekomen dat deze hem 's morgens een half uur vroeger zou wekken dan alle anderen, en deed, voordat het algemene werk begon, vrijwillig een of ander noodzakelijk karweitje. Zijn antwoord op alles wat om een oplossing vroeg, op iedere tegenslag, was 'ik zal harder werken' – dat had hij tot zijn devies gemaakt. Maar iedereen werkte naar zijn vermogen. De kippen en eenden bijvoorbeeld wonnen vijf schepels graan tijdens de oogst door de verspreid liggende halmen te verzamelen. Niemand stal, niemand mopperde over zijn rantsoen; ruzie en bijten en afgunst, die vroeger bij het gewone leven behoorden, waren bijna verdwenen. Niemand trok de lijn – dat wil zeggen, bijna niemand. Het dient gezegd te worden dat Mollie 's morgens slecht kon opstaan en er een handje van had het werk vroegtijdig te verlaten met het smoesje dat zij een steen in haar hoef had. En het gedrag van de kat was een beetje eigenaardig. Het viel al spoedig op dat zij nooit te vinden was als er werk aan de winkel was. Ze was urenlang afwezig om terug te komen op etenstijd of 's avonds na het werk, alsof er niets gebeurd was. Maar zij had altijd zulke voortreffelijke excuses en zat daarbij zo aandoenlijk te spinnen dat het onmogelijk was niet in haar goede bedoelingen te geloven. Oude Benjamin, de ezel, scheen sinds de Opstand geheel onveranderd. Hij deed zijn werk op dezelfde slome, koppige wijze als in Jansens dagen, spijbelde nooit, maar deed ook nooit vrijwillig iets extra's. Over de Opstand en zijn resultaten gaf hij nooit zijn mening te kennen. Als men hem vroeg of hij zich niet gelukkiger voelde nu Jansen verdwenen was, placht hij slechts te zeggen: 'Ezels hebben een lang leven. Niemand van jullie heeft ooit een dooie ezel gezien,' en de anderen moesten het met dit raadselachtige antwoord doen.

Op zondag werd er niet gewerkt. Het ontbijt was een uur later dan gewoonlijk, en na het ontbijt was er een ceremonie die steevast iedere week werd gehouden. Eerst werd de vlag gehesen. Sneeuwbal had in de tuigkamer een oud groen tafelkleed van vrouw Jansen gevonden en had er met witte verf een hoef en een hoorn op geschilderd. Dit kleed werd elke zondagmorgen aan de vlaggestok in de tuin van het woonhuis gehesen. De vlag was groen, legde Sneeuwbal uit, omdat dit de groene velden van het koninkrijk moest voorstellen, terwijl hoef en hoorn de toekomstige Republiek der Dieren voorstelden, die zou worden opgericht als het menselijk ras uiteindelijk overwonnen was. Na het hijsen van de vlag dromden alle dieren samen in de grote schuur voor wat de Bijeenkomst genoemd werd. Hier werd het werk voor de komende week uitgestippeld en werden voorstellen gedaan en besproken. Het waren steeds de varkens die met de voorstellen kwamen. De andere dieren wisten hoe zij stemmen moesten, maar kwamen zelf nooit met een voorstel. Sneeuwbal en Napoleon namen verreweg het meest aan de debatten deel. Maar het viel op dat die twee het nooit eens waren; wat een van hen ook voorstelde, men kon erop rekenen dat de ander ertegen was. Zelfs toen besloten was het landje achter de boomgaard te reserveren als een rustoord voor dieren die niet meer behoefden te werken – wie kon daar nu iets op tegen hebben –, was er nog een stormachtig debat over de juiste pensioengerechtigde leeftijd voor iedere diersoort. De Bijeenkomst eindigde steeds met het

33

zingen van 'Dieren van het Koninkrijk', en de namiddag gaf gelegenheid tot ontspanning.

De varkens hadden de tuigkamer als hoofdkwartier ingericht. Hier lazen zij over smeden, timmeren en andere noodzakelijke vaardigheden uit boeken die zij uit het woonhuis hadden gehaald.

Sneeuwbal hield zich ook bezig met het organiseren van de dieren in wat hij noemde dierencomités. Daarin was hij onvermoeibaar. Hij vormde het Eierproductiecomité voor de kippen, de Schonestaartenbond voor de koeien, het Comité tot Heropvoeding van Wilde Kameraden (met als doel de ratten en de konijnen te temmen), de Witterewolbeweging voor de schapen, en vele andere, naast cursussen in lezen en schrijven. In het algemeen werden al deze projecten een mislukking. Zo faalde de poging de wilde schepselen te temmen bijna onmiddellijk. Zij gedroegen zich precies als vroeger en trokken van iedere milde behandeling eenvoudig de voordelen. De kat werd lid van het Comité tot Heropvoeding en was daarvoor een paar dagen zeer druk in de weer. Op zekere dag zag men haar op een dak zitten en spreken tot enige spreeuwen die juist buiten haar bereik waren. Zij vertelde hun dat alle dieren nu kameraden waren en dat iedere spreeuw die dat wilde, gerust op haar poot kon neerstrijken; maar de spreeuwen bleven op een afstandje.

De klassen voor lezen en schrijven waren echter een groot succes. Tegen de herfst was bijna ieder dier van de boerderij in zekere mate geletterd.

De varkens konden al perfect lezen en schrijven. De

honden leerden vrij goed lezen, maar hadden voor geen enkele andere lectuur belangstelling dan voor de zeven geboden. Muriel, de geit, kon iets beter lezen dan de honden, en las 's avonds soms de anderen voor uit stukken krant die zij op de vuilnishoop had gevonden. Benjamin kon even goed lezen als welk varken ook maar oefende nooit. Voor zover hem bekend, zei hij, was niets de moeite van het lezen waard. Klaver leerde het gehele alfabet, maar kon van de letters geen woorden maken. Bokser kon niet verder komen dan de letter D. Hij schreef A, B, C, D met zijn hoef in het stof en stond dan met zijn oren in zijn nek naar de letters te staren, soms zijn voorlok schuddend, terwijl hij zich uit alle macht trachtte te herinneren wat er dan kwam, maar hij vond het nooit. Menigmaal leerde hij inderdaad E, F, G, H, maar als hij die kende, bleek steeds dat hij inmiddels A, B, C, en D weer vergeten had. Ten slotte besloot hij maar tevreden te zijn met de eerste vier letters, en hij maakte er een gewoonte van ze dagelijks een- of tweemaal op te schrijven om zijn geheugen op te frissen. Mollie weigerde iets méér te leren dan de vijf letters van haar eigen naam. Zij vormde deze erg netjes van stukjes twijg en versierde ze dan met een paar bloemen en wandelde er in bewondering omheen.

Geen van de andere dieren van de boerderij bracht het verder dan de letter A. Ook bleek dat de wat dommere dieren zoals de schapen, kippen en eenden niet in staat waren de zeven geboden uit het hoofd te leren. Na veel hoofdbrekens verklaarde Sneeuwbal dat de zeven geboden samengevat konden worden in één enkele leuze, namelijk: 'vier poten goed, twee poten slecht'. Dit, zo zei hij, bevatte het essentiële beginsel van het animalisme. Wie het grondig had begrepen zou gevrijwaard zijn voor menselijke invloeden. De vogels protesteerden aanvankelijk, daar het er immers op leek dat ook zij twee poten hadden, maar Sneeuwbal bewees hun dat dit niet het geval was.

'De vleugel van een vogel, kameraden,' zo zei hij, 'is een orgaan tot voortbeweging en niet bedoeld tot het verrichten van handwerk. Derhalve dient het beschouwd te worden als een poot. Het meest karakteristieke kenmerk van de Mens is de *hand*, het instrument waarmee hij al zijn wandaden verricht.'

De vogels begrepen niets van Sneeuwbals moeilijke woorden, maar zij aanvaardden zijn uitleg, en alle eenvoudige dieren begonnen de leuze uit het hoofd te leren. 'VIER POTEN GOED, TWEE POTEN SLECHT' werd op de achtermuur van de schuur geschreven, boven de zeven geboden en in grotere letters. Toen zij de leerspreuk eenmaal uit het hoofd kenden, bleken de schapen er veel mee op te hebben, en dikwijls als zij in het veld lagen begonnen zij allen te blaten 'vier poten goed, twee poten slecht! vier poten goed, twee poten slecht!' en bleven daarmee uren doorgaan zonder er ooit moe van te worden.

Napoleon had geen belangstelling voor Sneeuwbals comités. Hij was van mening dat de opvoeding van de jeugd van meer belang was dan iets wat gedaan kon worden voor hen die reeds volwassen waren. Het gebeurde dat Jessie en Hyacint beiden vlak na de hooioogst geworpen hadden en samen negen flinke jongen ter wereld hadden gebracht. Zodra zij van de speen af waren, nam Napoleon ze van hun moeders weg met de mededeling dat hij verder verantwoordelijk voor hun opvoeding zou zijn. Hij bracht ze naar een vliering die slechts via een ladder vanuit de tuigkamer te bereiken was, en hield ze daar zo afgezonderd dat de rest van de boerderij zich spoedig hun bestaan niet meer herinnerde.

Het mysterie waar de melk heen ging, was spoedig opgehelderd. Zij werd iedere dag door het varkensvoer gedaan. De vroege appels begonnen nu rijp te worden en het gras van de boomgaard was bezaaid met afgewaaide vruchten. De dieren hadden als vanzelfsprekend aangenomen dat deze gelijkelijk verdeeld zouden worden; op zekere dag echter luidde de order dat ze verzameld en naar de tuigkamer gebracht dienden te worden ten behoeve van de varkens. Sommige dieren begonnen daarover te mopperen, maar tevergeefs. In dezen waren alle varkens het eens, zelfs Sneeuwbal en Napoleon. Brulbeer werd erop uitgestuurd om de anderen de noodzakelijke uitleg te geven.

'Kameraden!' riep hij. 'Jullie verbeelden je toch niet, naar ik hoop, dat wij varkens dit doen met zelfzuchtige bedoelingen, om onszelf te bevoordelen? Velen van ons lusten helemaal geen melk en appels. Ikzelf lust ze ook niet. Wanneer wij deze dingen nemen, doen wij het alleen voor onze gezondheid. Melk en appels bevatten echter, naar de wetenschap heeft aangetoond kameraden, bestanddelen die absoluut noodzakelijk zijn voor het welzijn van een varken. Wij varkens zijn hoofdarbeiders. De hele huishouding en organisatie van deze boerderij berust op ons. Dag en nacht waken wij over uw welzijn. Het is ter wille van *jullie* dat wij die melk drinken en die appels vreten. Weten jullie wat er zou gebeuren wanneer wij varkens onze plichten zouden verzaken? Jansen zou terugkomen! Ja, Jansen zou terugkomen! Gewis, kameraden,' riep Brulbeer bijna smekend en met kwispelende staart heen en weer huppelend, 'er is toch zeker niemand onder jullie die Jansen hier terug zou willen zien?'

Nu, als de dieren van één ding zeker waren, dan was het wel dat zij Jansen niet terug verlangden. Toen hun een en ander in dit licht was getoond, hadden zij niets meer te zeggen. Het belang de varkens in goede conditie te houden lag te zeer voor de hand. Zo werd zonder verdere discussie overeengekomen dat de melk en de afgewaaide appels – en evenzeer de eigenlijke appeloogst als ze eenmaal rijp zouden zijn – uitsluitend voor de varkens gereserveerd zouden blijven.

HOOFDSTUK IV

Tegen het eind van de zomer had het nieuws over de gebeurtenissen op de Dierenboerderij zich door het halve land verspreid. Dagelijks hadden Sneeuwbal en Napoleon duiven laten uitzwermen met de instructie zich te mengen onder de dieren van naburige boerderijen en hun van de Opstand te vertellen en de melodie van 'Dieren van het Koninkrijk' te leren.

Ondertussen had Jansen het grootste deel van de tijd doorgebracht in de gelagkamer van De Rode Leeuw, waar hij tegen een ieder die maar luisteren wilde zat te jammeren over het onrecht dat hem was wedervaren door van zijn bezittingen verjaagd te worden door een bende nietswaardige beesten. De andere boeren voelden met hem mee, maar deden aanvankelijk weinig om hem te helpen. In stilte vroeg ieder van hen zich af of hij uit Jansens pech op de een of andere manier geen voordeeltje kon slaan. Het was maar goed dat de eigenaren van de boerderijen die aan de Dierenboerderij grensden voortdurend op voet van oorlog met elkaar stonden. Een van die boerderijen, de Vossenhoeve, was groot, verwaarloosd en ouderwets, overwoekerd door bos, en met kale weilanden en verwilderde heggen. De eigenaar, Pietersen, nam het nogal gemakkelijk op en besteedde zijn tijd, al naar het seizoen, hoofdzakelijk aan vissen en jagen. De andere boerderij, Pronkenburg genaamd, was kleiner en beter onderhouden. De eigenaar was een zekere Frederiks, een lastige kerel en een nijdas, die voortdurend in processen gewikkeld was en er steeds op uit was overal het laatste halfje uit te knijpen. Die twee hadden dusdanig het land aan elkaar dat het hun moeilijk viel het ooit ergens over eens te worden, zelfs wanneer het om een gemeenschappelijk belang ging.

Niettemin waren zij allebei angstig geworden door de Opstand op de Dierenboerderij, en zij waakten ervoor dat hun eigen dieren er niet te veel over zouden horen. Aanvankelijk deden zij of zij moesten lachen om het bespottelijke idee dat dieren zelf een boerderij beheren. Alles zou in een paar weken wel weer voorbij zijn, zo zeiden zij. Zij strooiden het gerucht rond dat de dieren op de Herenhoeve – de naam Dierenboerderij wilden zij niet gebruiken – voortdurend ruzie onder elkaar hadden en al heel spoedig van honger om moesten komen. Toen de dieren na verloop van tijd klaarblijkelijk niet van honger omkwamen, lieten Frederiks en Pietersen een ander deuntje horen en begonnen te praten over de gruwelen die op de Dierenboerderij plaatsvonden. De dieren zouden aan kannibalisme doen, elkaar pijnigen met gloeiende hoefijzers en hun vrouwen met elkaar delen. Dat waren de gevolgen van een opstand tegen de wetten der natuur, zo zeiden Frederiks en Pietersen.

Aan deze verhalen werd echter nooit volledig geloof gehecht. Vage en verwarde geruchten deden de ronde over een prachtige boerderij waar de mensen verdreven waren en de dieren alles zelf deden, en gedurende dat jaar sloeg een golf van opstandigheid over de gehele landstreek. Stieren die altijd handelbaar waren geweest, begonnen plotseling wild te worden, schapen braken door de omheining en vraten de klaver weg, koeien schopten de emmers om, jachtpaarden wierpen hun berijder af. Bovendien waren de melodie en zelfs de woorden van 'Dieren van het Koninkrijk' overal bekend. Het was met verbazingwekkende snelheid overal doorgedrongen. De menselijke wezens raakten buiten zichzelf van woede wanneer zij het lied hoorden, hoewel zij deden alsof ze het slechts belachelijk vonden. Zij beweerden niet te kunnen begrijpen hoe zelfs dieren zulk een complete waanzin konden zingen. Ieder dier dat zingend werd gesignaleerd, kreeg ter plekke een pak ransel. En toch was het lied er niet uit te krijgen. De merels zongen het in de heggen, de duiven koerden het in de olmen, het klonk door het geraas in de smidsen en door het luiden van de kerkklokken. En als de menselijke wezens het hoorden beefden zij in stilte voor wat zij beschouwden als de aankondiging van hun toekomstig lot.

Vroeg in oktober, toen het koren gemaaid en opgetast, en een gedeelte al gedorst was, kwam een schare duiven aangevlogen en streek in de hevigste opwinding neer op het erf van de Dierenboerderij. Jansen en al zijn knechten, met een half dozijn anderen van de Vossenhoeve en Pronkenburg, waren het hek binnengegaan en kwamen over het karrespoor naar de boerderij. Allen hadden stokken, behalve Jansen, die voorop liep met een geweer. Zij waren kennelijk van plan de boerderij te heroveren.

Dat had men allang verwacht, en alle voorzorgen waren getroffen. Sneeuwbal, die een oud boek over Julius Caesars veldtochten had bestudeerd dat hij in het woonhuis gevonden had, leidde de verdediging. Hij gaf snel zijn orders en in een paar minuten was ieder dier op zijn post.

Toen de menselijke wezens de gebouwen van de boerderij naderden, lanceerde Sneeuwbal zijn eerste aanval. Alle duiven, zo'n vijfendertig, vlogen over de hoofden van de mannen heen en weer en lieten vanuit de lucht hun drek venijnig vallen, en terwijl de mannen daarmee het nodige te doen hadden, stoven de ganzen, die achter de heg verscholen stonden, vooruit en pikten hen in de kuiten. Dit was echter niet meer dan een lichte manoeuvre om enige wanorde te stichten, en de mannen konden de ganzen gemakkelijk met hun stokken verdrijven. Sneeuwbal zette nu zijn tweede aanvalslinie in. Muriel, Benjamin en alle schapen, met Sneeuwbal voorop, stoven voorwaarts en porden en duwden de mannen van alle kanten, terwijl Benjamin zich omdraaide en begon te trappen. Maar wederom waren de mannen hun met hun stokken en spijkerlaarzen de baas. En plotseling, op een kreet van Sneeuwbal, die het sein voor de terugtocht gaf, keerden alle dieren om en vluchtten door het hek het erf op.

De mannen riepen victorie. Zij zagen hun vijanden vluchten en renden ordeloos achter hen aan. Dat was juist wat Sneeuwbal wilde. Zodra de mannen op het erf waren doken de drie paarden, de drie koeien, en de rest van de varkens, die in hinderlaag in de koeienstal gelegen hadden, achter hun rug op en sneden hun de terugtocht af. Sneeuwbal gaf nu het signaal tot de aanval. Hijzelf stormde op Jansen af. Jansen zag hem aankomen, hief zijn geweer op en vuurde. De hagelkorrels trokken bloedige strepen langs Sneeuwbals rug en een schaap viel dood neer. Zonder een ogenblik in te houden, wierp Sneeuwbal zijn honderd kilo gewicht tegen Jansens benen. Jansen verdween in een hoop mest en zijn geweer vloog uit zijn handen. Maar het meest schrikaanjagende schouwspel leverde Bokser, die als een steigerende hengst op zijn achterbenen stond en met zijn beslagen voorhoeven stompen uitdeelde. Zijn eerste stoot trof een stalknecht van de Vossenhoeve tegen de schedel waarna hij levenloos in de modder bleef liggen. Dit ziende lieten verscheidene mannen hun stokken vallen en trachtten te vluchten. Paniek maakte zich van hen meester, en een ogenblik later holden alle dieren achter hen aan het erf rond. Zij werden met horens bewerkt, geschopt, gebeten en getrapt. Er was geen dier op de boerderij dat niet op zijn manier wraak nam. Zelfs de kat sprong plotseling van een dak op de schouders van een melkknecht en zette haar klauwen in zijn nek, waarop hij ijselijk begon te schreeuwen. Toen de weg even vrij was, renden de mannen snel het erf af en zochten een goed heenkomen naar de hoofdweg. En zo waren zij vijf minuten na hun inval smadelijk op de terugtocht langs dezelfde weg als zij gekomen waren, met een kudde sissende ganzen achter zich aan, die hen onafgebroken in de kuiten pikten.

Alle mannen waren gevlogen, op één na. Achter op het erf trachtte Bokser de stalknecht, die voorover in de modder lag, met zijn poot om te keren. De jongen verroerde zich niet.

'Hij is dood,' zei Bokser spijtig. 'Ik had niet de bedoeling dat te doen. Ik vergat dat ik hoefijzers droeg. Wie zal geloven dat ik het niet met opzet deed?'

'Geen sentimentaliteiten, kameraad!' riep Sneeuwbal, uit wiens wonden het bloed nog sijpelde. 'Oorlog is oorlog. De enige goede mens is een dood mens.'

'Ik wens niemand het leven te benemen, zelfs geen mens,' herhaalde Bokser, de ogen vol tranen.

'Waar is Mollie?' riep iemand.

Mollie was inderdaad verdwenen. Even was er groot alarm; men was bang dat de mannen haar iets hadden aangedaan of haar zelfs hadden meegenomen. Ten slotte vond men haar echter in haar stal met haar kop onder het hooi in de voerbak. Ze was op de vlucht geslagen toen het geweer afging. En toen de anderen terugkwamen van hun speurtocht naar haar, ontdekten zij dat de stalknecht, die alleen maar verdoofd was, weer was bijgekomen en gemaakt had dat hij wegkwam.

In de grootste opwinding verzamelden de dieren zich nu weer; ieder gaf luidkeels verslag van zijn heldendaden in de strijd. Onmiddellijk werd een viering van de overwinning geïmproviseerd. De vlag werd gehesen en 'Dieren van het Koninkrijk' werd een aantal malen gezongen, vervolgens kreeg het gesneuvelde schaap een plechtige begrafenis, waarbij er een haagdoorn op het graf werd geplant. Aan de groeve hield Sneeuwbal een korte toespraak, waarin hij tot uitdrukking bracht dat alle dieren steeds bereid moesten zijn als het nodig was voor de Dierenboerderij te sterven.

De dieren besloten eenstemmig tot het instellen van een militaire onderscheiding: 'heldendier, eerste klasse', die ter plaatse toegekend werd aan Sneeuwbal en Bokser. De orde bestond uit een koperen medaille – in werkelijkheid ornamenten van paardentuig dat men in de tuigkamer had gevonden – te dragen op zon- en feestdagen. Ook was er een 'heldendier, tweede klasse', die postuum aan het schaap toegekend werd.

Er ontstond een lange discussie over de naam die men de slag zou geven. Ten slotte gaf men hem de naam 'Slag van de Koeienstal', omdat de dieren daar in hinderlaag hadden gelegen. Het geweer van Jansen was uit de modder gehaald, en het was bekend dat er nog een voorraad patronen in het woonhuis lag. Besloten werd het geweer op te stellen aan de voet van de vlaggenstok, als een stuk geschut, en het tweemaal per jaar af te schieten – een keer op twaalf oktober, de verjaardag van de Slag van de Koeienstal, en een keer op midzomerdag, de verjaardag van de Opstand.

HOOFDSTUK V

In de loop van de winter werd Mollie steeds lastiger. Ze was iedere morgen te laat voor haar werk en gaf als verontschuldiging op dat zij zich verslapen had, en zij klaagde over geheimzinnige pijnen hoewel haar eetlust voortreffelijk was. Onder alle mogelijke voorwendsels liet ze haar werk in de steek en ging naar het wed, waar ze dwaas stond te staren naar haar spiegelbeeld in het water. Maar er gingen ook geruchten over ernstiger zaken. Eens, toen Mollie vrolijk het erf op stapte, met haar lange staart zwaaiend en kauwend op een spriet hooi, nam Klaver haar apart.

'Mollie,' zei zij, 'ik moet je eens iets heel ernstigs zeggen: vanmorgen zag ik je over de heg kijken die ons land van dat van de Vossenhoeve scheidt. Een van de knechten van Pietersen stond aan de andere kant. En hoewel ik veraf stond ben ik er bijna zeker van dat hij met je sprak en dat jij hem toestond je over je neus te strelen. Wat heeft dat te betekenen, Mollie?'

'Dat deed hij niet! Ik was het niet! Het is niet waar!' riep Mollie, terwijl ze begon rond te dansen en met haar voorbeen over de grond krabde.

'Mollie! Kijk me aan. Geef je me je erewoord dat die man je niet over je neus streelde?'

'Het is niet waar!' herhaalde Mollie, maar zij kon Klaver niet in de ogen zien en nam het volgende ogenblik

46

de benen en galoppeerde het veld in.

Hierop kreeg Klaver een ingeving. Zonder iets aan de anderen te vertellen ging zij naar Mollies stal en doorzocht het stro met haar hoef. Verborgen onder het stro vond zij een hoopje suikerklontjes en een aantal lintjes in verschillende kleuren.

Drie dagen later verdween Mollie. Een paar weken lang wist men hoegenaamd niet waar ze was en toen rapporteerden de duiven dat zij haar aan de andere zijde van het dorp hadden gezien. Zij stond tussen de bomen van een fraaie rood-en-zwartgeschilderde dogkar, ergens voor een herberg. Een dikke man met een rood gezicht en in een geruite broek met slobkousen, die eruitzag als een herbergier, streelde haar neus en voerde haar suiker. Zij was pas geknipt, droeg een rood lint in haar voorlok, en leek zich uitstekend te vermaken, zeiden de duiven. Niemand van de dieren sprak ooit nog over Mollie.

In januari kwamen harde winterdagen. De grond leek wel van ijzer en werk op het land was onmogelijk. Er werden vele Bijeenkomsten in de grote schuur gehouden en de varkens hielden zich bezig met de voorbereiding van het werk voor het volgende seizoen. Men had goed gevonden dat de varkens, die duidelijk slimmer waren dan de andere dieren, in alle beleidszaken zouden beslissen, hoewel hun beslissingen door een meerderheid van stemmen bekrachtigd dienden te worden. Deze regeling had heel goed kunnen werken als er niet het geharrewar tussen Sneeuwbal en Napoleon was geweest. Die waren het oneens over alles waarover men het oneens kon zijn. Wanneer de een voorstelde meer gerst te zaaien, dan kon men er zeker van zijn dat de ander juist meer haver wilde hebben, en als de een zei dat een stuk land bij uitstek geschikt was voor kool, dan beweerde de ander dat het alleen maar voor wortels deugde. Ieder had zijn eigen aanhangers, en soms waren er furieuze debatten. Op de Bijeenkomsten kreeg Sneeuwbal dikwijls de meerderheid op zijn hand door zijn schitterende redevoeringen, maar Napoleon wist zijn aanhang tussentijds beter te versterken. In het bijzonder had hij succes bij de schapen. De laatste tijd blaatten zij te pas en te onpas 'vier poten goed, twee poten slecht', en dikwijls verstoorden zij de Bijeenkomst daarmee. Het viel op dat ze er speciaal een handje van hadden in hun 'vier poten goed, twee poten slecht' uit te barsten op beslissende momenten in Sneeuwbals redevoeringen.

Sneeuwbal had een diepgaande studie gemaakt van enkele oude nummers van het tijdschrift *Boer en Veefokker* die hij in het woonhuis gevonden had, en hij zat propvol plannen voor vernieuwingen en verbeteringen. Hij sprak geleerd over afwatering, inkuiling en thomasslakkenmeel, en had een compleet schema uitgewerkt om de dieren hun mest direct op het veld te laten deponeren, elke dag op een andere plaats, om zo op het transport te besparen. Napoleon stelde zelf geen schema's op, maar vertelde rustig dat die van Sneeuwbal tot niets zouden leiden, en scheen zijn tijd af te wachten. Maar geen onenigheid was zo fel als die welke over de windmolen ontstond.

In de grote weide, niet ver van de gebouwen, lag een kleine heuvel die het hoogste punt van de boerderij vormde. Na het terrein te hebben geïnspecteerd, verklaarde Sneeuwbal dat dit de juiste plaats was voor een windmolen die een dynamo zou kunnen aandrijven om de boerderij van elektrische stroom te voorzien. De elektriciteit zou de stallen verlichten en ze in de winter verwarmen, en ook een cirkelzaag, een strosnijder, een bietenmolen en een melkmachine in werking zetten. De dieren hadden nog nooit van zoiets gehoord (want de boerderij was erg ouderwets en bezat slechts de meest primitieve hulpmiddelen) en zij luisterden in stomme verbazing, terwijl Sneeuwbal beelden opriep van fantastische machines die het werk zouden doen terwijl zij rustig konden grazen of hun geest verheffen door lezen en conversatie.

Binnen een paar weken waren Sneeuwbals plannen voor de windmolen geheel uitgewerkt. De mechanische details kwamen in hoofdzaak uit drie boeken die van boer Jansen waren geweest: *Duizend Nuttige Dingen Thuis*, *Iedereen zijn eigen Metselaar*, en *Elektriciteit voor Beginnelingen*. Als studeerkamer gebruikte Sneeuwbal een schuur waar vroeger broedmachines hadden gestaan en die een vlakke houten vloer had, geschikt om op te tekenen. Hij zat daar uren achtereen opgesloten. Zijn boeken opengehouden door een steen en met een stuk krijt geklemd tussen de tenen van zijn voorpoot, bewoog hij zich snel heen en weer, lijn na lijn trekkend en kleine kreetjes slakend van opwinding.

Langzaamaan groeide het ontwerp tot een ingewikkelde hoeveelheid krukassen en tandwielen, waarmee meer dan de helft van de vloer bedekt was. De andere dieren begrepen er niets van maar waren erg onder de indruk. Iedereen kwam minstens eens per dag naar Sneeuwbals tekeningen kijken. Zelfs de kippen en de

49

eenden kwamen en pasten goed op niet over de krijtstrepen te lopen. Alleen Napoleon hield zich op een afstand. Hij verklaarde zich van het begin af aan tegen de windmolen. Op zekere dag echter kwam hij onverwachts de plannen in ogenschouw nemen. Hij liep met zware stappen de schuur rond, bekeek aandachtig elk detail van het ontwerp en snuffelde er een paar keer aan, keek er nog eens vanuit zijn ooghoek naar en lichtte toen plotseling zijn poot op, plaste over het ontwerp en liep de schuur uit zonder een woord te zeggen.

De boerderij was sterk verdeeld inzake het windmolenplan. Sneeuwbal ontkende niet dat de bouw een lastig karwei zou zijn. Stenen moesten gehakt worden en tot muren gebouwd, er moesten wieken komen en ten slotte een dynamo en leidingen. (Hoe men aan deze laatste moest komen, vertelde Sneeuwbal niet.) Maar hij hield vol dat alles in een jaar klaar kon zijn. En dan, zo verklaarde hij, zou er zoveel werktijd bespaard kunnen worden dat de dieren nog maar drie dagen per week behoefden te werken. Napoleon verklaarde op zijn beurt dat er op het ogenblik slechts behoefte bestond aan verbetering van de voedselpositie en dat zij allen van honger zouden omkomen wanneer zij hun tijd gingen verspillen met de windmolen. De dieren vormden twee partijen, met de leuzen 'kies Sneeuwbal en de driedaagse werkweek' en 'kies Napoleon en een volle etensbak'. Benjamin was het enige dier dat geen partij koos. Hij weigerde te geloven dat er meer eten zou komen maar ook dat de windmolen werk zou besparen. Windmolen of geen windmolen, het leven zou blijven zoals het altijd geweest was: miserabel, zo zei hij.

Naast de strijd over de windmolen was er nog het vraagstuk van de verdediging van de boerderij. Men was er zich volledig van bewust dat hoewel de menselijke wezens in de Slag van de Koeienstal verslagen waren, zij weleens een nieuwe en slagvaardiger poging konden gaan ondernemen om de boerderij te heroveren en Jansen weer op zijn eigendom te installeren. Zij hadden reden temeer dit te denken daar het nieuws van de nederlaag zich door de streek had verspreid en de dieren van naburige boerderijen weerspanniger dan ooit had gemaakt. Zoals gewoonlijk waren Sneeuwbal en Napoleon het weer niet met elkaar eens. Volgens Napoleon moesten de dieren zich vuurwapens verschaffen en daarmee gaan oefenen. Volgens Sneeuwbal moesten zij steeds meer duiven erop uitsturen om oproer te zaaien onder de dieren van de andere boerderijen. De een beweerde dat zij overwonnen zouden worden als zij zich niet konden verdedigen, de ander stelde dat zij zich in het geheel niet behoefden te verdedigen als er overal oproer zou ontstaan. De dieren luisterden aanvankelijk naar Napoleon, toen naar Sneeuwbal, en wisten niet met wie zij het eens moesten zijn; eigenlijk waren zij het altijd eens met degene die aan het woord was.

Ten slotte kwam de dag waarop Sneeuwbals plannen gereed waren. Op de Bijeenkomst van de volgende zondag zou gestemd worden over het al of niet bouwen van de windmolen. Toen de dieren in de grote schuur verzameld waren, stond Sneeuwbal op en zette, af en toe onderbroken door het geblaat van de schapen, zijn motieven voor de bouw van de windmolen uiteen. Toen verhief Napoleon zich om hem van repliek te dienen.

Hij zei op rustige toon dat de windmolen onzin was en dat hij niemand aanraadde ervoor te stemmen en ging meteen weer zitten; hij had nauwelijks dertig seconden gesproken, en scheen bijna onverschillig over het effect van zijn woorden. Hierop sprong Sneeuwbal op, schreeuwde de schapen, die weer waren begonnen te blaten, toe dat zij hun bek moesten houden, en begon een hartstochtelijk pleidooi voor de windmolen. Tot dusver waren de dieren ongeveer gelijkelijk verdeeld geweest in hun sympathieën, maar ogenblikkelijk had Sneeuwbals welsprekendheid hen allen meegesleept. In gloedvolle bewoordingen schilderde hij een beeld van de Dierenboerderij zoals deze zou zijn wanneer de last van het vuile werk van de dieren hun schouders zou zijn weggenomen. Zijn verbeelding ging nu veel verder dan hakselmolens en knolraapsnijders. Elektriciteit, zo zei hij, kon dorsmachines, ploegen, eggen, rollers, en maai- en bindmachines aandrijven, en bovendien elke stal van elektrisch licht voorzien, van warm en koud water, van elektrische verwarming. Toen hij geëindigd was, kon er geen twijfel meer over de uitslag van de stemming bestaan. Maar toen stond Napoleon op en slaakte, met een zijdelingse blik op Sneeuwbal, een schelle kreet zoals nog niemand ooit van hem had gehoord. Hierop klonk buiten een vreselijk geblaf, en negen reusachtige honden met beslagen halsbanden stormden de schuur in. Zij gingen recht op Sneeuwbal af, die nog juist op tijd van zijn plaats kon springen om aan hun happende kaken te ontkomen. In een ommezien was hij buiten en de honden achter hem aan. Te verbaasd en te verschrikt om te kunnen spreken, drongen alle dieren door de deur om de jacht gade te slaan. Sneeuwbal rende over de grote weide die naar de weg voerde. Hij rende zoals alleen een varken rennen kan, maar de honden zaten hem dicht op de hielen. Plotseling gleed hij uit en het leek zeker dat zij hem te pakken kregen. Hij stond weer op en rende nog harder dan eerst, maar weer liepen de honden op hem in. Een van hen had zijn staart al te pakken, maar Sneeuwbal wist hen weer af te schudden. Toen nam hij een extra spurt door een gat in de heg en werd niet meer teruggezien. Stil en verschrikt slopen de dieren terug naar de schuur. Onmiddellijk daarna kwamen de honden teruggedraafd. Aanvankelijk had niemand begrepen waar die dieren vandaan kwamen, maar dat raadsel was spoedig opgelost: het waren de jonge honden die Napoleon van hun moeder had weggenomen en persoonlijk grootgebracht. Al waren zij nog niet helemaal volgroeid, toch waren het enorme honden, die er woest uitzagen als wolven. Zij bleven dicht bij Napoleon. Het viel op dat zij voor hem kwispelstaartten zoals de andere honden vroeger voor Jansen hadden gedaan. Napoleon, met de honden achter zich aan, besteeg nu het podium waar eens de Majoor zijn toespraak had gehouden. Hij kondigde aan dat er van nu af aan geen zondagse Bijeenkomsten meer zouden zijn. Zij waren niet nodig en slechts tijdverspilling, zei hij. Voortaan zouden alle zaken in verband met het functioneren van de boerderij worden behandeld door een speciaal varkenscomité, onder voorzitterschap van hemzelf. Het comité zou besloten zittingen houden en achteraf zijn beslissingen aan de anderen meedelen. De dieren zouden nog wel op zondagmorgen bijeenko-

53

men om een saluut aan de vlag te brengen en 'Dieren van het Koninkrijk' te zingen, maar er zouden geen debatten meer gehouden worden.

Ondanks de schok die de verdrijving van Sneeuwbal de dieren reeds bezorgd had, veroorzaakte deze aankondiging grote ontsteltenis. Velen zouden geprotesteerd hebben, wanneer zij maar de juiste argumenten hadden kunnen vinden. Zelfs Bokser was vagelijk verontrust. Hij zette zijn oren naar achteren, schudde verscheidene malen zijn voorlok en trachtte zijn gedachten te ordenen, maar ten slotte wist hij niets te zeggen. Enkele varkens echter waren wat duidelijker in hun uitingen. Vier jonge mestvarkens op de voorste rij lieten schrille kreten van afkeuring horen, en alle vier sprongen op en begonnen tegelijk te spreken. Maar plotseling lieten de honden van Napoleon een diep en dreigend gegrom horen en de varkens zwegen en gingen weer netjes zitten. Toen barstten de schapen los in een alles overstemmend geblaat van 'vier poten goed, twee poten slecht' dat bijna een kwartier duurde en aan elke mogelijkheid tot discussie een einde maakte.

Later werd Brulbeer erop uitgestuurd om de nieuwe regeling toe te lichten.

'Kameraden,' zei hij, 'ik vertrouw erop dat ieder dier hier het offer waardeert dat Napoleon brengt door al dit extra werk op zich te nemen. Denk niet, kameraden, dat het leiderschap een lolletje is! Integendeel, het betekent een grote en zware verantwoordelijkheid. Niemand is er dieper van overtuigd dan Napoleon dat alle dieren gelijk zijn. Hij zou maar al te gelukkig zijn, wanneer jullie je besluiten zelf konden nemen. Maar jullie zouden soms een verkeerd besluit kunnen nemen en waar zouden we dan zijn? Laten we eens aannemen dat jullie besloten hadden Sneeuwbal te volgen met zijn hersenschimmen over windmolens – Sneeuwbal, die, zoals wij nu weten, niet veel meer dan een misdadiger was!' 'Hij vocht dapper in de Slag van de Koeienstal,' zei er een. 'Dapperheid is niet voldoende,' zei Brulbeer, 'trouw en gehoorzaamheid zijn van meer belang. En wat de Slag van de Koeienstal betreft, ik geloof dat wij mettertijd zullen merken dat het aandeel van Sneeuwbal daarin sterk overdreven werd. Discipline, kameraden, ijzeren discipline! Dat is het wachtwoord voor vandaag. Eén misstap, en onze vijanden hebben ons eronder. Kameraden, jullie wensen toch zeker Jansen niet terug?' Wederom was dit een afdoende argument. Natuurlijk wensten de dieren Jansen niet terug; wanneer door het houden van debatten op zondag Jansen zou terugkomen, dan moest aan die debatten een eind komen. Bokser, die nu tijd had gehad over een en ander na te denken, sprak het algemene gevoelen uit met de woorden: 'Wanneer kameraad Napoleon het zegt, dan moet het juist zijn.' En van dit ogenblik af nam hij 'kameraad Napoleon heeft altijd gelijk' tot lijfspreuk, als aanvulling op zijn persoonlijke motto 'ik zal harder werken'.

Bij de nadering van de lente was het weer inmiddels zachter geworden en het ploegen weer begonnen. Het schuurtje waar Sneeuwbal zijn windmolenontwerp had getekend, was afgesloten en men nam aan dat de schetsen van de vloer waren geveegd. Iedere zondag om tien uur kwamen de dieren samen in de grote schuur om hun orders voor de week in ontvangst te nemen. De schedel van de Majoor, waar nu geen vlees meer aan zat, was uit de boomgaard opgegraven en op een paaltje gezet aan de voet van de vlaggenstok, naast het geweer. Na het hijsen van de vlag waren de dieren verplicht eerbiedig langs de schedel te defileren alvorens zij de schuur binnengingen. Zij zaten daar nu niet meer zo bij elkaar als vroeger. Napoleon met Brulbeer en een derde varken met de naam Minimus, die een opmerkelijk talent had voor het schrijven van liedjes en gedichten, zaten voor op het podium, met de negen jonge honden in een halve cirkel om hen heen; daarachter de overige varkens. De rest van de dieren zat tegenover hen in het midden van de schuur. Napoleon las op barse beveltoon de orders voor de week op en na het zingen van 'Dieren van het Koninkrijk' ging de schare uiteen.

Op de derde zondag na de verjaging van Sneeuwbal hoorden de dieren Napoleon enigszins tot hun verrassing verkondigen dat de windmolen toch gebouwd zou worden. Hij gaf geen enkele reden voor zijn veranderde opinie, maar wees de dieren erop dat dit bijzondere project zeer hard werken zou vereisen, ja, het zou wellicht zelfs noodzakelijk zijn de rantsoenen te verlagen. De plannen waren ondertussen tot in de laatste details voorbereid. Een speciaal comité van varkens had er de afgelopen drie weken aan gewerkt. Men verwachtte dat de bouw van de windmolen, te zamen met vele andere nieuwe dingen, ongeveer twee jaar tijd zou vergen.

Die avond legde Brulbeer de andere dieren persoonlijk uit dat Napoleon in werkelijkheid nooit iets tegen de windmolen had gehad. Integendeel, hij was het die er aanvankelijk voor gepleit had, en het ontwerp dat Sneeuwbal op de vloer van de broedschuur had getekend, was in feite uit de aantekeningen van Napoleon gestolen. De windmolen was eigenlijk een schepping van Napoleon zelf. Maar waarom was hij er dan zo sterk tegen gekant geweest? vroeg er een. Daarop keek Brulbeer erg geniepig. Dat was nu juist, zei hij, kameraad Napoleons vernuft. Hij had de *schijn* gewekt tegen de windmolen te zijn, slechts als een manoeuvre om Sneeuwbal kwijt te raken, die immers een slecht karakter had en een kwade invloed uitoefende. Nu Sneeuwbal uit de weg was geruimd kon het plan zonder zijn ongewenste bemoeienis voortgang vinden. Dit was, zo zei Brulbeer, iets wat men tactiek placht te noemen. Hij herhaalde een aantal malen: 'Tactiek, kameraden, tactiek!' terwijl hij vrolijk lachend met kwispelende staart in het rond huppelde. De dieren waren niet helemaal zeker omtrent de betekenis van het woord, maar Brulbeer sprak zo overtuigend en de drie honden die hij toevallig bij zich had gromden zo dreigend dat zij zijn verklaringen accepteerden zonder verdere vragen te stellen.

HOOFDSTUK VI

Het hele jaar zwoegden de dieren als slaven. Maar zij waren gelukkig in hun werk; zij schuwden moeite noch offer, zich bewust dat alles wat zij deden tot het welzijn van henzelf en dat van hun nazaten zou strekken en niet van een stel luie, stelende menselijke wezens. Gedurende lente en zomer werkten zij zestig uren per week, en in augustus kondigde Napoleon af dat er ook op zondagmiddag gewerkt moest worden. Deze arbeid was geheel vrijwillig, maar dieren die er niet aan deelnamen, zouden slechts een half rantsoen krijgen. Zelfs met deze maatregel bleek onvermijdelijk dat bepaald werk bleef liggen. De oogst was iets minder rijk dan in het voorafgaande jaar, en twee velden waar in de voorzomer wortels gezaaid hadden moeten worden, waren braak blijven liggen omdat het ploegen niet op tijd klaar was geweest. Het zag ernaar uit dat het een harde winter zou worden.

De windmolen leverde onverwachte moeilijkheden op. Er was een goede kalksteengroeve op de boerderij en in een van de bijgebouwen was voldoende zand en cement gevonden, zodat alle bouwmaterialen ter beschikking waren. Maar het was voor de dieren aanvankelijk een onoplosbaar probleem hoe ze de stenen op de juiste grootte moesten krijgen. Er leek geen andere mogelijkheid te zijn dan met houwelen en breekijzers, die echter geen dier kon hanteren omdat het erbij op zijn achterpoten moest staan. Pas na weken van vruchteloze pogingen kwam iemand op het juiste idee – namelijk het aanwenden van de zwaartekracht. Grote brokken, veel te groot om zo te kunnen gebruiken, lagen overal op de bodem van de groeve. De dieren sloegen er touwen omheen, en dan trokken allen, koeien, paarden, schapen, ieder dier dat een touw kon vasthouden – zelfs de varkens deden op een kritiek ogenblik weleens mee –, de steenklompen wanhopig langzaam de helling op naar de rand van de groeve om ze vandaar in brokken te laten vallen. Het transport van de stenen was betrekkelijk eenvoudig. De paarden brachten ze weg in karren, de schapen sleepten losse brokken, zelfs Muriel en Benjamin spanden zichzelf voor een brik en leverden daarmee hun aandeel. Tegen het einde van de zomer had men een voldoende voorraad stenen bijeen en werd met bouwen, onder toezicht van de varkens, begonnen.

Maar het was een langzaam vorderend en veeleisend werk. Het kostte dikwijls een gehele dag van uiterste krachtsinspanning om één enkel blok naar de rand van de groeve te krijgen, en soms brak het niet wanneer het over de rand gewipt was. Zonder Bokser had men niets kunnen klaarspelen; zijn kracht leek wel even groot als die van alle andere dieren te zamen. Als een steenblok begon te glijden en de dieren onder angstige kreten de helling af gesleurd werden, was het altijd Bokser die zich schrap zette en het blok tot stilstand bracht. Het vervulde een ieder met bewondering hem centimeter voor centimeter de helling op te zien zwoegen, zijn hoeven zwaar in de grond gedrukt, terwijl het zweet uit zijn enorme flanken brak. Klaver vermaande hem dikwijls zich toch niet te veel in te spannen, maar Bokser wilde daar nooit naar luisteren. Zijn twee leuzen 'ik zal harder werken' en 'Napoleon heeft altijd gelijk', schenen hem een voldoende antwoord op alle moeilijkheden. Hij was met de jonge haan overeengekomen dat deze hem nu 's morgens drie kwartier in plaats van een half uur vroeger zou wekken. En in zijn vrije ogenblikken, die hij tegenwoordig niet veel meer had, ging hij alleen naar de groeve om een lading gebroken steen te verzamelen en deze zonder hulp naar de plaats van de windmolen te brengen.

De dieren waren er in deze zomer niet slecht aan toe, ondanks hun harde werken. Al hadden zij niet méér voer dan in Jansens tijd, zij hadden toch ook niet minder. Het voordeel dat zij alleen voor zichzelf, en niet nog eens voor vijf onmatige menselijke wezens hadden te zorgen, was zo geweldig groot, dat er heel wat mislukkingen zouden moeten komen om dit teniet te doen. En op vele punten was de dierlijke methode van werken doeltreffender en spaarde zij arbeid. Werkjes als onkruid wieden bijvoorbeeld konden de dieren doen met een grondigheid die voor mensen ten enenmale onmogelijk was. En daar geen dier meer iets stal, behoefde er geen scheiding meer gemaakt te worden tussen bouw- en weiland en dat spaarde veel onderhoudswerk aan heggen en hekken. Niettemin werden in de loop van de zomer vele onvoorziene tekorten voelbaar zoals aan petroleum, spijkers, touw, hondenbrood en hoefijzers, die geen van alle op de boerderij gemaakt konden worden. Later zou er ook behoefte komen aan zaden en kunstmest, aan allerlei gereedschap en ten slotte aan de machines voor de windmolen. Niemand had er een idee van waar je die vandaan moest halen.

Op een zondagmorgen, toen de dieren bijeen waren om hun orders in ontvangst te nemen, kondigde Napoleon aan dat hij tot een nieuwe politiek besloten had. Van nu af aan zou de Dierenboerderij handel gaan drijven met de aangrenzende boerderijen; natuurlijk niet met zakelijk oogmerk, maar uitsluitend om bepaalde materialen te verwerven die dringend nodig waren. De eisen die de windmolen stelde, moesten alles opzij zetten, zei hij. Hij trof derhalve voorbereidingen een berg hooi en een deel van de tarweoogst van het afgelopen jaar te verkopen, en later, indien nog meer geld nodig zou zijn, zou dit bij elkaar gebracht moeten worden door de verkoop van eieren, waarvoor in het dorp altijd markt was. De kippen zouden, volgens Napoleon, dit offer zeer zeker begroeten als hun speciale bijdrage tot de bouw van de windmolen.

Eens temeer waren de dieren zich bewust van een zeker gevoel van onbehagen. Nooit iets te maken hebben met menselijke wezens, nooit handel drijven, nooit geld gebruiken; waren dit niet enkele van de allereerste besluiten geweest van de eerste roemruchte Bijeenkomst nadat Jansen was weggejaagd? Alle dieren herinnerden zich deze besluiten; dat dachten zij tenminste. De vier jonge varkens die geprotesteerd hadden toen Napoleon de Bijeenkomsten afschafte, verhieven aarzelend hun stem, maar zij werden onmiddellijk door een luid gegrom van de honden tot stilzwijgen gebracht. Toen zetten als gewoonlijk de schapen in met een luid 'vier poten goed, twee poten slecht' en alle ongenoegen was weer gesust. Ten slotte maande Napoleon met zijn poot tot stilte en deelde mee dat hij alle voorbereidingen reeds had getroffen. Geen enkel dier zou met een menselijk wezen in contact behoeven te treden, iets wat natuurlijk hoogst ongewenst zou zijn. Hij was van plan de gehele last op eigen schouders te nemen. Een zekere meneer Jammerling, een handelaar die in de buurt van het dorp woonde, was bereid als tussenpersoon op te treden, en zou de boerderij iedere maandag bezoeken om zijn instructies in ontvangst te nemen. Napoleon besloot zijn toespraak met zijn gewone uitroep 'lang leve de Dierenboerderij', en na het zingen van 'Dieren van het Koninkrijk' konden de dieren gaan.

Achteraf deed Brulbeer de ronde door de boerderij en stelde de dieren gerust. Hij verzekerde dat er nooit een besluit tegen handeldrijven en het gebruik van geld genomen, ja zelfs maar overwogen was. Het was pure verbeelding, die waarschijnlijk wel haar oorzaak vond in de door Sneeuwbal rondgestrooide leugens. Enkele dieren schenen desondanks nog te twijfelen, maar Brulbeer vroeg hun geslepen: 'Zijn jullie zeker dat jullie het niet gedroomd hebben? Hebben jullie enig stuk waaruit iets over die beslissing blijkt? Is ze ergens opgeschreven?' En daar het zeker was dat er niets van op schrift stond, geloofden die dieren dat ze zich vergist hadden.

Elke maandag bezocht meneer Jammerling volgens afspraak de boerderij. Hij was een sluw uitziende, kleine man met bakkebaarden, een onbeduidend handelsmannetje, maar slim genoeg om eerder dan iemand anders te beseffen dat de Dierenboerderij een makelaar nodig had en dat de opdrachten de moeite waard zouden zijn. De dieren zagen hem met enige afschuw komen en gaan, en vermeden hem zoveel mogelijk. De aanblik van Napoleon die, op vier poten, de op twee benen staande Jammerling orders gaf, vervulde hen niettemin met trots en verzoende hen gedeeltelijk met de nieuwe maatregelen. Hun relatie tot het menselijk ras was nu niet dezelfde als voorheen. De menselijke wezens haatten de Dierenboerderij niet minder nu zij voorspoed kende; nee, zij haatten haar meer dan ooit. Elk menselijk wezen zag het als een onomstotelijk feit dat de boerderij vroeg of laat op de fles zou gaan en, boven alles, dat de windmolen een mislukking zou worden. Zij spraken erover in de herberg en bewezen elkaar aan de hand van schetsen dat de windmolen moest omvallen of, zelfs als dit niet gebeurde, toch nooit zou werken. En toch hadden zij tegen wil en dank een zeker ontzag gekregen voor de bekwaamheid waarmee de dieren hun eigen zaken beheerden. Dit bleek onder andere uit het feit dat zij de Dierenboerderij bij de eigen naam waren gaan noemen, en niet meer bleven beweren dat zij Herenhoeve heette. Zij kwamen ook niet meer op voor Jansen, die de hoop zijn boerderij nog eens terug te krijgen had opgegeven en ergens anders in de streek was gaan wonen. Behalve via Jammerling was er nog geen contact tussen de Dierenboerderij en de buitenwereld, maar er circuleerden hardnekkige geruchten dat Napoleon op het punt stond een definitieve handelsovereenkomst aan te gaan, hetzij met Pietersen van de Vossenhoeve, hetzij met Frederiks van Pronkenburg, maar niet, zo werd gezegd, met beiden tegelijk.

Ongeveer terzelfder tijd namen de varkens plotseling hun intrek in het woonhuis. Wederom schenen de dieren zich te herinneren dat er in vroeger dagen eens een beslissing genomen was die zoiets verbood, en wederom kon Brulbeer hen overtuigen dat dit niet het geval was. Volgens zijn woorden was het absoluut noodzakelijk dat de varkens, die de hersenen van de boerderij vertegenwoordigden, voor hun werk een rustige omgeving hadden. Het paste ook beter bij de waardigheid van de Leider – zoals hij Napoleon sinds kort was gaan noemen – om in een huis in plaats van in een varkenskot te wonen. Niettemin waren sommige dieren enigszins verontrust toen zij hoorden dat de varkens niet alleen hun maaltijden in de keuken gebruikten en in de huiskamer hun ontspanning zochten, maar ook in de bedden sliepen. Bokser deed de zaak als gewoonlijk af met zijn 'Napoleon heeft altijd gelijk!' maar Klaver, die zich iets van een uitspraak tegen bedden meende te herinneren, ging naar de achterzijde van de schuur en trachtte de aldaar opgeschreven zeven geboden te ontcijferen. Omdat ze echter alleen maar afzonderlijke letters kon lezen, haalde zij Muriel erbij.

'Muriel,' zei zij, 'lees me eens het vierde gebod voor, zegt dat niet iets over nooit in een bed slapen?'

Met enige moeite spelde Muriel de woorden. Ten slotte zei zij: 'Er staat dat geen dier mag slapen in een bed *met lakens.*'

Merkwaardig genoeg herinnerde Klaver zich er niets van dat het vierde gebod iets over lakens bevatte; maar daar het op de muur stond, moest het wel zo zijn. En Brulbeer, die juist met twee of drie honden voorbij-

64

kwam, wist de zaak in het juiste daglicht te stellen. 'Hebben jullie gehoord, kameraden,' zei hij, 'dat wij varkens tegenwoordig in de bedden van het woonhuis slapen? En waarom niet? Jullie veronderstellen toch niet dat er ooit een verbod inzake *bedden* bestond? Een bed is slechts een plaats waar men slaapt. Het verbod gold *lakens*, die een menselijke uitvinding zijn. Een hoop stro in een stal is, goed beschouwd, een bed. Wij hebben de lakens van de bedden verwijderd en slapen tussen dekens. En het zijn bovendien heel geriefelijke bedden. Maar niet geriefelijker dan wij met al onze hersenarbeid van tegenwoordig strikt nodig hebben, dat kan ik jullie verzekeren, kameraden. Jullie willen ons niet van onze rust beroven, nietwaar kameraden? Jullie willen toch niet dat wij te vermoeid zijn om onze plichten te vervullen? En zeker wil niemand van jullie Jansen terug?'

Op dit laatste punt stelden de dieren hem onmiddellijk gerust, en over het slapen van de varkens in de bedden van het woonhuis werd met geen woord meer gesproken. En toen een paar dagen later werd meegedeeld dat de varkens een uur later zouden opstaan dan de andere dieren, werd daarover evenmin een klacht vernomen.

Tegen de herfst waren de dieren vermoeid, maar tevreden. Zij hadden een zwaar jaar achter de rug, en na de verkoop van een deel van het hooi en de tarwe waren de voedselvoorraden voor de winter weliswaar niet al te overvloedig, maar de windmolen maakte alles goed. Hij was nu bijna half klaar. Na de oogst kwam er een periode van droog en helder weer, en de dieren zwoegden harder dan ooit omdat zij het de moeite waard vonden de gehele dag met steenblokken rond te sjouwen wanneer zij daarmee de muren een paar decimeter hoger konden optrekken. Bokser stond er zelfs 's nachts voor op en werkte een paar uur op zijn eigen houtje in het licht van de volle maan. In hun vrije ogenblikken wandelden de dieren rond de half afgebouwde molen, in bewondering voor de sterkte en de kaarsrechte stand van de muren en zich verbazend dat zij ooit in staat waren geweest zoiets indrukwekkends te bouwen. Slechts de oude Benjamin weigerde opgetogen te zijn, hoewel hij als gewoonlijk niet meer prijsgaf dan de cryptische opmerking dat ezels een lang leven hebben.

November kwam in het land met woedende zuidwestenwinden. De bouw moest worden stopgezet omdat het te nat was om cement te maken. Ten slotte brak er een nacht aan waarin de storm zo hevig was dat de gebouwen op hun grondvesten schudden en een flink aantal pannen van het dak van de schuur waaiden. De kippen werden krijsend van angst wakker omdat zij allemaal hadden gedroomd dat er ergens in de verte een geweer afgeschoten werd. 's Morgens kwamen de dieren naar buiten en ontdekten dat de vlaggenstok omgewaaid en een olm bij de boomgaard als een radijsje uit de grond gerukt was. En meteen daarop slaakte elke dierenkeel een wanhoopskreet. Een vreselijke aanblik ontvouwde zich voor hun ogen. De windmolen lag in puin.

Gezamenlijk holden zij naar de plaats van de ramp. Napoleon, die zelden in beweging kwam behalve voor een wandelingetje, rende allen vooruit. Ja, daar lag de vrucht van al hun inspanning tegen de grond, de stenen die zij zo ijverig gebroken en versjouwd hadden lagen overal in 't rond. Niet in staat een woord te zeggen, staarden ze droefgeestig naar de steenhoop. Napoleon liep stil heen en weer en besnuffelde zo nu en dan eens de grond. Zijn staart was stijf geworden en zwaaide met rukken heen en weer, wat bij hem een teken was van grote geestelijke activiteit. Plotseling stond hij stil, alsof hij tot een conclusie was gekomen. 'Kameraden,' sprak hij kalm, 'weten jullie wie hiervoor verantwoordelijk is? Weten jullie welke vijand hier vannacht is binnengedrongen en de windmolen omvergeworpen heeft? SNEEUWBAL!' brulde hij plotseling met donderende stem. 'Sneeuwbal heeft dat gedaan! Uit louter kwaadaardigheid, omdat hij denkt zo onze plannen te dwarsbomen en zich te wreken op zijn smadelijke verjaging, is deze verrader onder bescherming van het nachtelijk duister hier binnengeslopen en heeft ons werk van bijna een jaar vernield. Kameraden, op deze plaats spreek ik thans het doodvonnis over Sneeuwbal uit. Heldendier tweede klasse en een halve schepel appels voor degene die hem zijn straf doet ondergaan. En een hele schepel voor degene die hem levend vangt!'

De dieren waren meer dan ontzet dat zelfs Sneeuwbal aan zo'n daad schuldig kon zijn. Er ging een kreet van verontwaardiging op en ieder zon op middelen om Sneeuwbal te vangen als hij ooit terug mocht komen. Bijna onmiddellijk werden in het gras niet ver van de heuvel voetsporen van een varken ontdekt. Zij konden slechts enkele meters gevolgd worden, maar bleken naar een gat in de heg te leiden. Napoleon snoof er eens diep aan en zei dat ze van Sneeuwbal waren. Hij veronderstelde dat Sneeuwbal waarschijnlijk uit de richting van de Vossenhoeve was gekomen.

'Geen verder oponthoud meer, kameraden!' riep Napoleon, toen de voetsporen onderzocht waren. 'Er is werk aan de winkel. Vanmorgen nog beginnen wij met de herbouw van de windmolen en wij zullen de hele winter doorbouwen, regen of zonneschijn. Wij zullen deze ellendige verrader leren dat hij ons werk niet zo gemakkelijk teniet kan doen. Bedenk, kameraden, dat in onze plannen geen verandering mag komen: zij zullen op de dag af uitgevoerd zijn. Voorwaarts, kameraden! Lang leve de windmolen! Lang leve de Dierenboerderij!'

Het was een barre winter. Het stormweer was gevolgd door hagel en sneeuw, daarna door strenge vorst en het begon pas te dooien toen het goed en wel februari was. De dieren gingen zo goed als zij konden voort met de herbouw van de windmolen, in het besef dat de buitenwereld het oog op hen gericht hield en dat de afgunstige menselijke wezens een triomfgejuich zouden laten horen als de molen niet op tijd klaar zou zijn.

Op hatelijke wijze gaven de menselijke wezens voor niet te geloven dat Sneeuwbal de windmolen vernield had; zij zeiden dat hij ingestort was omdat de muren te dun waren. Toch had men besloten deze keer de muren een meter dik te maken, in plaats van een halve zoals eerst, wat veel meer stenen vereiste. Lange tijd lag er een dikke laag sneeuw in de groeve en kon er niets gedaan worden. Tijdens het droge vriesweer kwamen ze wel weer iets verder, maar het was een verschrikkelijk werk en de dieren stonden er niet meer zo optimistisch tegenover als vroeger. Zij hadden het altijd koud en waren vaak ook nog hongerig. Slechts Bokser en Klaver verloren nooit de moed. Brulbeer had prachtige toespraken gehouden over vreugde en adel van de arbeid, maar de andere dieren werden meer aangespoord door Boksers kracht en zijn nimmer falende uitroep 'ik zal harder werken!' In januari was voedsel schaars geworden.

Het tarwerantsoen werd drastisch verlaagd, en er werd bekendgemaakt dat deze verlaging gecompenseerd zou worden met een extra rantsoen aardappelen. Toen werd ontdekt dat het grootste deel van de aardappeloogst in de kuilen bevroren was omdat deze niet voldoende waren afgedekt. De aardappelen waren helemaal zacht en verkleurd en slechts een paar waren eetbaar. Vier dagen lang hadden de dieren niets te eten dan kaf en bieten. De hongersnood scheen nabij.

Het was van vitaal belang deze toestand voor de buitenwereld verborgen te houden. Aangemoedigd door de instorting van de windmolen waren de menselijke wezens nieuwe leugens over de Dierenboerderij gaan verzinnen. Wederom werd het praatje rondgestrooid dat de dieren stierven door honger en ziekte, dat er voortdurend vechtpartijen waren en dat zij hun toevlucht hadden gezocht tot kannibalisme en kindermoord. Napoleon was zich bewust van de ongunstige gevolgen die het bekend worden van de werkelijke voedselsituatie zou kunnen hebben, en hij besloot gebruik te maken van meneer Jammerling om een tegengesteld beeld te verspreiden. Tot dusver hadden de dieren met meneer Jammerling tijdens zijn wekelijkse bezoeken weinig of geen contact gehad; nu echter werd een aantal daartoe uitgekozen dieren, meest schapen, gelast in zijn buurt toevallig eens te spreken over de zojuist verhoogde rantsoenen. Bovendien beval Napoleon de bijna lege bakken in de voorraadschuur tot dicht bij de rand met zand te vullen, en daarop het overschot aan graan en havermeel te storten. Onder een passend voorwendsel werd Jammerling door de voorraadschuur geleid, zodat hij een blik op de volle bakken kon werpen. Zo werd hij misleid en rapporteerde hij de buitenwereld dat er geen voedseltekort op de Dierenboerderij was.

Niettemin was het eind januari duidelijk dat er van elders graan moest komen. In deze dagen verscheen Napoleon zelden in het openbaar; hij bracht zijn dagen door in het woonhuis, waarvan de deuren door woest kijkende honden bewaakt werden. Hij kwam slechts met een zeker ceremonieel naar buiten, geëscorteerd door zes honden, die dicht tegen hem aan liepen en gromden tegen een ieder die te dicht in de buurt kwam. Dikwijls verscheen hij zelfs niet op zondagmorgen, maar liet zijn orders door een van de andere varkens, meestal Brulbeer, uitvaardigen.

Op een zondagmorgen liet Brulbeer de kippen, die juist weer waren gaan leggen, weten dat zij hun eieren moesten afdragen. Napoleon had via Jammerling een contract voor vierhonderd eieren per week afgesloten. De opbrengst van deze eieren zou voldoende zijn voor de aankoop van graan en havermeel, om de zomer te kunnen halen wanneer de omstandigheden weer gunstiger zouden zijn.

Toen de kippen dit vernamen, maakten zij een geweldig spektakel. Zij waren vroeger al gewaarschuwd dat dit offer van hen gevraagd zou kunnen worden, maar hadden niet geloofd dat het ook werkelijk zou gebeuren. Zij hadden zich juist voorbereid op de lentebroed en protesteerden dat het wegnemen van de eieren op dit ogenblik moord betekende. Voor de eerste keer sinds de verjaging van Jansen was er zoiets als een oproer. Aangevoerd door drie jonge leghorns ondernamen de kippen een vastberaden poging tot verijdeling van Napoleons plannen. Hun methode was naar de dakspanten te vliegen en daar hun eieren te leggen, zodat ze op de grond te pletter vielen. Napoleon handelde snel en meedogenloos. Hij beval de rantsoenen van de kippen in te houden en decreteerde dat ieder dier dat ook maar één korreltje graan aan een kip gaf, met de dood gestraft zou worden. De honden moesten erop toezien dat deze bevelen opgevolgd werden. De kippen hielden het vijf dagen uit, toen capituleerden zij en gingen terug naar hun broedhokken. Negen kippen waren intussen gestorven. Hun lichamen werden in de boomgaard begraven en officieel werd opgegeven dat zij aan coccidiosis gestorven waren. Jammerling hoorde niets van deze zaak; de eieren werden volgens contract geleverd, en een kruidenierswagen reed eens per week het erf op om ze op te halen.

Al die tijd was er niets meer van Sneeuwbal vernomen. Het gerucht ging dat hij ondergedoken was op een van de aangrenzende boerderijen, de Vossenhoeve of Pronkenburg. Napoleon stond tegenwoordig met de andere boeren op betere voet dan vroeger. Op het erf lag een hoop boomstammen, die daar waren opgestapeld toen tien jaar geleden een beukenbosje gekapt was. Het hout was goed droog en Jammerling had Napoleon geadviseerd het te verkopen; Pietersen en Frederiks wilden het allebei graag hebben. Napoleon aarzelde en kon niet beslissen. Steeds wanneer hij op het punt stond het met Frederiks eens te worden, werd er beweerd dat Sneeuwbal zich op de Vossenhoeve schuilhield, en wilde hij de voorkeur geven aan Pietersen, dan zat Sneeuwbal zogenaamd op Pronkenburg.

Plotseling werd, in de vroege lente, iets alarmerends ontdekt. Sneeuwbal kwam in 't geheim 's nachts op de boerderij! De dieren waren zo van streek dat zij nauwelijks in hun stallen konden slapen. Elke nacht, zo werd verteld, kwam hij onder bescherming van de duisternis binnengeslopen en verrichtte allerlei kwaad. Hij stal het graan, gooide de melkemmers om, brak de eieren, vertrapte de zaaibedden en knauwde de schors van de fruitbomen af. Wanneer er maar iets verkeerd ging, dan kreeg Sneeuwbal voortaan de schuld. Was er een ruit gebroken of een afvoer verstopt, dan stond er direct iemand klaar die vertelde dat Sneeuwbal er 's nachts weer was geweest, en toen de sleutel van de voorraadschuur verdwenen was, was de hele boerderij ervan overtuigd dat Sneeuwbal hem in de put had gegooid. Zij bleven dit merkwaardig genoeg geloven nadat de zoekgeraakte sleutel onder een zak meel was teruggevonden. De koeien verklaarden eenstemmig dat Sneeuwbal in hun stallen sloop en hen in hun slaap molk. Van de ratten, die die winter nogal eens lastig waren geweest, werd gezegd dat zij met Sneeuwbal heulden.

Napoleon maakte bekend dat er een volledig onderzoek naar de activiteiten van Sneeuwbal zou worden ingesteld. Begeleid door zijn honden inspecteerde hij grondig de gebouwen van de boerderij, op eerbiedige afstand gevolgd door de andere dieren. Na iedere paar stappen hield Napoleon stil, besnuffelde de grond, op zoek naar Sneeuwbals voetsporen, die hij volgens zijn zeggen met zijn neus kon ontdekken. Hij snuffelde in iedere hoek, in de schuur, in de koeienstal, in de kippenhokken, in de moestuin, en vond bijna overal sporen

73

van Sneeuwbal. Hij dook met zijn snoet naar de grond, herhaaldelijk diep snuivend, om dan met vreselijke stem uit te roepen: 'Sneeuwbal! Hier is hij geweest! Ik ruik hem duidelijk!' en bij het woord 'Sneeuwbal' lieten de honden een ijzingwekkend gegrom horen en blikkerden met hun tanden.

De dieren waren diep bevreesd. Het scheen hun of Sneeuwbal een onzichtbare macht was die de lucht om hen heen vervulde en hen met alle mogelijke gevaren bedreigde. 's Avonds riep Brulbeer hen bij elkaar en vertelde met een verontruste uitdrukking op zijn gezicht dat hij iets ernstigs mee te delen had.

'Kameraden!' riep Brulbeer, zenuwachtig heen en weer trippelend, 'wij hebben iets vreselijks ontdekt. Sneeuwbal heeft zichzelf verkocht aan Frederiks van Pronkenburg, die op het ogenblik van plan is ons aan te vallen en ons onze boerderij af te nemen! Sneeuwbal moet hem tot gids dienen wanneer de aanval begint. Maar er zijn nog ergere dingen. Wij meenden dat Sneeuwbals opstandigheid slechts veroorzaakt werd door zijn ijdelheid en grenzeloze eerzucht. Daarin hebben wij ons vergist, kameraden. Weten jullie wat de werkelijke oorzaak was? Sneeuwbal heeft van het begin af aan met Jansen geheuld! Hij was al die tijd Jansens geheime agent. Dit alles is bewezen door documenten die hij achterliet en die wij zojuist ontdekt hebben. Voor mij verklaart dit zeer veel, kameraden. Hebben wij niet zelf kunnen zien hoe hij – gelukkig zonder succes – tijdens de Slag van de Koeienstal zijn best deed ons te laten verliezen en door de vijand te laten vernietigen?'

De dieren waren verstomd. Dat was een doortraptheid die de vernieling van de windmolen nog verre overtrof. Maar het duurde een paar minuten voordat zij alles volledig in zich konden opnemen. Zij herinnerden zich allen, of meenden zich te herinneren, hoe zij Sneeuwbal de aanval hadden zien leiden tijdens de Slag van de Koeienstal, hoe hij zich steeds weer had hersteld en hen aangemoedigd had, en hoe hij zelfs geen ogenblik had stilgestaan toen de hagel uit Jansens geweer zijn rug had verwond. Het was aanvankelijk wel een beetje moeilijk te zien hoe dit alles rijmde met zijn verbondenheid met Jansen. Zelfs Bokser, die toch zelden iets vroeg, wist niet wat hij ervan denken moest. Hij ging liggen, vouwde zijn voorbenen onder zich, sloot zijn ogen en wist met grote inspanning zijn gedachten te formuleren.

'Dat geloof ik niet,' zei hij, 'Sneeuwbal vocht dapper in de Slag van de Koeienstal. Ik zag hem zelf. Gaven wij hem niet onmiddellijk het "heldendier, eerste klasse"?'

'Dat was onze vergissing, kameraden, want nu weten wij, aan de hand van de geheime documenten die wij vonden, dat hij er in werkelijkheid op uit was ons ten verderve te voeren.'

'Maar hij werd gewond,' zei Bokser. 'Wij allen hebben zijn bloed zien vloeien.'

'Dat hoorde bij het complot!' riep Brulbeer. 'Het schot van Jansen ging slechts langs hem heen. Ik zou jullie alles kunnen laten zien zoals hij het zelf heeft opgeschreven, als jullie het maar konden lezen. De afspraak was dat Sneeuwbal op het kritieke ogenblik het signaal tot de vlucht zou geven, om dan het slagveld aan de vijand te laten. En hij was bijna geslaagd – ja, kameraden, ik wil zelfs zeggen, dat hij *inderdaad* geslaagd zou zijn, wanneer wij niet onze heldhaftige Leider Napoleon bezeten hadden. Weten jullie dan niet meer dat, juist op het ogenblik dat Jansen en zijn mannen het erf waren binnengedrongen, Sneeuwbal plotseling omkeerde en vluchtte, en vele dieren hem volgden? En herinneren jullie je niet ook dat juist op dit ogenblik, toen er paniek uitbrak en alles verloren scheen, kameraad Napoleon voorwaarts sprong met de kreet "Dood aan de Mensheid!" en zijn tanden in Jansens been zette? *Dat* herinneren jullie je toch *zeker* wel, nietwaar, kameraden?' riep Brulbeer, heen en weer springend.

Toen Brulbeer alles zo nauwkeurig beschreef, scheen het de dieren toe dat zij het zich toch wel herinnerden. In ieder geval herinnerden zij zich nu dat Sneeuwbal op een kritiek ogenblik gevlucht was. Maar Bokser was nog altijd niet gerustgesteld.

'Ik geloof niet dat Sneeuwbal direct al een verrader was,' zei hij ten slotte. 'Wat hij later deed is wat anders. Maar ik blijf geloven dat hij in de Slag van de Koeienstal een goede kameraad was.'

'Onze Leider, kameraad Napoleon,' verkondigde Brulbeer langzaam en duidelijk, 'heeft categorisch verklaard – categorisch, kameraden – dat Sneeuwbal van den beginne af Jansens werktuig was – ja, al lang voordat ooit nog iemand van een Opstand had gedroomd.'

'Aha, dat is wat anders!' zei Bokser. 'Als kameraad Napoleon het zegt, dan moet het wel waar zijn.'

'Dat verraadt de ware geest, kameraad!' riep Brulbeer, maar het ontging niemand dat hij Bokser met zijn schitterende oogjes een vuile blik toewierp. Hij maakte zich gereed om heen te gaan, maar hield even stil en voegde er nog aan toe: 'Ik waarschuw ieder dier op deze boerderij zijn ogen wijd geopend te houden. Want wij hebben reden te geloven dat er zich op dit ogenblik agenten van Sneeuwbal onder ons schuilhouden!'

Vier dagen later liet Napoleon alle dieren aan het einde van de middag op het erf aantreden. Toen zij allen bijeen waren trad Napoleon uit het woonhuis, met zijn beide medailles om de hals – hij had zichzelf tot 'heldendier, eerste klasse' en 'heldendier, tweede klasse' bevorderd – en met zijn negen grote honden om zich heen, die gromden op een manier dat de dieren de koude rillingen langs de rug liepen. Ze zochten schuchter hun plaats op – alsof zij reeds van tevoren wisten dat er iets verschrikkelijks zou gaan gebeuren.

Napoleon overzag zijn gehoor met strenge blik; toen uitte hij een schelle kreet. Onmiddellijk sprongen de honden naar voren, grepen vier van de varkens bij een oor en sleurden ze, gillend van angst en pijn, voor Napoleons voeten. Hun oren bloedden, de honden hadden bloed geproefd en enkele ogenblikken leken ze volkomen gek te worden. Tot stomme verbazing van iedereen wierpen drie van hen zich op Bokser. Bokser zag ze aankomen en sloeg zijn zware hoef uit, raakte een hond in de sprong en drukte hem tegen de grond. De hond schreeuwde om genade en de twee anderen vluchtten met de staart tussen de poten. Bokser keek naar Napoleon om te vernemen of hij de hond moest verpletteren of laten gaan. Napoleons gezicht betrok en hij beval Bokser op scherpe toon de hond te laten lopen, waarop Bokser zijn poot oplichtte en de hond gekneusd en huilend heen sloop.

Spoedig daarop stierf het tumult weg. De vier varkens wachtten bevend, terwijl hun schuld in iedere trek van hun snoet geschreven stond. Napoleon riep hen op nu hun misdaden te bekennen. Het waren de vier varkens die geprotesteerd hadden toen Napoleon de zondagse Bijeenkomsten had afgeschaft. Zonder enige verdere aandrang bekenden zij dat zij sinds zijn verdrijving onafgebroken met Sneeuwbal in contact waren gebleven, dat zij met hem hadden samengewerkt bij het vernielen van de windmolen, en dat zij het met hem eens waren geworden inzake het uitleveren van de Dierenboerderij aan Frederiks. Zij voegden er nog aan toe dat Sneeuwbal vertrouwelijk had erkend dat hij elf jaar lang Jansens geheime agent was. Toen zij hun bekentenis hadden gedaan, beten de honden hun onmiddellijk de keel af, en met vreselijke stem vroeg Napoleon of er wellicht nog meer dieren waren die iets te bekennen hadden.

De drie kippen die de aanvoerders waren geweest bij de poging tot oproer over de eieren, traden nu naar voren en bekenden dat Sneeuwbal hun in een droom verschenen was en hen had aangespoord Napoleons orders niet uit te voeren. Ook zij werden afgeslacht. Toen trad een gans uit de groep en bekende tijdens de laatste oogst zes korenaren te hebben ontvreemd en 's nachts te hebben opgegeten. Vervolgens bekende een schaap in het wed te hebben gewaterd, na daartoe aangezet te zijn geweest door Sneeuwbal, en twee andere schapen bekenden een oude ram, een bijzonder verknocht aanhanger van Napoleon, vermoord te hebben door hem rond een vuur te laten rennen terwijl hij verkouden was. Zij werden op staande voet afgemaakt. En zo ging het verder met bekentenissen en executies, tot er voor Napoleons voeten een berg lijken lag en de lucht zwanger was van een weeë bloedgeur, iets tot dusver onbekends sinds de verjaging van Jansen.

Toen alles voorbij was, slopen de overgebleven dieren, de varkens en de honden uitgezonderd, met zijn allen weg. Zij waren geschokt en vol ellende. Zij wisten niet wat ontstellender was – het verraad van de dieren die met Sneeuwbal hadden geheuld, of de wrede vergelding die zij zojuist hadden bijgewoond. In het verleden waren er dikwijls tonelen van bloedvergieten geweest die even verschrikkelijk waren, maar het scheen hun allemaal nog veel erger toe nu dit alles in hun eigen midden gebeurde. Sinds de dag dat Jansen de boerderij verliet, had geen dier een ander dier gedood. Zelfs geen rat was afgemaakt. Zij gingen de weg naar de kleine heuvel op, waar de half voltooide windmolen stond, en vlijden zich in één beweging neer, als wilden zij bij elkaar wat warmte zoeken – Klaver, Muriel, Benjamin, de koeien, de schapen en een troep ganzen en kippen – allen, uitgezonderd de kat, die, juist voordat Napoleon de dieren bevolen had bijeen te komen, plotseling verdwenen was. Enige tijd lang sprak niemand een woord. Slechts Bokser bleef op zijn benen staan. Hij liep gejaagd heen en weer, sloeg zijn lange zwarte staart tegen zijn flanken en liet af en toe een gehinnik van verbazing horen. Ten slotte zei hij: 'Ik begrijp er niets van. Ik had nooit kunnen geloven dat zulke dingen op onze boerderij konden gebeuren. Het moet aan een fout van onszelf te wijten zijn. Zoals ik de zaak zie, ligt de oplossing daarin dat wij harder moeten werken. Van nu af aan zal ik 's morgens een heel uur vroeger opstaan.'

En hij ging heen in zijn logge draf, op weg naar de steengroeve. Daar aangekomen, verzamelde hij twee ladingen stenen en sleepte ze naar de windmolen, alvorens hij zich terugtrok voor de nacht.

De dieren drongen samen rond Klaver, zonder een woord te spreken. De heuvel gaf een ver uitzicht over de streek. Ze konden het grootste deel van de Dierenboerderij overzien – de grote weide die zich uitstrekte tot aan de hoofdweg, het hooiveld, het bosje, het wed, de omgeploegde akkers, dicht bedekt met groene jonge tarwe, en de rode daken van de gebouwen, waar rook uit de schoorstenen kringelde. Het was een heldere lenteavond. Het gras en de uitbottende heggen werden verguld door de lage zonnestralen. Nooit had de boerderij – en met een zekere verrastheid dachten zij er weer aan dat dit hun eigen boerderij was, meter voor meter hun eigen bezit – de dieren zo'n begerenswaardige plaats geschenen. Toen Klaver langs de helling naar beneden keek vulden haar ogen zich met tranen. Had zij haar gedachten kunnen uitspreken dan zou zij gezegd hebben dat dit niet het doel van hun streven was geweest toen zij jaren geleden tot omverwerping van het menselijk ras hadden besloten. Deze tonelen van verschrikking en bloedvergieten waren niet dat wat zij voor ogen hadden gehad toen de oude Majoor hen voor het eerst tot opstand aanspoorde. Als zijzelf zich al enig beeld van de toekomst had kunnen vormen, dan was het er een geweest van een gemeenschap van dieren die verlost zouden zijn van honger en zweep, allen gelijk, een ieder werkend naar zijn vermogen, waarbij de sterken de zwakken zouden

80

beschermen, zoals zij de moederloze eendjes met haar voorbeen had beschermd in de nacht van de toespraak van de Majoor. In plaats daarvan waren zij nu – en zij wist niet hoe – terechtgekomen in een tijd waarin niemand zijn mening meer durfde te zeggen, waarin woeste, grommende honden overal rondzwierven en waarin je je kameraden aan stukken kon zien scheuren na een bekentenis van ontstellende misdaden. Zij dacht niet aan verzet of ongehoorzaamheid. Zij wist dat zij er ook nog onder deze omstandigheden veel beter aan toe waren dan in Jansens tijd, en dat het vóór alles noodzakelijk was de terugkeer van de menselijke wezens te voorkomen. Wat er ook gebeurde, zij zou trouw blijven, hard werken, de haar gegeven orders ten uitvoer brengen en het leiderschap van Napoleon blijven erkennen. Maar toch was het dit niet waarnaar zij en alle andere dieren verlangd en waarvoor zij gezwoegd hadden. Het was dit niet waarvoor zij de windmolen gebouwd en de kogels van Jansens geweer getrotseerd hadden. Dat waren haar gedachten, hoewel het haar aan woorden ontbrak ze uit te spreken.

Ten slotte begon zij maar 'Dieren van het Koninkrijk' te zingen, in het besef dat dit lied de woorden kon vervangen die zij niet vermocht te vinden. De andere dieren die om haar heen zaten namen het lied over en zij zongen het driemaal achter elkaar – heel welluidend, maar langzaam en droevig, zoals zij het nooit tevoren gezongen hadden.

Zij hadden het juist voor de derde keer gezongen, toen Brulbeer, begeleid door twee honden, naar hen toe kwam met een gezicht alsof hij iets belangrijks te zeggen

81

had. Hij verkondigde dat Napoleon bij speciaal decreet 'Dieren van het Koninkrijk' had afgeschaft. Vanaf heden was het verboden het lied te zingen.

De dieren waren totaal uit het veld geslagen.

'Waarom?' riep Muriel.

'Het is niet langer meer nodig, kameraad,' zei Brulbeer op strenge toon. '"Dieren van het Koninkrijk" was het lied van de Opstand. Maar de Opstand is nu voleindigd. De executie der verraders van vanmiddag vormde het slotbedrijf. De uitwendige en de inwendige vijanden zijn verslagen. In "Dieren van het Koninkrijk" legden wij ons verlangen neer naar een betere wereld in de toekomst. Deze betere wereld hebben wij gevestigd. Het is duidelijk dat het lied nu verder geen enkel nut meer heeft.'

Ondanks hun bevreesdheid zouden wellicht toch enkele dieren hebben geprotesteerd, maar meteen begonnen de schapen weer als vanouds hun 'vier poten goed, twee poten slecht' te blaten, wat minutenlang aanhield en een einde aan de discussie maakte.

Zo werd dus 'Dieren van het Koninkrijk' niet meer gehoord. In plaats daarvan had Minimus, de dichter, een ander lied gecomponeerd, dat begon met de regels:

O Dierenboerderij, ons aller Paradijs,
Nooit zal ik u schaden door slechte handelwijs!

en dit werd nu iedere zondagmorgen na het hijsen van de vlag gezongen. Maar om de een of andere reden leek het de dieren toe dat woorden noch melodie konden wedijveren met 'Dieren van het Koninkrijk'.

HOOFDSTUK VIII

Enkele dagen later, toen de schrik over de executies ge-
luwd was, herinnerden enkele dieren zich – of meenden
zich te herinneren – dat het zesde gebod luidde: 'Geen
dier mag enig ander dier doden.' En hoewel niemand
lust vertoonde er in de buurt van de varkens of de honden over te spreken, voelden de dieren dat het bloed-
bad dat ze hadden meegemaakt, daar toch niet helemaal
mee klopte. Klaver vroeg Benjamin haar het zesde gebod voor te lezen, en toen Benjamin zoals gewoonlijk
zei dat hij geen zin had zich in die dingen te mengen,
haalde zij er Muriel bij. Muriel las haar het gebod voor.
Het luidde: 'Geen dier mag enig ander dier doden zonder reden'. De dieren moesten op de een of andere manier de laatste woorden vergeten hebben. Maar zij begrepen nu dat het gebod niet geschonden was, want er
was reden genoeg geweest de verraders die met Sneeuwbal hadden geheuld, te doden.

Dat jaar werkten de dieren nog harder dan zij in het
vorige jaar gedaan hadden. Het was een enorme opgave
naast het gewone werk nog de windmolen te herbou-
wen met muren dubbel zo dik als vroeger, en hem op de
vastgestelde tijd te voltooien. Soms scheen het de dieren
dat zij langer werkten en minder voedsel kregen dan in
Jansens tijd. Op zondag placht Brulbeer hun, met een
lang stuk papier in zijn poot, een reeks cijfers voor te le-

zen waaruit bleek dat de productie van alle soorten voedingsmiddelen gestegen was met tweehonderd procent, driehonderd procent, of vijfhonderd procent, al naar het uitkwam. De dieren hadden geen reden hem niet te geloven, vooral omdat zij niet goed meer wisten hoe alles voor de Opstand was geweest. Met dat al waren er dagen dat zij liever wat minder grote cijfers en wat meer voedsel hadden gehad.

Alle orders werden thans door Brulbeer of door een van de andere varkens uitgevaardigd. Napoleon vertoonde zich niet meer dan eens in de twee weken. Wanneer hij verscheen, werd hij niet alleen begeleid door zijn gevolg van honden, maar ook door een zwarte haan, die voor hem uitliep en als een soort van heraut fungeerde. Voordat Napoleon ging spreken, liet de haan steeds een luid 'kukeleku' horen. Zelfs in het huis woonde Napoleon gescheiden van de anderen, zo beweerde men. Hij gebruikte zijn maaltijden alleen, waarbij twee honden de wacht hielden, en at steeds van het pronkservies dat in de glazen kast in de huiskamer had gestaan. Ook was bekendgemaakt dat op Napoleons verjaardag het geweer zou worden afgeschoten, evenals op de twee andere verjaardagen.

Napoleon werd tegenwoordig nooit meer eenvoudig 'Napoleon' genoemd. Men sprak altijd over hem in een vormelijke stijl, zoals 'onze Leider, kameraad Napoleon', en de varkens bedachten voor hem graag eretitels als Vader aller Dieren, Vrees der Mensheid, Beschermer der Schapen, Vriend der Eenden en wat niet meer. In zijn toespraken placht Brulbeer met tranen in zijn ogen te spreken over Napoleons wijsheid, over de goedheid zijns harten en over de grote liefde die hij alle dieren toedroeg, zelfs en in het bijzonder de ongelukkigen die nog steeds in onwetendheid en slavernij op andere boerderijen hun leven sleten. Het was gewoonte geworden Napoleon van ieder succes en van elk meevallertje de eer te geven. Dikwijls kon men een kip tot een andere kip horen zeggen: 'Dank zij onze Leider, kameraad Napoleon, heb ik in zes dagen vijf eieren gelegd', of twee koeien, die lekker uit het wed stonden te drinken, horen uitroepen: 'Dat dit water zo heerlijk smaakt, hebben wij te danken aan het leiderschap van kameraad Napoleon!'

Het algemeen gevoelen op de boerderij werd treffend uitgedrukt in een gedicht, met de titel 'Kameraad Napoleon'. Het was van de hand van Minimus, en luidde als volgt:

Vader van allen die zonder zijt!
Bron van geluk en heerlijkheid!
Lafenis voor onze dorst! Hoe gloeit mijn ziel
Als mijn oog opgaat
Naar uw kalm en streng gelaat,
Gelijk een zon die aan de hemel staat,
Kameraad Napoleon!

Alle rijkdom van hun leven
Hebt gij uw schepselen gegeven,
Twee maal per dag een volle maag,
schoon stro om op te liggen;
Elk dier dat zich u aanbeval
Mag rustig slapen in zijn stal,

Wijl gij de wacht houdt overal,
Kameraad Napoleon!

Zo ik een big bezat –
Eer hij de grootte had
Van een deegrol of een literkruik
Zou hij reeds van mij leren
Zijn trouw aan u te zweren
En met zijn eerste kreet te eren,
Kameraad Napoleon!

Napoleon betuigde zijn instemming met dit gedicht en liet het op de muur van de grote schuur schilderen, tegenover die waarop de zeven geboden stonden. Het werd bekroond door een beeltenis van Napoleon in profiel, met witte verf door Brulbeer geschilderd.

Ondertussen voerde Napoleon via Jammerling ingewikkelde onderhandelingen met Frederiks en Pietersen. De stapel hout was nog steeds niet verkocht. Frederiks was er het meest begerig naar, maar bood geen aanvaardbare prijs. Tevens gingen er nieuwe geruchten dat Frederiks en zijn mannen van plan waren de Dierenboerderij aan te vallen en de windmolen, die een wilde afgunst bij hen had ontketend, te vernielen. Het was bekend dat Sneeuwbal zich nog steeds op Pronkenburg ophield. Midden in de zomer werden de dieren opgeschrikt door de geschiedenis van een drietal kippen, die bekenden dat zij op aanstichting van Sneeuwbal een complot gesmeed hadden om Napoleon te vermoorden. Zij werden onmiddellijk terechtgesteld, en nieuwe voorzorgsmaatregelen ten aanzien van Napoleons veiligheid volgden. Vier honden bewaakten 's nachts zijn bed, en een jong varken met de naam Roodoog moest al zijn eten vooraf proeven voor het geval het vergiftigd mocht zijn.

Ongeveer terzelfder tijd werd bekendgemaakt dat het Napoleon gelukt was de stapel hout aan Pietersen te verkopen; voorts stond hij op het punt een vaste overeenkomst met de Vossenhoeve inzake de uitwisseling van bepaalde producten aan te gaan. De betrekkingen tussen Napoleon en Pietersen konden, hoewel zij via Jammerling plaatsvonden, nu bijna vriendschappelijk genoemd worden. De dieren wantrouwden Pietersen daar hij een menselijk wezen was, maar gaven aan hem verre de voorkeur boven Frederiks, die zij vreesden en haatten. Naarmate de zomer voortschreed en de windmolen zijn voltooiing naderde, namen de geruchten over een naderende verraderlijke aanval steeds meer toe. Men beweerde dat Frederiks van plan was twintig met geweren gewapende mannen tegen hen in 't veld te brengen en dat hij overheid en politie al omgekocht had, zodat niemand iets vragen zou wanneer hij te gelegener tijd de eigendomspapieren in handen zou hebben.

Bovendien lekten er verschrikkelijke dingen uit over Pronkenburg en de wreedheden waaraan Frederiks zijn dieren blootstelde. Hij had een oud paard doodgeranseld, liet zijn koeien van honger omkomen, hij had een hond vermoord door hem in de brandende kachel te stoppen en vermaakte zichzelf door 's avonds hanen te laten vechten met stukjes scheermesjes aan hun sporen gebonden. Toen zij van deze dingen hoorden die hun kameraden waren aangedaan, kookte het bloed van de dieren van woede, en soms drongen zij erop aan gezamenlijk Pronkenburg te mogen aanvallen om er de mensen te verdrijven en de dieren te bevrijden. Maar Brulbeer ried hun aan geen overhaaste stappen te doen en te vertrouwen op Napoleons krijgsbeleid.

Niettemin bleven de gevoelens ten opzichte van Frederiks gespannen. Op een zondagmorgen verscheen Napoleon in de schuur en verklaarde dat hij er nooit over gedacht had de stapel hout aan Frederiks te verkopen; hij achtte het beneden zijn waardigheid, zei hij, met schurken van dat soort iets te maken te hebben. De duiven, die nog steeds werden uitgezonden ter verspreiding van nieuws over de Opstand, werd verboden zich nog naar Pronkenburg te begeven, bovendien dienden zij hun strijdleuze 'dood aan de mensheid' niet meer te gebruiken en voortaan in de plaats daarvan 'dood aan Frederiks' te roepen.

Aan het eind van de zomer kwam weer een nieuwe machinatie van Sneeuwbal aan het licht. De tarweoogst zat vol onkruid, en het was aan het licht gekomen dat Sneeuwbal op een van zijn nachtelijke bezoeken onkruidzaad door het zaaikoren had gedaan. Een mannetjesgans die in het complot had gezeten, had zijn schuld in deze aan Brulbeer bekend en onmiddellijk daarop zelfmoord gepleegd door giftige bessen te eten. De dieren vernamen nu ook dat Sneeuwbal nooit – zoals menigeen tot dusver geloofd had – de orde 'heldendier, eerste klasse' had ontvangen. Dat was niet anders dan een fabeltje dat door Sneeuwbal na de Slag van de Koeienstal zelf was rondgestrooid. Verre van gedecoreerd te zijn, was hij wegens lafheid tijdens de slag berispt. Wederom vernamen sommige dieren dit met een zekere verbijstering, maar Brulbeer kon hen er direct van overtuigen dat hun geheugen abuis was.

In de herfst werd met enorme krachtsinspanning – bijna terzelfder tijd moest immers ook de oogst binnengehaald worden – de windmolen voltooid. Weliswaar moest de machinerie die Jammerling bezig was te kopen, nog geïnstalleerd worden, maar het gebouw was klaar. Tegen alle moeilijkheden in, ondanks onervarenheid, gebrekkig gereedschap, tegenslag en Sneeuwbals verraderswerk was het project op de dag af gereed gekomen! Uitgeput maar trots liepen de dieren rondom hun meesterstuk, dat in hun ogen nog mooier scheen dan toen het voor de eerste maal voltooid was. Bovendien waren de muren dubbel zo dik als vroeger. Slechts dynamiet zou ze nu nog omver kunnen krijgen! En toen zij eraan dachten hoe zij hadden gewerkt, aan de moedeloosheid die zij steeds weer te boven gekomen waren, en aan de geweldige verandering die in hun leven zou komen wanneer de wieken zouden draaien en de dynamo zou lopen – toen zij aan dit alles dachten, was hun moeheid verdwenen en zij dansten rondom de windmolen en juichten in triomf. Napoleon kwam onder de hoede van zijn honden en zijn haan zelf het voltooide werk inspecteren; hij wenste de dieren persoonlijk geluk met hun prestatie en verkondigde dat de molen de naam Napoleonmolen zou dragen.

Twee dagen later werden de dieren opgeroepen voor een buitengewone Bijeenkomst in de schuur. Zij waren stom van verbazing toen Napoleon bekendmaakte dat hij de stapel hout aan Frederiks verkocht had. Morgen zouden Frederiks' wagens komen en het beginnen weg te halen. Gedurende zijn voorgewende vriendschap met Pietersen had Napoleon in werkelijkheid aldoor in geheime onderhandeling met Frederiks gestaan.

Alle betrekkingen met de Vossenhoeve waren verbroken, aan Pietersen werden beledigende brieven gezonden. De duiven moesten de Vossenhoeve mijden en hun strijdleuze van 'dood aan Frederiks' veranderen in 'dood aan Pietersen'. Gelijktijdig verzekerde Napoleon de dieren dat de verhalen over een dreigende aanval op de Dierenboerderij volmaakt gelogen waren, en dat de fabeltjes over Frederiks' wreedheid tegenover zijn eigen dieren buitengewoon waren opgeblazen. Al deze geruchten kwamen waarschijnlijk uit de koker van Sneeuwbal en zijn handlangers. Ook bleek nu dat Sneeuwbal zich helemaal niet op Pronkenburg schuilhield, ja, er helemaal nooit van zijn leven geweest was: hij vertoefde – naar men zei in een staat van grote weelde – op de Vossenhoeve en was al jarenlang te gast bij Pietersen.

De varkens waren verrukt over Napoleons handigheid. Door goede maatjes te spelen met Pietersen had hij Frederiks ertoe gebracht zijn prijs met honderdtwintig gulden te verhogen. Maar de grootheid van Napoleons geest werd, zo zei Brulbeer, getoond door het feit dat hij niemand vertrouwde, zelfs Frederiks niet. Frederiks had het hout willen betalen met iets wat een cheque genoemd werd, een soort van stuk papier waarop een belofte tot betaling stond geschreven. Maar Napoleon was hem te slim af. Hij had betaling verlangd in echte bankbiljetten die overhandigd moesten worden voordat het hout werd weggehaald. Frederiks had reeds betaald en het bedrag was juist voldoende om de machinerie voor de windmolen te kopen. Inmiddels werd het hout met bekwame spoed weggereden. Toen alles weg was, werd er opnieuw een samenkomst in de schuur gehouden om Frederiks' bankbiljetten in ogenschouw te nemen. Met een gelukzalige glimlach, getooid met zijn twee onderscheidingen, rustte Napoleon op een laag stro op het podium, het geld op een porseleinen bord uit de keuken naast hem. De dieren liepen er langzaam langs en vergaapten zich eraan. En Bokser stak zijn neus vooruit om eraan te snuffelen, en de dunne papiertjes trilden en ritselden in zijn ademtocht.

Drie dagen later was er een verschrikkelijk tumult. Jammerling kwam met een doodsbleek gezicht het pad op rijden, smeet zijn fiets op het erf neer en rende regelrecht het woonhuis in. Het volgende ogenblik klonk een gesmoorde kreet van woede uit Napoleons vertrekken. De ongeluksmare liep als een lopend vuurtje door de boerderij: de bankbiljetten waren vals! Frederiks had het hout voor niets gekregen!

Napoleon riep de dieren onmiddellijk bijeen en sprak met vreselijke stem het doodvonnis over Frederiks uit. Hij zei dat Frederiks als hij gevangen werd, levend gekookt moest worden. Hij waarschuwde meteen dat na deze verraderlijke daad het ergste verwacht kon worden. Frederiks en zijn mannen zouden hun lang verwachte aanval nu ieder ogenblik kunnen beginnen. Schildwachten werden aan alle toegangswegen naar de boerderij geposteerd. Bovendien werden vier duiven naar de Vossenhoeve gezonden met een verzoeningsboodschap waarvan men hoopte dat zij de goede betrekkingen met Pietersen weer zou herstellen.

De aanval kwam reeds de volgende morgen. De dieren waren aan het ontbijten toen de uitkijkposten kwamen aangerend met het nieuws dat Frederiks en zijn volgelingen al door het grote hek heen waren. Stoutmoedig traden de dieren hun tegemoet, maar ditmaal viel de overwinning hun niet zo gemakkelijk als in de Slag van de Koeienstal. Er waren vijftien mannen met twaalf geweren en zij schoten zodra zij op vijftig meter afstand waren. De dieren waren niet bij machte aan de vreselijke knallen en de stekende hagelkorrels het hoofd te bieden, en alle pogingen van Napoleon en Bokser tot herverzameling ten spijt werden zij al zeer spoedig teruggedreven. Een aantal van hen was reeds gewond. Zij zochten toevlucht in de gebouwen en loerden voorzichtig door reten en knoestgaten. De gehele grote weide, windmolen incluis, was in handen van de vijand. Een ogenblik leek zelfs Napoleon geen raad te weten. Hij tippelde met nerveuze staartbewegingen zonder een woord te zeggen heen en weer. Verlangende blikken werden op de Vossenhoeve gericht. Wanneer Pietersen en zijn mannen te hulp zouden komen, kon het pleit nog gewonnen worden. Maar op dit ogenblik kwamen de vier duiven die de vorige dag uitgezonden waren, terug, en een van hen bracht een vodje papier van Pietersen. Daarop stond met potlood te lezen: 'Je krijgt je verdiende loon.'

Intussen hadden Frederiks en zijn mannen halt gehouden bij de windmolen. De dieren hielden hen in 't oog, en spoedig klonk een gemompel van ontzetting. Twee van de mannen hadden een breekijzer en een voorhamer te voorschijn gehaald. Zij begonnen de windmolen in elkaar te slaan.

'Onmogelijk!' riep Napoleon. 'Daarvoor hebben we de muren veel te dik gemaakt. Ze zullen ze in nog geen week omverkrijgen. Moed, kameraden!'

Maar Benjamin volgde de bewegingen van de mannen aandachtig. De twee met de hamer en het breekijzer waren bezig bij de voet van de molen een gat te hakken. Langzaam en bijna geamuseerd knikte Benjamin met zijn lange snuit.

'Dat dacht ik al,' zei hij. 'Zien jullie niet wat ze daar gaan doen? Direct stoppen ze kruit in dat gat.'

De dieren wachtten in doodsangst. Het was nu onmogelijk zich buiten de bescherming der gebouwen te wagen. Na enkele minuten zagen ze de mannen in alle richtingen wegrennen. Toen klonk een oorverdovend lawaai. De duiven dwarrelden de lucht in en alle dieren, uitgezonderd Napoleon, wierpen zich plat op de grond en verborgen hun gezicht. Toen zij weer opstonden, hing er een grote zwarte rookwolk boven de plek waar de windmolen had gestaan. Langzaam dreef de wind haar weg. De windmolen had opgehouden te bestaan!

Toen de dieren dat zagen, vonden zij hun moed weer terug. De vrees en de wanhoop die hen een ogenblik eerder nog vervuld hadden, werden overstemd door hun woede over deze gemene en verachtelijke daad. Een machtige kreet om wraak steeg op en zonder verdere orders af te wachten stormden zij als één man weg, regelrecht op de vijand af. Ditmaal bekommerden zij zich niet om de wrede hagelkorrels, die over hen heen joegen. Het was een wreed en verbitterd gevecht. De mannen vuurden keer op keer en beukten er toen de dieren naderbij gekomen waren, met hun stokken en hun zware schoenen op los. Een koe, drie schapen en twee ganzen werden gedood, en bijna iedereen was gewond. Zelfs Napoleon, die de operaties vanuit de achterhoede leidde, kreeg een schampschot van een hagelkorrel aan het puntje van zijn staart. Maar de mannen kwamen er ook niet zonder kleerscheuren af. Drie hadden er een gat in hun hoofd door een trap van Boksers hoeven, een ander had een steek van een koehoren in zijn buik gekregen en weer een ander was door Jessie en Hyacint bijna zijn broek afgerukt. En toen de negen honden van Napoleons lijfwacht, die bevel hadden gekregen onder bescherming van de heg een omweg te maken, de mannen plotseling onder wild geblaf in de flank aanvielen, werden zij door paniek bevangen. Zij zagen dat zij gevaar liepen omsingeld te worden. Frederiks riep zijn mannen toe een goed heenkomen te zoeken zolang het nog mogelijk was, en het volgende ogenblik rende de laffe vijand voor zijn leven. De dieren joegen hen achterna tot aan de rand van het veld en gaven hun nog een laatste paar schoppen toen zij zich door de doornhaag wrongen.

Zij hadden overwonnen, maar waren afgemat en tot bloedens gewond. Langzaam strompelden zij naar de boerderij. De aanblik van hun dode kameraden, die op het gras lagen uitgestrekt, bewoog sommigen tot tranen. En een kort ogenblik bleven zij in droevig stilzwijgen staan bij de plaats waar eens de windmolen stond. Ja, hij was er niet meer; de sporen van hun werk waren bijna volledig uitgewist! Zelfs de fundamenten waren gedeeltelijk vernield. En voor de wederopbouw zouden zij ditmaal niet, zoals eerder, gebruik kunnen maken van de gevallen stenen. Deze keer waren ook de stenen verdwenen. De kracht van de ontploffing had ze honderden meters ver weggeslingerd. Het leek wel alsof de windmolen er nooit gestaan had.

Toen zij de boerderij naderden kwam Brulbeer, die, zonder dat men wist waarom, gedurende het gevecht afwezig was gebleven, kwispelstaartend en stralend van genoegen naar hen toe huppelen. En uit de richting van de gebouwen hoorden zij het plechtig dreunen van een geweer.

'Waarom wordt dat geweer afgeschoten?' vroeg Bokser.

'Om de overwinning te vieren!' riep Brulbeer.

'Welke overwinning?' vroeg Bokser. Zijn knieën bloedden, hij had een hoefijzer verloren, zijn hoef was gespleten, en in zijn achterbeen had hij een dozijn hagelkorrels.

'Welke overwinning, kameraad? Hebben wij de vijand niet van onze bodem verdreven – van de heilige bodem van de Dierenboerderij?'

'Maar zij hebben de windmolen vernield. En wij hadden er twee jaar aan gewerkt!'

'Wat doet dat ertoe? Wij zullen wéér een windmolen bouwen. Wij zullen zes windmolens bouwen als wij daar zin in hebben. Kameraad, jij beseft niet wat hier voor

machtigs is gebeurd. De vijand bezat alle grond waarop
wij staan. En thans – dank zij het leiderschap van kameraad Napoleon – hebben wij hem weer tot de laatste centimeter in ons bezit!'

'Dan hebben we dus terug wat we al hadden,' zei Bokser.

'Dat is onze overwinning,' zei Brulbeer.

Zij strompelden het erf op. De hagelkorrels onder
Boksers huid deden erg pijn. Hij zag het harde werk
voor zich dat nodig zou zijn om de windmolen weer van
de grond af op te bouwen en verzamelde in gedachten
al nieuwe krachten voor zijn taak. Maar voor het eerst
kwam het in hem op dat hij elf jaar oud was en dat zijn
zware spieren misschien niet meer zo sterk waren als
vroeger.

Toen de dieren echter de groene vlag zagen wapperen en het geweer weer hoorden afschieten – zeven
maal werd het afgeschoten – en toen zij de toespraak
van Napoleon hoorden, die hen met hun moedig gedrag gelukwenste, toen scheen het hun toch alweer als
hadden zij een grote overwinning bevochten. De gesneuvelde dieren kregen een plechtige begrafenis. Bokser en Klaver trokken de wagen die tot lijkkoets diende
en Napoleon liep zelf aan het hoofd van de stoet. Twee
volle dagen mocht men feestvieren. Er werd gezongen,
gespeecht en het geweer werd nog vaker afgeschoten,
elk dier kreeg een appel, met een half ons graan voor
elke vogel en drie biskwies voor elke hond. Er werd bekendgemaakt dat de slag de naam zou dragen van Slag
van de Windmolen en dat Napoleon een nieuwe orde in
het leven had geroepen, de orde van de groene banier,

die hij zichzelf toekende. In de algemene vreugde werd de ongelukkige geschiedenis van de bankbiljetten vergeten. Een paar dagen daarna vonden de varkens in de kelders van het woonhuis een kist jenever. Deze was bij de ingebruikneming van het huis aanvankelijk over 't hoofd gezien. Die nacht klonk uit het woonhuis een luid gezang, tot ieders verbazing vermengd met regels uit 'Dieren van het Koninkrijk'. Om ongeveer half tien zag men duidelijk dat Napoleon, met een oude bolhoed van Jansen op zijn kop, de achterdeur uitkwam, rondom het erf galoppeerde en weer naar binnen ging. Maar 's morgens hing er een diepe stilte over het woonhuis. Geen varken leek zich te verroeren. Het was al bijna negen uur toen Brulbeer te voorschijn kwam. Hij keek neerslachtig met doffe ogen, liep langzaam met hangende staart en was klaarblijkelijk ernstig ziek. Hij riep de dieren bijeen en vertelde hun, dat hij een vreselijk nieuws te onthullen had. Kameraad Napoleon lag op sterven!

Een luid gejammer steeg op. Buiten het woonhuis werd stro neergelegd en de dieren liepen op hun tenen. Met tranen in de ogen vroegen zij elkaar wat zij moesten beginnen als hun Leider hun ontnomen zou worden. Er ging een gerucht dat Sneeuwbal er ten slotte toch nog kans toe had gezien Napoleons eten te vergiftigen. Om elf uur kwam Brulbeer naar buiten voor een nieuwe mededeling. Als zijn laatste daad op aarde had kameraad Napoleon een plechtig decreet uitgevaardigd: op het drinken van alcohol zou voortaan de doodstraf staan.

Tegen de avond scheen er echter enige verbetering in

Napoleons toestand te zijn opgetreden, en de volgende morgen kon Brulbeer meedelen dat hij op weg was naar een spoedig herstel. Tegen de avond van die dag was Napoleon weer aan 't werk, en de volgende dag werd bekend dat hij Jammerling had opgedragen in het dorp een paar boekjes over brouwen en destilleren te kopen. Een week later gaf Napoleon bevel het landje achter de boomgaard, dat aanvankelijk bestemd was als weidegrond voor dieren die niet meer behoefden te werken, om te ploegen. Als reden werd opgegeven dat de weide was uitgeput en opnieuw bezaaid moest worden; maar spoedig werd bekend dat Napoleon van plan was er gerst te verbouwen.

In deze dagen had er een merkwaardig voorval plaats, dat bijna niemand kon begrijpen. Op een nacht omstreeks twaalf uur klonk op het erf een luid gekraak, en de dieren renden uit hun stallen. Het was een lichte maannacht. Aan de voet van de achtermuur van de grote schuur, waarop de zeven geboden geschreven waren, lag een ladder die in twee stukken gebroken was. Brulbeer lag versuft met zijn poten in de lucht met naast zich een lantaarn, een verfkwast en een omgevallen pot met witte verf. De honden trokken onmiddellijk een kordon rond Brulbeer, en begeleidden hem terug naar het woonhuis zodra hij weer lopen kon. Geen van de dieren had enig idee van wat dit alles te betekenen had, uitgezonderd Benjamin, die veelbetekenend met zijn snuit knikte en iets scheen te begrijpen maar niets wilde zeggen.

Maar een paar dagen later kwam Muriel, die de zeven geboden nog eens overlas, tot de ontdekking dat er nog een gebod was dat de dieren zich niet goed herinnerden. Zij hadden gedacht dat het vijfde gebod luidde 'Geen dier mag alcohol drinken', maar er stonden twee woorden bij die zij vergeten waren. Het gebod luidde in werkelijkheid: 'Geen dier mag alcohol drinken *in overmaat*'.

HOOFDSTUK IX

Boksers gespleten hoef had lange tijd nodig om te genezen. De dag nadat de overwinningsfeesten waren geëindigd, was met de wederopbouw van de windmolen begonnen. Bokser weigerde zelfs ook maar één dag van het werk weg te blijven en stelde er een eer in niemand te laten merken dat hij pijn leed. 's Avonds vertrouwde hij Klaver echter dikwijls toe dat zijn hoef hem veel last bezorgde. Klaver behandelde de hoef met een pap van door haarzelf gekauwde kruiden, en zowel zij als Benjamin drong er bij Bokser op aan dat hij wat minder hard zou werken. 'Paardenlongen duren niet eeuwig,' sprak zij tot hem. Maar Bokser wilde niet luisteren. Hij bezat, zo zei hij, nog maar één ideaal en dat was de windmolen in bedrijf te zien voor hij met pensioen zou gaan.

Aanvankelijk, toen de wetten van de Dierenboerderij voor het eerst werden vastgelegd, was de pensioengerechtigde leeftijd voor paarden en varkens op twaalf jaar gesteld, voor koeien op veertien, voor honden op negen, voor schapen op zeven, en voor kippen en ganzen op vijf jaar, en was een ruim ouderdomspensioen overeengekomen. Tot dusver was nog geen dier met pensioen gegaan, doch sinds kort was het onderwerp meer en meer ter sprake gekomen. Nu het landje achter de boomgaard in gebruik genomen was voor gerst, werd verteld dat er een hoek van de grote weide zou worden afgescheiden als plaats voor de oude dieren. Naar beweerd werd zou een paard vijf pond graan per dag krijgen, en 's winters vijftien pond hooi, met een wortel of wellicht een appel op nationale feestdagen. In de nazomer van het volgend jaar zou Bokser twaalf jaar worden.

Ondertussen was het leven hard. De winter was even koud als de vorige geweest en het voedsel was zelfs nog schaarser. En wederom werden de rantsoenen verlaagd, behalve die van de varkens en de honden. Een al te strenge gelijkheid van de rantsoenen zou, zo verklaarde Brulbeer, in tegenspraak zijn met de beginselen van het animalisme. In elk geval viel het hem niet moeilijk de overige dieren te bewijzen dat er inderdaad geen voedseltekort bestond, ondanks alle verschijnselen die op het tegendeel wezen. Voor het ogenblik was het inderdaad nodig geweest de rantsoenen te herzien – Brulbeer sprak steeds van 'herziening', nooit van 'verlaging' –, maar in vergelijking met Jansens tijd was de verbetering nog steeds enorm. Met schelle stem las hij hun weer snel een reeks van getallen voor, waaruit bleek dat zij meer haver, meer hooi en meer bieten hadden dan in Jansens tijd, dat zij minder behoefden te werken, dat hun drinkwater beter, hun levensduur langer, en de sterfte onder de jonge dieren lager was, en dat zij meer stro in hun stallen en minder vlooien hadden. De dieren geloofden het woord voor woord. De waarheid was dat Jansen en alles waar hij voor stond al bijna uit hun geheugen gewist was. Zij wisten dat het leven vandaag de dag hard en sober was, dat zij dikwijls honger en kou leden en dat zij gewoonlijk alleen maar wakker waren om te werken. Maar vroeger was het zonder twijfel erger geweest. Deze overtuiging stemde hen blij. Bovendien waren zij toen slaven geweest en nu waren zij vrij, en dat was het grote verschil, zoals Brulbeer nimmer naliet te betogen.

Er waren tegenwoordig heel wat monden te voeden. In de herfst waren alle vier zeugen drachtig geworden en hadden te zamen eenendertig biggen ter wereld gebracht. De biggetjes waren allen bont en aangezien Napoleon de enige beer op de boerderij was, behoefde men niet naar hun afstamming te raden. Er werd bekendgemaakt dat er later, na aanschaffing van stenen en hout, een schoollokaal in de tuin van het woonhuis zou worden gebouwd. Tot zolang werden de varkentjes door Napoleon zelf in de keuken onderwezen. Hun lichaamsbeweging vonden zij in de tuin, en zij werden ervan afgehouden met de andere jonge dieren te spelen. Ongeveer in deze tijd werd bovendien bepaald dat wanneer een varken en een ander dier elkaar ontmoetten, het andere dier aan de kant moest gaan staan, en verder dat alle varkens, ongeacht hun rang, het voorrecht bezaten zondags groene lintjes in hun staart te dragen.

De boerderij had een tamelijk voorspoedig jaar achter de rug, maar had nog steeds gebrek aan geld. Er moesten stenen, zand en kalk voor het schoolgebouw gekocht worden, en bovendien moest er gespaard worden voor de machinerie voor de windmolen. Dan waren er nog de lampolie en de kaarsen voor het woonhuis, suiker voor Napoleons tafel – hij verbood de andere varkens suiker te eten, omdat zij dan te dik zouden worden – en steeds terugkomende benodigdheden zoals gereedschap, spijkers, touw, kolen, draad, ijzer en hondenbrood. Een deel van het hooi en van de aardappeloogst werd verkocht en het eiercontract werd verhoogd tot zeshonderd per week, zodat de kippen in dat jaar nauwelijks genoeg kuikens konden uitbroeden om hun aantal op peil te houden. De rantsoenen, in december reeds verlaagd, werden in februari nog eens verminderd, en in de stallen mochten ter besparing van olie geen lantaarns meer branden. Maar de varkens schenen het niet slecht te hebben en groeiden alsof er niets aan 't handje was.

Op een middag achter in februari dreef een kostelijke, warme en eetlust opwekkende geur, een die de dieren nog nooit geroken hadden, het erf over vanuit het brouwhuisje, dat tijdens Jansen al niet meer gebruikt werd en dat achter de keuken stond. Iemand beweerde dat het de geur van kokende gerst was. De dieren snoven de geur hongerig op en vroegen zich af of zij misschien warme pap als avondeten zouden krijgen. Maar er verscheen geen warm maal, en de volgende zondag werd bekendgemaakt dat van nu af aan alle gerst voor de varkens gereserveerd moest blijven. Op het veld achter de boomgaard was al gerst gezaaid. En spoedig lekte uit dat elk varken nu een dagelijks rantsoen van een halve liter bier kreeg, met twee liter voor Napoleon, die hij geserveerd kreeg in de porseleinen soepterrine.

Maar al moesten er ook ontberingen geleden worden, zij werden gedeeltelijk goedgemaakt door de omstandigheid dat het leven zoveel meer waardigheid bezat dan weleer. Er werd meer gezongen, er waren meer toespraken en meer optochten. Napoleon had bevolen dat er eens per week een zogenaamde Spontane Betoging zou worden gehouden, ter ere van de strijd en de triomfen van de Dierenboerderij. Op de vastgestelde tijd moesten de dieren hun werk verlaten en in formatie langs de grenzen van de boerderij marcheren; eerst de varkens, dan de koeien, vervolgens de schapen en ten slotte het pluimvee. De honden flankeerden de optocht en aan het hoofd marcheerde Napoleons zwarte haan. Bokser en Klaver droegen altijd een groen spandoek tussen zich in, beschilderd met hoef en hoorn en het opschrift 'Lang leve kameraad Napoleon'. Later volgden dan voordrachten van gedichten die ter ere van Napoleon geschreven waren, een toespraak van Brulbeer met bijzonderheden over de laatste productiestijgingen van voedingsmiddelen en een enkele keer het afschieten van het geweer. De schapen waren de meest geestdriftige deelnemers aan de Spontane Betogingen, en wanneer iemand klaagde (zoals soms voorkwam, wanneer er geen varkens of honden in de buurt waren) dat zij tijd verknoeiden en dat hij er niet op gesteld was in de kou te moeten rondhangen, dan kon men erop rekenen dat hij tot zwijgen werd gebracht met een alles overstemmend geblaat van 'vier poten goed, twee poten slecht!' Maar alles bijeengenomen genoten de dieren toch wel van deze feestelijkheden. Het gaf hun moed weer eens te horen dat zij per slot hun eigen baas waren en dat zij zelf over de vruchten van hun werk konden beschikken. Zodat zij met liederen zingen, optochten, Brulbeers cijfers, knallen van het geweer, hanengekraai en vlaggenwapper konden vergeten dat hun maag van tijd tot tijd leeg was.

In april werd de Dierenboerderij tot republiek geproclameerd en er moest een president gekozen worden. Er was slechts één kandidaat, Napoleon, die met algemene stemmen gekozen werd. Dezelfde dag werd bekendgemaakt dat er nieuwe documenten ontdekt waren die verdere bijzonderheden onthulden over Sneeuwbals dubieuze relaties met Jansen. Nu kwam aan het licht dat Sneeuwbal het er niet alleen op had aangelegd door een handige tactiek de Slag van de Koeienstal te verliezen, zoals de dieren tot nu toe dachten, maar dat hij openlijk aan Jansens zijde gevochten had. In feite was hij het geweest die de menselijke strijdkrachten aangevoerd en in de strijd geworpen had met de woorden 'lang leve de mensheid'. De wonden op Sneeuwbals rug, die enkele dieren zich nog steeds herinnerden, waren veroorzaakt door Napoleons tanden.

Midden in de zomer verscheen plotseling, na een afwezigheid van vele jaren, Mozes de raaf weer op de boerderij. Hij was niets veranderd, werkte nog steeds niet en sprak met dezelfde woorden als vroeger over de Berg der Suikerklontjes. Hij ging dan op een stronk zitten, klapwiekte met zijn zwarte vleugels en sprak urenlang tegen iedereen die maar luisteren wilde. 'Daarboven, kameraden,' placht hij plechtig te zeggen, met zijn grote snavel naar de hemel wijzend, 'daarboven, juist aan de andere kant van die donkere wolk daar, daar ligt hij, de Berg der Suikerklontjes, dat land van geluk, waar wij arme dieren in alle eeuwigheid van onze arbeid zullen uitrusten!' Hij beweerde zelfs dat hij er, hoog in de lucht vliegend, eens geweest was, en alles had gezien, de eeuwige klavervelden en de heggen waaraan de lijnkoeken en de suikerbroden groeiden. Vele dieren geloofden hem. Zij bepeinsden dat hun leven vol van honger en hard werken was; was het dus niet rechtvaardig dat er elders een betere wereld zou bestaan? De houding van de varkens ten opzichte van Mozes was moeilijk te begrijpen. Zij verklaarden allen op minachtende toon dat zijn verhalen over de Berg der Suikerklontjes leugens waren, en toch stonden zij hem toe op de boerderij te blijven, met een toewijzing van een glas bier per dag.

Toen zijn hoef genezen was, werkte Bokser harder dan ooit. Alle overige dieren werkten dat jaar als slaven. Naast de gewone dagtaak en de wederopbouw van de windmolen was er nu nog het schoolgebouw voor de biggen, waaraan in maart begonnen was. Soms waren de lange werktijden met te weinig voedsel haast niet om door te komen, maar Bokser versaagde nooit. Uit niets wat hij zei of deed bleek dat zijn krachten niet meer die van vroeger waren. Alleen in zijn uiterlijk was een kleine verandering te zien; zijn vacht was minder glanzend dan zij altijd was geweest en zijn zware lendenen schenen ingevallen. De anderen zeiden: 'Bokser zal wel weer bijkomen als het lentegras opkomt', maar de lente kwam en Bokser werd niet dikker. Soms, wanneer hij op de helling naar de rand van de steengroeve zijn spieren spande tegen het gewicht van een zware steenklomp, leek het of niets meer hem op de been hield dan de wil om door te gaan. Op zulke ogenblikken zag men zijn lippen de woorden prevelen 'ik zal harder werken'; spreken kon hij er niet meer bij. Nog eens vermaanden Klaver en Benjamin hem op zijn gezondheid te letten, maar Bokser sloeg er geen acht op. Zijn twaalfde verjaardag naderde. Het liet hem koud wat er gebeurde, als er maar een behoorlijke voorraad stenen zou zijn voor hij met pensioen ging.

Laat op een avond in de zomer ging plotseling het

gerucht rond dat er iets met Bokser was. Hij was erop uitgegaan om een lading stenen naar de windmolen te brengen. En het gerucht bleek maar al te waar. Enkele minuten later kwamen twee duiven aangevlogen met het nieuws: 'Bokser is gevallen! Hij ligt op zijn zij en kan niet opstaan!'

Zo ongeveer de helft van de dieren op de boerderij rende naar de heuvel. Daar lag Bokser tussen de bomen van de kar, met uitgestrekte hals, niet bij machte zelfs zijn hoofd maar op te heffen. Zijn ogen waren glazig, zijn flanken bedekt met zweet. Een dunne stroom bloed was uit zijn mond gevloeid. Klaver ging op haar knieën naast hem zitten.

'Bokser!' riep zij, 'hoe is het met je?'

'Het is mijn long,' sprak Bokser met zwakke stem, 'het doet er niet toe. Ik denk dat jullie de windmolen wel zonder mij kunnen voltooien. Er is een mooie voorraad stenen verzameld. Om jullie de waarheid te zeggen zat ik al naar mijn pensionering uit te kijken. En aangezien Benjamin ook oud wordt, zijn ze misschien wel bereid hem tegelijk met mij te laten gaan, dan heb ik gezelschap.'

'Wij moeten onmiddellijk helpen,' zei Klaver, 'iemand moet rennen en Brulbeer gaan vertellen wat er gebeurd is.'

Alle andere dieren renden op slag naar het woonhuis om het nieuws aan Brulbeer te brengen. Alleen Klaver bleef achter, met Benjamin, die aan Boksers zij lag en met zijn lange staart de vliegen van hem af hield. Na een kwartier ongeveer verscheen Brulbeer, vol sympathie en deelneming. Hij zei dat kameraad Napoleon met het allerdiepste leedwezen vernomen had van dit ongeluk dat een van de getrouwste medewerkers van de boerderij overkomen was, en dat hij reeds voorbereidingen trof om Bokser te laten opnemen in het ziekenhuis van het dorp. Dat deed de dieren niet plezierig aan. Behalve Mollie en Sneeuwbal had geen dier ooit de boerderij verlaten en de gedachte stond hun tegen dat hun zieke kameraad in de handen van menselijke wezens zou zijn. Brulbeer kon hen er echter gemakkelijk van overtuigen dat Boksers ziekte beter door de dierenarts van het dorp dan op de boerderij behandeld kon worden. En ongeveer een half uur later, toen Bokser zich weer een beetje had hersteld, stond hij moeizaam op en strompelde naar zijn stal, waar Klaver en Benjamin een lekker strobed voor hem hadden bereid.

De twee volgende dagen bleef Bokser in zijn stal. De varkens hadden een grote fles rode medicijn verstrekt die zij gevonden hadden in het medicijnkastje in de badkamer, en Klaver diende dit Bokser tweemaal per dag na de maaltijd toe. 's Avonds lag zij in zijn stal en sprak met hem, terwijl Benjamin de vliegen van hem af hield. Bokser veinsde dat hij niet betreurde wat er gebeurd was. Als hij hiervan kon herstellen dan mocht hij wel aannemen nog drie jaar te zullen leven, en hij verlangde naar de vreedzame dagen die hij in het hoekje van de grote weide zou doorbrengen. Het zou voor het eerst in zijn leven zijn dat hij tijd had voor studie en verheffing van zijn geest. Hij was van plan, zo zei hij, de rest van zijn leven te wijden aan het leren van de overige tweeëntwintig letters van het alfabet.

Benjamin en Klaver konden echter alleen na werktijd bij Bokser zijn, en het was midden op de dag toen de wagen hem kwam weghalen. De dieren waren allen onder toezicht van een varken bezig met het rooien van voederbieten, toen zij tot hun verbazing Benjamin luid balkend uit de richting van de gebouwen zagen aangalopperen. Het was voor het eerst dat zij Benjamin opgewonden zagen – ja, het was voor het eerst dat iemand hem had zien galopperen. 'Vlug, vlug!' riep hij. 'Kom direct! Ze zijn bezig Bokser weg te halen!' Zonder een bevel van het varken af te wachten, lieten de dieren hun werk in de steek en snelden naar de gebouwen. Inderdaad, op het erf stond een grote gesloten wagen met twee paarden ervoor, met een opschrift op de zijkanten en op de bok een sluw uitziende man met een dophoed op zijn hoofd. En de stal van Bokser was leeg.

De dieren dromden om de wagen. 'Adieu, Bokser, vaarwel!' riepen zij in koor.

'Stommelingen! Idioten!' schreeuwde Benjamin, steigerend en met zijn hoeven op de grond stampend. 'Krankzinnigen! Zien jullie niet wat daar op die wagen geschreven staat?'

Dat deed de dieren zwijgen, en even was het rustig. Muriel begon de woorden te spellen. Maar Benjamin duwde haar opzij en te midden van een doodse stilte las hij: *'Adolf Slijmpot, Paardenslager en Lijmkoker. Handelaar in Huiden en Beendermeel. Leverancier aan Hondenkennels.* Begrijpen jullie wat dat betekent? Ze gaan Bokser naar de vilder brengen!'

Een kreet van afgrijzen steeg uit alle kelen op. Tegelijkertijd klakte de man op de bok met de zweep over zijn paarden, en de wagen reed met een flinke gang het erf af. Alle dieren volgden hem, zo hard mogelijk schreeuwend. Klaver drong zich naar voren. De wagen begon op snelheid te komen. Klaver wist het met haar zware poten tot een korte galop te brengen en schreeuwde: 'Bokser! Bokser! Bokser!' En op dat ogenblik verscheen, alsof hij het tumult gehoord had, Boksers gezicht met de witte streep over de neus voor het achterraampje van de wagen.

'Bokser!' riep Klaver zo hard zij kon. 'Bokser! Stap uit! Stap direct uit! Ze gaan je doodmaken!'

Alle dieren begonnen mee te schreeuwen: 'Stap uit, Bokser, stap uit!' Maar de wagen kreeg snelheid en reed van hen weg. Het was niet zeker of Bokser begrepen had wat Klaver zei. Maar een ogenblik later verdween zijn gezicht voor het raam en klonk er een verschrikkelijk hoefgetrappel in de wagen. Bokser trachtte zich een uitweg te schoppen. Er was een tijd geweest dat een paar trappen van Boksers hoeven voldoende waren om een wagen tot kachelhout te slaan. Maar helaas! zijn kracht had hem verlaten, en na korte tijd werd het trappelgeluid zwakker en stierf weg. In hun vertwijfeling richtten de dieren een smeekbede tot de paarden toch te willen stilstaan. 'Kameraden, kameraden!' riepen zij. 'Voeren jullie toch niet je eigen broeder de dood in!' Maar de stomme dieren, te dom om te begrijpen wat er gebeurde, legden alleen maar hun oren in de nek en versnelden hun pas. Boksers gezicht verscheen niet meer voor het venster. Te laat dacht iemand eraan vooruit te rennen en het hek te sluiten, en het volgende ogenblik was de wagen erdoor en verdween snel over de weg. Bokser werd nooit meer teruggezien.

Drie dagen later werd meegedeeld dat Bokser in het ziekenhuis in het dorp gestorven was, ondanks alle zorgen die men maar aan een paard had kunnen besteden. Brulbeer bracht de anderen het nieuws. Hij had, vertelde hij, Boksers laatste uren meegemaakt. 'Het was het aandoenlijkste schouwspel waarvan ik ooit getuige was!' zei Brulbeer, terwijl hij zijn poot oplichtte en een traan wegpinkte. 'Ik was tot het laatste ogenblik aan zijn sponde. Toen het einde kwam, fluisterde hij mij, bijna te zwak om nog te kunnen spreken, in het oor dat het hem zo'n verdriet deed heen te moeten gaan voordat de windmolen voltooid was. "Voorwaarts, kameraden," fluisterde hij. "Voorwaarts in naam van de Opstand. Lang leve de Dierenboerderij! Lang leve kameraad Napoleon! Napoleon heeft altijd gelijk." Dat waren zijn allerlaatste woorden, kameraden.'

Hierop veranderde Brulbeer plotseling van houding. Hij zweeg een ogenblik en zijn oogjes schoten wantrouwend heen en weer voor hij verder ging.

Het was hem ter ore gekomen, zo zei hij, dat er een dwaas en kwaadwillig gerucht de ronde deed toen Bokser werd weggehaald. Enkele dieren hadden opgemerkt dat op de wagen die Bokser meenam het woord 'Paardenslager' te lezen was geweest, en hadden toen maar meteen aangenomen dat Bokser naar de vilder gestuurd werd. Het was bijna niet te geloven, zei Brulbeer, dat een dier zo stom kon zijn. Zij kenden toch waarachtig hun beminde leider, kameraad Napoleon, wel beter, zo riep hij verontwaardigd, terwijl hij kwispelstaartend heen en weer danste. Maar de verklaring was erg eenvoudig. De wagen was het eigendom van de vilder geweest en overgenomen door de dierenarts, die het opschrift nog niet had verwijderd. Daardoor was het misverstand gerezen. Toen zij dit vernamen, waren de dieren erg opgelucht. En toen Brulbeer verdere bijzonderheden van Boksers sterfbed beschreef, zoals de bewonderenswaardige zorg die hij had genoten en de dure medicijnen die Napoleon had gekocht zonder zich een ogenblik om de kosten te bekommeren, toen verdween ook hun laatste twijfel, en hun verdriet over de dood van hun kameraad werd verzacht door de gedachte dat hij tenminste gelukzalig gestorven was.

Napoleon verscheen de volgende zondagmorgen zelf op de Bijeenkomst en hield ter ere van Bokser een korte toespraak. Het was niet mogelijk geweest, zei hij, de stoffelijke resten van hun betreurde kameraad terug te brengen voor een begrafenis op de boerderij, maar hij had opdracht gegeven van bladeren uit de tuin een grote lauwerkrans te maken en deze te versturen om op Boksers graf te leggen. En de varkens hadden het plan over een paar dagen ter ere van Bokser een herdenkingsdiner te houden. Napoleon besloot zijn toespraak met een herhaling van Boksers beide lievelingsspreuken 'ik zal harder werken' en 'kameraad Napoleon heeft altijd gelijk' – lijfspreuken die, zo zei hij, elk dier eigenlijk tot de zijne moest maken.

Op de dag van het herdenkingsdiner verscheen er een kruidenierswagen uit het dorp die een grote houten krat bij het woonhuis afleverde. Die avond klonk er een onstuimig gezang, gevolgd door iets wat op een hooglopende ruzie leek die omstreeks elf uur eindigde met een enorm lawaai van brekend glas. In het woonhuis verroerde zich niemand voor de volgende middag, en de mare ging dat de varkens op de een of andere manier geld hadden weten te bemachtigen om nog een kist jenever te kopen.

HOOFDSTUK X

De jaren gleden voorbij. Jaargetijden kwamen en gingen, vele korte dierenlevens vonden hun einde. Er kwam een tijd dat er niemand was die meer iets wist van de oude dagen van voor de Opstand, uitgezonderd Klaver, Benjamin, Mozes de raaf, en een aantal varkens. Muriel was dood. Hyacint, Jessie en Pincher waren dood. Ook Jansen was dood – hij was elders in het land gestorven in een tehuis voor alcoholverslaafden. Sneeuwbal was vergeten. Bokser was vergeten, behalve door de weinigen die hem gekend hadden. Klaver was een stoere oude merrie geworden met stijve leden en waterige ogen. Ze was al twee jaren over de pensioengerechtigde leeftijd heen, maar feitelijk was geen enkel dier met pensioen gegaan. Er werd al heel lang niet meer gesproken over het hoekje in de weide voor oude dieren. Napoleon had zich ontwikkeld tot een beer van driehonderd pond. Brulbeer was zo vet dat hij nauwelijks uit zijn ogen kon kijken. Alleen de oude Benjamin was nog net als vroeger, slechts een beetje grijzer om zijn neus en sinds Boksers dood knorriger en zwijgzamer dan ooit.

Er waren tegenwoordig veel meer schepselen op de boerderij, hoewel de toename niet zo groot was als men in vroeger jaren had verwacht. Er waren vele dieren geboren voor wie de Opstand niet meer was dan een vage traditie die slechts in verhalen voortleefde, en anderen, die gekocht waren, hadden voor hun komst nog nooit van zoiets als een Opstand gehoord. Behalve Klaver bezat de boerderij thans nog drie paarden. Het waren mooie rijzige dieren, gewillige medewerkers en goede kameraden, maar erg dom. Geen van hen bleek het alfabet verder dan de letter B te kunnen leren. Zij slikten alles wat hun verteld werd over de Opstand en de beginselen van het animalisme, vooral van Klaver, voor wie zij een kinderlijke eerbied koesterden; maar het was twijfelachtig of ze er wel iets van begrepen.

Het ging de boerderij tegenwoordig wat meer voor de wind en zij was beter georganiseerd; er waren zelfs twee velden bijgekomen, die van Pietersen waren gekocht. De windmolen was ten langen leste voltooid, de boerderij bezat een dorsmachine en een eigen hooi-elevator en er waren verschillende gebouwen bij gekomen. Jammerling had zich een dogkar aangeschaft. De windmolen werd uiteindelijk niet eens gebruikt voor het opwekken van elektrische stroom. Er werd koren in gemalen en dat bracht een aardig duitje op. De dieren waren hard bezig nog een tweede windmolen te bouwen en die zou dan, zo werd gezegd, voor stroomopwekking dienen. Maar over de weelde waarvan Sneeuwbal de dieren eens liet dromen, elektrisch verlichte stallen en warm en koud water, en de driedaagse werkweek, werd niet meer gesproken. Napoleon had zulke ideeën veroordeeld, zijnde in strijd met de geest van het animalisme. Het ware geluk bestond in hard werken en een sober leven, zei hij.

Het leek wel alsof de boerderij welvarender was ge-

worden zonder dat de dieren zelf meer rijkdom bezaten – de varkens en de honden natuurlijk uitgezonderd.
Misschien kwam het ten dele wel doordat er zoveel varkens en zoveel honden waren. Niet dat deze dieren op
hun manier niet werkten. Zoals Brulbeer nimmer moe
werd te verklaren, vergden het toezicht en de organisatie van de boerderij een eindeloze hoeveelheid werk.
Zo vertelde Brulbeer de dieren bijvoorbeeld dat de leiders dagelijks een enorme hoeveelheid werk besteedden
aan geheimzinnige dingen zoals 'dossiers', 'rapporten',
'notulen' en 'memorandums'. Dat waren grote vellen
papier die van onderen tot boven beschreven moesten
worden, en zodra ze beschreven waren, gingen ze de kachel in. Dat was van het hoogste belang voor het welzijn
van de boerderij, aldus Brulbeer. Maar nog steeds pro-
duceerden varkens noch honden zelf enig voedsel; en er
waren er erg veel en aan hun eetlust mankeerde nooit
iets.

Het leven van de anderen was, zover zij wisten, precies zoals het altijd was geweest. Zij hadden gewoonlijk
honger, sliepen op stro, dronken uit het wed en werkten op het land; 's winters hadden ze last van de kou
en 's zomers van de vliegen. Soms tastten de ouderen
nog weleens de duistere diepten van hun geheugen af
en trachtten uit te maken of in de eerste dagen van de
Opstand, in de eerste tijd na de verdrijving van Jansen,
de toestand beter of slechter dan nu was geweest. Zij
konden het zich niet meer voor de geest halen. Er was
niets wat tot vergelijking met hun huidige leven dienen
kon: zij hadden geen ander materiaal dan Brulbeers lijs-
ten met getallen, die onveranderlijk aantoonden dat al-

les steeds beter ging. Zij stonden hier voor een onoplosbaar vraagstuk en hadden tegenwoordig bovendien weinig tijd voor dergelijke bespiegelingen. Slechts de oude Benjamin beweerde dat hij zich nog ieder detail van zijn lange leven herinnerde en wist dat de dingen nooit veel beter of veel slechter waren geweest of hadden kunnen zijn – want honger, gebrek en teleurstelling behoorden, zo zei hij, tot de onwrikbare wetten des levens.

En toch gaven de dieren nimmer de hoop op. Meer nog, zij vergaten zelfs geen ogenblik dat het een eer en een voorrecht was bewoner van de Dierenboerderij te zijn. Zij vormden nog steeds de enige boerderij in de hele streek – in het hele koninkrijk! – die het eigendom van de dieren was en door dieren werd gedreven. Niet één van hen, zelfs niet van de jongsten, zelfs niet van de nieuwelingen die van boerderijen tien of twintig kilometer ver gekomen waren, liet ooit na dit wonder te beseffen. En wanneer zij het geweer hoorden dreunen en de groene vlag zagen wapperen in de top van de mast, dan zwol hun hart van onvergankelijke trots en hun gesprekken kwamen altijd weer op de oude heldhaftige dagen, op de verjaging van Jansen, op het ontstaan van de zeven geboden en de grote gevechten waarin de menselijke indringers verslagen waren. Geen van de oude dromen was ooit opgegeven. Men geloofde nog steeds in de Republiek der Dieren, zoals de Majoor die voorspeld had wanneer de groene velden van het koninkrijk niet meer door mensen zouden worden betreden. Eens zou die komen, misschien niet spoedig, misschien zou geen van de nu levende dieren het nog meemaken, maar komen zou ze. Zelfs de wijs van 'Dieren van het Koninkrijk' werd soms heimelijk geneuried; ieder dier op de boerderij kende die wijs inderdaad, hoewel niemand de moed zou hebben haar luid te zingen. Het mocht dan waar zijn dat hun leven hard was en dat niet al hun verwachtingen in vervulling waren gegaan, toch waren zij zich ervan bewust dat zij anders waren dan andere dieren. Wanneer zij honger leden dan kwam dit niet doordat zij menselijke tirannen te eten moesten geven; en wanneer zij hard werkten dan was het tenminste voor hun eigen zaak. Geen van hen liep op twee poten. Geen van hen noemde een ander 'baas'. Alle dieren waren gelijk.

Op een vroege zomerdag beval Brulbeer de schapen hem te volgen en leidde hen naar een stuk onbebouwde grond, ergens aan het eind van de boerderij, dat vol stond met jonge berken. De schapen vraten er de hele dag onder Brulbeers toezicht de blaadjes af. 's Avonds ging hij terug naar het woonhuis maar beval, aangezien het warm weer was, de schapen te blijven waar zij waren. Ten slotte bleven zij daar een hele week waarin de overige dieren hen niet te zien kregen. Brulbeer was het grootste deel van de dag bij hen. Hij was, zei hij, hun een nieuw lied aan het leren, wat in afzondering moest gebeuren.

Het was kort nadat de schapen waren teruggekeerd, op een mooie avond toen de dieren klaar waren met hun werk en op weg naar de gebouwen, dat van het erf het verschrikte gehinnik van een paard klonk. De dieren bleven ontsteld staan. Het was de stem van Klaver. Zij hinnikte nog eens, en alle dieren snelden in galop naar het erf toe. Toen zagen zij wat Klaver had gezien.

Het was een varken dat op zijn achterpoten liep.

Ja, het was Brulbeer. Een beetje ongemakkelijk weliswaar, blijkbaar nog niet gewend zijn aanzienlijke massa in die stand te houden, maar in volmaakt evenwicht, kuierde hij over het erf. Een ogenblik later kwam een lange rij varkens uit de deur van het woonhuis, allen wandelend op de achterpoten. De een deed het beter dan de ander, een paar liepen zelfs een beetje wankel en gaven de indruk dat zij graag een stok hadden gehad om op te steunen, maar allen slaagden erin rondom het erf te lopen. En tot slot weerklonk een luid geblaf van de honden en het schrille gekraai van de haan en daar verscheen, majestueus rechtop en hoogmoedig rondkijkend, Napoleon zelf, terwijl zijn honden om hem heen sprongen.

In zijn poot hield hij een zweep.

Er heerste een dodelijke stilte. In stomme verbazing en verschrikt opeengedrongen sloegen de dieren de lange rij varkens gade die langzaam over het erf wandelden. Het leek wel of de wereld op haar kop stond. Toen ontstond er een ogenblik, nadat ze van de eerste schok bekomen waren, dat zij, alles ten spijt – ondanks hun angst voor de honden, ondanks hun door de jaren heen gevormde gewoonte van nooit te klagen, nooit te kritiseren, wat er ook gebeurde – een woord van protest hadden willen laten horen. Maar meteen barstten de schapen als op een teken uit in een donderend geblaat van...

'Vier poten goed, twee poten *beter*! Vier poten goed, twee poten *beter*! Vier poten goed, twee poten *beter*!'

Dat duurde vijf minuten onafgebroken. En tegen de tijd dat de schapen tot rust gekomen waren, was de kans tot protesteren verkeken want de varkens waren het woonhuis weer binnengemarcheerd.

Benjamin voelde een neus aan zijn schouder snuffelen. Hij keek om. Het was Klaver. Haar oude ogen stonden doffer dan ooit. Zonder iets te zeggen trok zij zachtjes aan zijn manen en leidde hem naar het einde van de grote schuur, waar de zeven geboden geschreven stonden. Een paar minuten bleven zij staren naar de geteerde muur met de witte opschriften.

'Mijn gezicht wordt zwakker,' zei zij eindelijk. 'Zelfs toen ik jong was, kon ik niet lezen wat daar stond. Maar het lijkt mij alsof de muur er anders uitziet. Staan de zeven geboden er nog net als vroeger, Benjamin?'

Voor deze keer was Benjamin bereid met zijn oude gewoonte te breken en hij las haar voor wat er op de muur geschreven stond. Er stond nu nog slechts één enkel gebod, en dat luidde:

ALLE DIEREN ZIJN GELIJK

MAAR SOMMIGE DIEREN ZIJN MEER

GELIJK DAN ANDERE DIEREN

Na dit alles wekte het geen bevreemding dat de toezichthoudende varkens de volgende dag zwepen droegen. Het wekte geen bevreemding dat de varkens zich een radio hadden aangeschaft, een telefoonaansluiting hadden aangevraagd en abonnementen genomen hadden op een stel dag- en weekbladen. Het wekte geen bevreemding wanneer Napoleon in de tuin kuierde met een pijp in zijn bek – en zelfs niet toen de varkens Jansens kleren uit de kast hadden gehaald en aantrokken;

Napoleon zelf verscheen in een zwarte jas, rijbroek en leren beenkappen, terwijl zijn lievelingszeug haar opwachting maakte in de mooie zijden zondagse japon van vrouw Jansen.

Een week later reed op een achtermiddag een aantal dogkars de boerderij op. Een deputatie van boeren uit de buurt was uitgenodigd tot een bezichtiging. Zij werden overal rondgeleid en drukten een grote bewondering uit voor alles wat zij zagen, in het bijzonder voor de windmolen. De dieren waren voederbieten aan het rooien. Zij werkten vlijtig en keken nauwelijks op, niet wetend voor wie ze meer angst moesten hebben, voor de varkens of voor de menselijke bezoekers.

Op die avond klonk luid gelach en gezang uit het woonhuis. En plotseling werden de dieren bij het horen van al die stemmen door elkaar door nieuwsgierigheid gegrepen. Wat gebeurde daar, nu dieren en menselijke wezens voor het eerst op voet van gelijkheid bijeen waren? Eenparig slopen zij zo behoedzaam mogelijk naar de tuin van het woonhuis.

Bij het hek hielden zij stil, half bevreesd verder te gaan, maar Klaver leidde hen verder. Zij naderden op de tenen het huis en de dieren die groot genoeg waren keken door het raam van de eetkamer naar binnen. Daar zaten aan de lange tafel een half dozijn boeren en een half dozijn van de meest vooraanstaande varkens met Napoleon op de ereplaats aan het hoofd. De varkens voelden zich volledig op hun gemak in hun stoelen. Het gezelschap had zich vermaakt met een spelletje kaart, maar hield even pauze, klaarblijkelijk voor het uitbrengen van een dronk. Een grote kan deed de ronde en de glazen werden weer vol bier geschonken. Niemand had erg in de verwonderde gezichten van de dieren die voor het raam stonden.

Pietersen van de Vossenhoeve was opgestaan, zijn glas in de hand. Aanstonds, zo zei hij, zou hij het gezelschap tot een dronk uitnodigen. Maar voor het zover was achtte hij het zijn plicht enkele woorden te spreken.

Het was een bron van grote voldoening voor hem – en, naar hij zeker was, voor alle overige aanwezigen – te weten dat er een eind was gekomen aan een lange periode van wantrouwen en misverstanden. Niet dat hij of iemand van de aanwezige gasten ooit zulke gevoelens had gekoesterd, maar er was een tijd geweest dat de gerespecteerde huidige eigenaren der Dierenboerderij van de zijde van de menselijke buren, hij wilde niet zeggen met vijandelijkheid, maar wellicht met een zekere twijfel waren bejegend. Er hadden betreurenswaardige voorvallen plaatsgehad en onjuiste inzichten hadden de ronde gedaan. Men had gemeend dat het bestaan van een boerderij die het eigendom was van en gedreven werd door varkens, een enigszins ongewoon verschijnsel betekende en een verwarrende invloed in de buurt moest uitoefenen. Te veel boeren hadden zonder nader onderzoek maar aangenomen dat op zo'n boerderij een geest van vrijgevochtenheid en tuchteloosheid moest heersen. Zij waren bezorgd geweest over een mogelijke invloed op hun eigen dieren, ja zelfs op hun menselijke werknemers. Maar nu was aan alle twijfel een eind gekomen. Vandaag hadden hij en zijn vrienden de Dierenboerderij bezocht en centimeter voor centimeter met eigen ogen bezichtigd, en wat hadden zij gezien? Niet alleen de modernste werkwijzen, maar een tucht en een orde die alle boeren, waar dan ook, tot voorbeeld konden strekken. Hij geloofde te mogen zeggen dat lager geplaatste dieren op de Dierenboerderij harder werkten en minder voedsel kregen dan andere dieren waar ook in het land. Inderdaad, hij en zijn medebezoekers hadden vele dingen gezien die zij onmiddellijk op hun eigen boerderijen wensten in te voeren.

Hij wilde eindigen met de nadruk te leggen op de vriendschapsbanden die bestonden, en dienden te bestaan, tussen de Dierenboerderij en haar buren. Varkens en mensen hadden in het geheel geen tegenstrijdige belangen, en behoefden deze ook niet te hebben. Hun problemen en hun moeilijkheden waren dezelfde. Was het arbeidsvraagstuk niet overal hetzelfde? Hier stond Pietersen blijkbaar op het punt een zorgvuldig voorbereide geestigheid te debiteren, maar een ogenblik lang had zijn plezier zodanig de overhand dat hij geen woord meer kon zeggen. Na het uiten van een reeks verstikte geluiden, waarbij zijn vele onderkinnen donkerrood werden, kon hij eindelijk uitbrengen: 'Jullie hebben te stellen met je ondergeschikte dieren, maar ook wij hebben onze lagere klassen!' Deze *bon mot* veroorzaakte aan tafel een daverend gelach en Pietersen wenste de varkens nogmaals geluk met de lage rantsoenen, de lange werkuren en de afwezigheid van goede verzorging zoals hij die op de Dierenboerderij had kunnen constateren.

En thans, besloot hij, wilde hij het gezelschap vragen op te staan en de glazen te vullen. 'Heren,' besloot Pietersen. 'Heren, ik wijd een dronk aan het welzijn van de Dierenboerderij.'

Er klonk een geestdriftig hoera en het gezelschap stampte met de voeten. Napoleon was zo gestreeld dat hij van zijn plaats opstond en de tafel rondliep om met Pietersen te klinken. Toen het gejuich was verstomd, gaf Napoleon, die was blijven staan, te kennen dat hij enkele woorden wilde spreken.

Zoals al zijn toespraken was ook deze kort en zakelijk. Hij zei eveneens gelukkig te zijn dat aan de periode van misverstanden een eind was gekomen. Lange tijd hadden geruchten de ronde gedaan – verspreid, naar hij reden had om aan te nemen, door een kwaadwillige vijand – dat er iets ondermijnends, ja revolutionairs stak in de levensopvatting van hem en zijn collega's. Zij waren ervoor aangezien oproer te willen verwekken onder de dieren van naburige boerderijen. Niets was minder waar geweest! Hun enige wens, toen en nu, was: in vrede en onder normale handelsbetrekkingen te leven met hun buren. Deze boerderij, die hij de eer had te bestieren, was, zo voegde hij eraan toe, een coöperatieve onderneming. De eigendomspapieren, die in zijn bezit waren, waren gemeenschappelijk bezit van alle varkens.

Hij geloofde niet, zo zei hij, dat van de vroegere argwaan nog iets was blijven hangen, maar er waren onlangs in de gebruiken op de boerderij enige veranderingen gebracht die het vertrouwen nog verder zouden versterken. Tot dusver hadden de dieren van de boerderij de tamelijk vreemde gewoonte gehad elkaar aan te spreken met 'kameraad'. Dit zou verboden worden. Er was ook nog een heel vreemd gebruik geweest, waarvan de oorsprong onbekend was, om iedere zondagmorgen langs een varkensschedel te marcheren die op een paaltje in de tuin gespijkerd was. Ook dit zou verboden worden en de schedel was al begraven. De bezoekers zouden wellicht ook de groene vlag gezien hebben die aan de mast hing. Zo ja, dan hadden zij wellicht ook opgemerkt dat de witte hoef en de hoorn die er voorheen op afgebeeld stonden, nu verwijderd waren. Van nu af aan zou er slechts een effen groene vlag waaien.

Hij had, zo zei hij, slechts één kleinigheid aan te merken op de prachtige en vriendelijke toespraak van buurman Pietersen. Deze kon natuurlijk niet weten – want hij, Napoleon, maakte het nu pas voor het eerst bekend – dat de naam 'Dierenboerderij' was afgeschaft. Voortaan zou de boerderij bekendstaan onder de naam 'Herenhoeve' – wat, zoals hij meende, de juiste en oorspronkelijke naam was.

'Heren,' besloot Napoleon, 'wij drinken op hetzelfde als zo-even, maar met een kleine wijziging – vult uw glazen tot de rand. Heren, hier is mijn dronk: op het welzijn van de Herenhoeve!'

Er klonk eenzelfde hartelijk gejuich als daarvoor, en de glazen werden tot op de bodem geledigd. Maar de dieren buiten, die dit alles aanstaarden, scheen het toe dat er iets vreemds gaande was. Wat was er veranderd in de gezichten van de varkens? Klavers oude doffe ogen dwaalden van het ene varken naar het andere. Sommigen van hen hadden vijf onderkinnen, sommigen hadden er vier en anderen weer drie. Maar wat was het dat daar scheen te veranderen en in elkaar leek over te vloeien? Toen, nadat het applaus beëindigd was, nam het gezelschap de kaarten weer op en ging verder met spelen, en de dieren slopen stilletjes weg.

Maar zij waren nog geen twintig meter ver of zij stonden plotseling stil. Uit het woonhuis klonk lawaai van stemmen. Zij snelden terug en keken weer door het raam. Ja, er was een geweldddadige ruzie aan de gang. Er werd geschreeuwd, er werd op de tafel geslagen, men wierp elkaar wantrouwende blikken toe en er klonken felle ontkenningen over en weer. De oorzaak van de moeilijkheden bleek te zijn dat Napoleon en Pietersen allebei schoppenaas op tafel hadden gegooid.

Twaalf stemmen schreeuwden kwaad en zij klonken alle hetzelfde. Het was nu geen vraag meer wat er met de gezichten van de varkens was gebeurd. De dieren buiten keken van varken naar mens en van mens naar varken en van varken naar mens; maar het was reeds onmogelijk geworden te zeggen wie een mens en wie een varken was.

November 1943-februari 1944

EINDE

Orwells voorwoord bij *Animal Farm*

Dit boek, dat in grote lijnen in 1937 is bedacht, is pas omstreeks eind 1943 op papier gezet. Toen het werd geschreven, was duidelijk dat het – ondanks de heersende boekenschaarste, die garandeert dat alles wat ook maar enigszins op een boek lijkt, 'loopt' – een hele toer zou worden om het uitgegeven te krijgen. Het werd uiteindelijk door vier uitgevers geweigerd. Slechts één van die vier voerde ideologische motieven aan. Twee andere publiceerden al jaren anti-Russische boeken, en nummer vier had geen aanwijsbare politieke kleur. Eén uitgever had het boek trouwens al geaccepteerd, maar hij besloot, nadat de eerste afspraken waren gemaakt, het ministerie van Informatie om advies te vragen; dat heeft hem kennelijk aangeraden, of althans dringend in overweging gegeven, het boek niet te publiceren. Hier volgt een passage uit zijn brief:

'Ik noemde al de reactie die ik over *Animal Farm* van een belangrijke functionaris van het ministerie van Informatie had gekregen. Ik moet bekennen dat dit oordeel mij ernstig te denken heeft gegeven. [...] Ik kan me nu voorstellen dat het zou kunnen worden beschouwd als iets wat op dit moment werkelijk beter niet gepubliceerd had kunnen worden. Het zou geen probleem zijn als de fabel dictators en dictaturen in het algemeen aan de orde stelde, maar de fabel volgt, naar ik nu inzie, zo precies de ontwikkeling van de Russische sovjets en hun twee dictators, dat ze slechts kan slaan op Rusland, en niet op een van de andere dictaturen. Nog iets: de fabel zou minder aanstootgevend zijn als daarin niet varkens de voornaamste kaste vormden.* Ik denk dat de keuze van varkens als heersende klasse ongetwijfeld velen voor het hoofd zal stoten, zeker mensen die een beetje lichtgeraakt zijn, wat voor de Russen zonder twijfel opgaat.'

Zoiets is een kwalijk symptoom. Natuurlijk is het niet wenselijk dat een overheidsinstelling enige censuur – anders dan veiligheidscensuur, waartegen in oorlogstijd niemand bezwaar heeft – kan uitoefenen op boeken die niet van overheidswege worden uitgegeven. Het voornaamste gevaar voor de vrijheid van denken en spreken ligt op dit moment niet in rechtstreekse inmenging van het ministerie van Informatie of enig ander officieel lichaam. Dat uitgevers en redacteuren proberen te bewerkstelligen dat over bepaalde onderwerpen niets wordt gepubliceerd, is niet omdat zij bang zijn voor rechtsvervolging, maar omdat zij bang zijn voor de publieke opinie. Intellectuele lafheid is in dit land de ergste vijand waarmee een schrijver of een journalist kan wor-

* Het is niet helemaal duidelijk of deze suggestie tot wijziging een idee is van de heer ... zelf, of dat ze afkomstig is van het ministerie van Informatie, maar ik meen er de overheidstoon in te bespeuren. [*Noot van Orwell.*]

den geconfronteerd. Deze zaak heeft naar mijn mening niet de aandacht gekregen die ze verdient.

Wie op grond van journalistieke ervaring objectief oordeelt, zal toegeven dat in deze oorlog de *officiële* censuur niet bijzonder lastig is. Wij zijn niet blootgesteld aan het soort totalitaire 'gelijkschakeling' dat redelijkerwijs te verwachten was geweest. De pers mag dan enige redenen tot ongenoegen hebben, over het geheel genomen heeft de overheid zich behoorlijk gedragen en heeft zij opvattingen van minderheden verrassend veel ruimte gelaten. Het sinistere aan de censuur op pers en boeken in Engeland is dat ze voornamelijk vrijwillig wordt uitgeoefend. Impopulaire denkbeelden kunnen worden gesmoord en ongewenste feiten verzwegen, zonder dat hiertoe een officieel verbod vereist is. Iedereen die lange tijd in het buitenland heeft gewoond, kent voorbeelden van sensationeel nieuws – gebeurtenissen die zonder meer vette koppen zouden verdienen – waarover in de Britse pers niets gemeld is, niet door ingrijpen van de overheid maar door een algemene, stilzwijgende overeenkomst dat 'het niet aanging' dat bepaalde feit te noemen. Voor wat de dagbladen betreft, is hier niets merkwaardigs aan. De Britse pers is verregaand gecentraliseerd en is merendeels het eigendom van rijke lieden die alle reden hebben met bepaalde belangrijke onderwerpen de hand te lichten. Maar hetzelfde soort verholen censuur speelt ook bij boeken, tijdschriften, toneelstukken, films en radiouitzendingen. Op ieder willekeurig ogenblik bestaat er een orthodoxie, een geheel van opvattingen waarvoor geldt dat ieder weldenkend mens ze zonder meer onderschrijft. Niet dat het nu bepaald verboden is om dit of dat te zeggen, maar het is *not done* om het te zeggen, precies zoals het in de negentiende eeuw *not done* was om in aanwezigheid van een dame het woord 'broek' te bezigen. Wie tegen de heersende orthodoxie ingaat, wordt verrassend doeltreffend de mond gesnoerd. Een opinie die zich aan de mode niets gelegen laat liggen, krijgt vrijwel nooit behoorlijk de ruimte, in de populaire pers evenmin als in de kwaliteitsbladen.

Op dit moment eist de heersende orthodoxie kritiekloze bewondering voor Sovjet-Rusland. Iedereen weet dit, vrijwel iedereen handelt ernaar. Serieuze kritiek op het Sovjet-regime, of een onthulling van feiten die de Sovjet-regering liever verborgen zou houden, is zo goed als onpubliceerbaar. Het merkwaardige is dat deze landelijke samenzwering om onze bondgenoot te vleien plaatsvindt tegen een achtergrond van oprechte intellectuele verdraagzaamheid. Want al mag je dan niet vrijuit kritiek oefenen op de Sovjet-overheid, op je eigen overheid mag je heel wat aanmerken. Vrijwel niemand zal een aanval op Stalin publiceren, maar een aanval op Churchill is eigenlijk geen probleem, tenminste niet in een boek of een tijdschrift. Ook zijn in de loop van vijf jaar oorlog – waaronder twee of drie jaren waarin het voortbestaan van ons land op het spel stond – zonder tegenwerking talloze boeken, pamfletten en artikelen verschenen waarin een vergelijk met de vijand wordt bepleit. Sterker nog: ze hebben bij publicatie weinig afkeuring gewekt. Zolang het prestige van de Sovjet-Unie niet in het geding is, wordt de vrijheid van meningsuiting redelijk gehandhaafd. Er zijn nog wel andere verboden onderwerpen, waarvan ik er straks een paar zal noemen, maar de gangbare houding jegens de Sovjet-Unie is veruit het ernstigste symptoom. Deze is om zo te zeggen spontaan opgekomen, en is niet te wijten aan het optreden van een of andere pressiegroep.

De onderdanigheid waarmee het merendeel van de Engelse intelligentsia sedert 1941 de Russische propaganda heeft geslikt en nagepraat, zou volslagen onbegrijpelijk zijn ware het niet dat zij zich bij diverse eerdere gelegenheden eender heeft gedragen. In de ene controversiële kwestie na de andere is het Russische standpunt kritiekloos aanvaard en vervolgens zonder de geringste consideratie voor historische waarheid of intellectueel fatsoen gepubliceerd. Zo heeft, om maar één voorbeeld te noemen, de BBC het vijfentwintigjarig bestaan van het Rode Leger gevierd zonder Trotski te noemen. Dat is even correct als de Slag bij Trafalgar herdenken zonder Nelson te vermelden, maar hiertegen is door de Britse intelligentsia geen bezwaar aangetekend. Bij de binnenlandse strijd in de diverse bezette landen heeft de Britse pers in vrijwel alle gevallen partij gekozen voor de door de Russen begunstigde factie, en de tegenpartij belasterd, waartoe zij soms harde bewijzen heeft verdonkeremaand. Een bijzonder schrijnend geval was dat van kolonel Mihajlović, de leider van de *ćetniks* in Joegoslavië. De Russen, die in Joegoslavië hun eigen protégé hadden in de persoon van maarschalk Tito, beschuldigden Mihajlović van collaboratie met de Duitsers. Deze beschuldiging werd prompt overgenomen door de Britse pers. De aanhangers van Mihajlović kregen geen kans zich ertegen te verweren, en feiten die ermee in strijd waren, werden simpelweg niet gedrukt. In juli 1943 loofden de

Duitsers een prijs van 100 000 gouden kronen uit voor de gevangenneming van Tito, en een vergelijkbare prijs voor die van Mihajlović. De prijs op het hoofd van Tito werd in de Britse pers breed uitgemeten, maar slechts één krant maakte – in een klein lettertje – melding van de prijs op het hoofd van Mihajlović; de beschuldigingen van diens collaboratie met de Duitsers hielden aan. In de Spaanse Burgeroorlog zijn sterk vergelijkbare dingen gebeurd. Ook toen werden de facties aan republikeinse zijde waarmee de Russen wilden afrekenen, in de linkse Engelse pers onbekommerd zwartgemaakt en werd geen enkele verklaring in hun voordeel, al was het maar een ingezonden brief, gepubliceerd. Op dit ogenblik wordt serieuze kritiek op de Sovjet-Unie niet alleen afgekeurd, maar wordt zelfs zo nu en dan het bestaan van zulke kritiek verborgen gehouden. Zo heeft Trotski kort voor zijn dood een biografie van Stalin geschreven. Volkomen onpartijdig zal dat boek wel niet geweest zijn, maar dat het verkoopbaar was, lijdt geen twijfel. Een Amerikaanse uitgever zou het uitbrengen, en het boek was al gedrukt – ik meen dat de recensie-exemplaren waren verzonden – toen de Sovjet-Unie in de oorlog betrokken raakte. Het boek werd onmiddellijk van de markt genomen. Hierover is in de Britse pers nooit gerept, terwijl zowel het bestaan van zo'n boek als het wegmoffelen ervan als nieuwsbericht wel een paar alinea's waard was.

Er moet beslist onderscheid worden gemaakt tussen de censuur die de Engelse schrijvende intelligentsia zich vrijwillig oplegt, en de censuur die af en toe door pressiegroepen wordt afgedwongen. Berucht is het verschijnsel dat bepaalde onderwerpen onbespreekbaar zijn wegens 'gevestigde belangen'. Het bekendste voorbeeld hiervan is de patentgeneesmiddelenkongsi. Ook de katholieke Kerk heeft aanzienlijke invloed op de pers en kan tegen haar gerichte kritiek tot op zekere hoogte het zwijgen opleggen. Aan schandalen rond katholieke geestelijken wordt vrijwel nooit ruchtbaarheid gegeven, maar als een anglicaanse geestelijke in problemen komt – zoals destijds de pastoor van Stiffkey* –, dan is dat voorpaginanieuws. Maar hoogst zelden bereikt iets van antikatholieke strekking het toneel of de bioscoop. Iedere acteur kan je vertellen dat een toneelstuk of een film waarin de katholieke Kerk wordt aangevallen of voor schut gezet, een goede kans maakt in de pers te worden geboycot, en waarschijnlijk zal floppen. Maar dit soort zaken zijn onschuldig, of althans begrijpelijk. Iedere grote organisatie zal zo goed mogelijk waken over haar belangen, en tegen openlijke propaganda is geen bezwaar. Je verwacht evenmin dat de *Daily Worker* met ongunstige berichten over de Sovjet-Unie komt als dat de *Catholic Herald* de paus aanklaagt. Iedereen die zijn verstand gebruikt, weet immers waar de *Daily Worker* en de *Catholic Herald* voor staan. Het verontrustende is nu dat waar de Sovjet-Unie en haar beleid in het geding zijn, van progressieve auteurs en journalisten die niet rechtstreeks onder druk staan om hun mening te verdraaien, geen intelligente kritiek of, in vele gevallen, zelfs maar simpe-

---

* De pastoor van het gehucht Stiffkey in Norfolk werd in 1932 wegens onzedelijk gedrag uit zijn ambt ontslagen, waarna hij op kermissen ging optreden. Hij werd gedood door een circusleeuw. [*Vert.*]

le eerlijkheid te verwachten valt. Stalin is heilig en over bepaalde aspecten van zijn beleid praat je niet. Deze regel wordt sinds 1941 vrijwel algemeen in acht genomen, maar in de tien jaren daarvoor had ze, in veel grotere mate dan men wel beseft, ook al gegolden. Al die tijd kon kritiek *van links* op het Sovjet-regime slechts met moeite gehoor vinden. Er werden wel volop anti-Russische geschriften geproduceerd, maar die waren vrijwel uitsluitend vanuit conservatief standpunt geschreven en waren evident leugenachtig, achterhaald en door onfrisse motieven ingegeven. Daartegenover stond een vrijwel even omvangrijke en vrijwel even leugenachtige stroom pro-Russische propaganda, en was er praktisch een boycot tegen iedereen die kwesties van het grootste belang op een volwassen manier aan de orde probeerde te stellen. Je kon wel boeken tegen Rusland schrijven, maar dan kon je erop rekenen dat die door bijna de hele intellectuele pers werden genegeerd of verdraaid. Zowel in het openbaar als privé kreeg je te horen dat het ongepast was. Wat je zei was misschien wel waar, maar het was 'niet opportuun', het 'speelde een of ander reactionair belang in de kaart'. Deze houding werd doorgaans goedgepraat met het argument dat de internationale situatie, en de dringende behoefte aan een Engels-Russisch bondgenootschap, haar vereisten – maar dat was duidelijk een rationalisatie. De Engelse intellectuelen, althans een groot deel van hen, hadden een nationalistische loyaliteit jegens de Sovjet-Unie ontwikkeld en koesterden de overtuiging dat iedere twijfel aan Stalins wijsheid een vorm van heiligschennis was. Wat in Rusland gebeurde en wat elders gebeurde, moest naar verschillende maatstaven worden beoordeeld. Mensen die nooit iets van de doodstraf hadden willen weten, juichten over de eindeloze reeks executies bij de zuiveringen in de jaren 1936-1938, en het was even vanzelfsprekend dat men ruchtbaarheid gaf aan hongersnoden in India, als dat men ze verzweeg wanneer ze zich voordeden in de Oekraïne. Zo was het al voor de oorlog, en sindsdien is de houding van de intellectuelen er bepaald niet beter op geworden.

Maar nu terug naar mijn boek. De meeste Engelse intellectuelen zullen hierop eenvoudig reageren met: 'Het had niet gepubliceerd mogen worden.' De recensenten die de kunst van het afkraken verstaan, zullen het uiteraard niet op politieke gronden attaqueren, maar op literaire. Ze zullen zeggen dat het een saai, dwaas boek is, een schandelijke papierverspilling. Best mogelijk, maar dat is natuurlijk niet het hele verhaal. Niemand zegt dat een boek 'niet gepubliceerd had mogen worden', enkel omdat het een slecht boek is. Er worden immers dagelijks bergen rotzooi aangeboden waar niemand zich druk over maakt. De Engelse intellectuelen, althans het merendeel van hen, zullen zich tegen dit boek keren omdat het hun Leider belastert en – in hun ogen – de zaak van de vooruitgang schaadt. In het andere geval zouden zij er niets op te zeggen hebben, al waren de literaire tekortkomingen tien keer zo bar. Het succes dat bijvoorbeeld de Left Book Club in de loop van vier, vijf jaar geboekt heeft, toont aan dat zij maar al te graag zowel platvloers als slecht geschreven werk door de vingers zien, mits het maar de gewenste boodschap uitdraagt.

De kwestie waar het hier om gaat is heel simpel: mag

elke mening, hoe impopulair of hoe dwaas ook, openbaar worden gemaakt? Als je het zo stelt, zal vrijwel iedere Engelse intellectueel vinden dat het antwoord 'ja'
moet luiden. Maar noem een concreet voorbeeld en
vraag 'En een aanval op Stalin? Mag die ook worden gepubliceerd?', dan zal het antwoord in de meeste gevallen
'nee' luiden. Zo'n aanval botst nu net met de heersende orthodoxie, en dus vervalt het beginsel van de vrijheid van meningsuiting. Nu is het zo dat de roep om
vrijheid van meningsuiting en persvrijheid geen roep is
om absolute vrijheid. Er zal altijd, zolang er een georga-
niseerde samenleving bestaat, enige mate van censuur
bestaan, of zelfs moeten bestaan. Maar vrijheid is, zoals
Rosa Luxemburg heeft gezegd, 'vrijheid voor de ander'.
Hetzelfde beginsel ligt besloten in de beroemde woorden van Voltaire: 'Ik verafschuw wat u zegt, maar ik zal
uw recht om het te zeggen met mijn leven verdedigen.'
Als de intellectuele vrijheid, die zonder enige twijfel van
oudsher een van de kenmerken van de westerse beschaving is, werkelijk iets inhoudt, dan moet het zijn dat een
ieder het recht heeft om te zeggen en te drukken wat hij
voor waar houdt, zolang dit de rest van de gemeenschap
niet ondubbelzinnig schaadt. Voor zowel de kapitalisti-
sche democratie als de westerse varianten van het socialisme sprak dat beginsel tot voor kort vanzelf. Zoals ik
al heb opgemerkt, houdt onze regering nog altijd eni-
germate de schijn op dat zij het respecteert. De gewone
man vindt nog altijd min of meer – misschien deels omdat hij te weinig in ideeën geïnteresseerd is om op dat
gebied onverdraagzaam te zijn – dat 'iedereen zelf maar
moet weten wat hij denkt'. Enkel – of althans hoofdza-

kelijk – de letterkundigen en de wetenschappers, juist de mensen van wie de vrijheid het zou moeten hebben, laten zich er, zowel in theorie als in de praktijk, steeds minder aan gelegen liggen.

Een merkwaardig verschijnsel van onze tijd zijn de aanhangers van de vooruitgang die van hun geloof vallen. Naast de bekende marxistische stelling dat 'bourgeoisvrijheid' een illusie is, hoor je nu veelvuldig beweren dat de democratie slechts met totalitaire middelen te verdedigen valt. Wie de democratie liefheeft, zo heet het, moet haar vijanden met alle mogelijke middelen verpletteren. En wie zijn haar vijanden? Telkens weer blijken dat niet alleen de mensen te zijn die haar openlijk en welbewust aanvallen, maar ook zij die haar 'objectief' in gevaar brengen door dwaalleren te verbreiden. Anders gezegd: de verdediging van de democratie vereist vernietiging van het zelfstandige denken. Dit argument is onder meer gebruikt om de Russische zuiveringen goed te praten. Zelfs de vurigste russofiel geloofde niet echt dat alle slachtoffers schuldig waren aan alles waarvan zij beschuldigd werden; maar door hun ketterse opvattingen brachten zij het regime 'objectief' schade toe, en daarom was het niet alleen in orde dat zij werden afgeslacht, maar ook dat zij door valse beschuldigingen in diskrediet werden gebracht. Met hetzelfde argument werden de bewuste leugens gerechtvaardigd die de linkse pers publiceerde over de trotskisten en andere republikeinse minderheden in de Spaanse Burgeroorlog. Het werd ook gehanteerd om het gehuil te motiveren dat in 1943 opsteeg tegen het bevelschrift op grond waarvan Mosley werd vrijgelaten.

Deze mensen zien niet in dat als je totalitaire methoden aanprijst, die methoden mettertijd niet alleen vóór jou maar ook wel eens tegen jou zouden kunnen worden gebruikt. Als je maar vaak genoeg fascisten zonder vorm van proces opsluit, dan komen op den duur misschien ook anderen aan de beurt. Niet lang nadat de verboden *Daily Worker* weer was toegelaten, hield ik eens een lezing aan een volkshogeschool in Zuid-Londen. Mijn gehoor bestond uit intellectuelen uit de arbeidersklasse en de lagere middenklasse – het soort publiek dat ook altijd op de bijeenkomsten van de Left Book Club kwam. Na afloop van de lezing, waarin ik onder meer de persvrijheid had aangeroerd, vroegen tot mijn grote verbazing verscheidene mensen of ik niet vond dat de opheffing van het verbod op de *Daily Worker* een ernstige vergissing was. Desgevraagd verklaarden ze dat het een krant van dubieuze loyaliteit was, die in oorlogstijd niet mocht worden toegelaten. Ik moest het zowaar opnemen voor de *Daily Worker*, die herhaaldelijk al het mogelijke heeft gedaan om mij zwart te maken. Maar hoe kwamen die mensen aan hun feitelijk totalitaire ideeën? Hoogstwaarschijnlijk van de communisten zelf! Verdraagzaamheid en fatsoen zijn in Engeland diep geworteld, maar onverwoestbaar zijn ze niet, en er moet aan gewerkt worden om ze in stand te houden. Het prediken van totalitaire doctrines tast het instinct aan waarmee vrije volkeren onderkennen wat wel en wat niet gevaarlijk is. Het geval-Mosley illustreert dit. In 1940 was het zonder meer juist dat hij werd opgesloten, ongeacht of hij formeel een misdrijf had gepleegd. Wij vochten voor ons leven en mochten een potentiële quisling niet vrij laten rondlopen. Maar dat hij in 1943 nog steeds zonder proces werd vastgehouden, was een schandaal. Dat dit niet in brede kring werd onderkend, was een kwalijk symptoom, al is het waar dat de agitatie tegen Mosleys vrijlating deels geënsceneerd was en deels een rationalisatie van andere oorzaken van onvrede. Maar hoeveel van het huidige afglijden in de richting van fascistische denkwijzen valt terug te voeren op het 'antifascisme' van de afgelopen tien jaar en het gebrek aan scrupules dat dit heeft meegebracht?

Men moet goed bedenken dat de heersende russomanie slechts een symptoom is van de algehele verslapping van de westerse liberale traditie. Als het ministerie van Informatie zich ermee bemoeid had en de publicatie van dit boek uitdrukkelijk had verboden, dan zou het merendeel van de Engelse intellectuelen daarin niets verontrustends hebben gezien. Kritiekloze loyaliteit jegens de Sovjet-Unie is nu eenmaal de heersende orthodoxie, en waar zij menen dat de belangen van de Sovjet-Unie in het geding zijn, zijn zij bereid niet alleen censuur, maar zelfs welbewuste geschiedvervalsing te gedogen. Ik noem slechts één voorbeeld: bij de dood van John Reed, de auteur van *Tien dagen die de wereld deden wankelen* – een ooggetuigenverslag van het begin van de Russische Revolutie – kwam het auteursrecht van zijn boek in handen van de Britse Communistische Partij, waaraan Reed het meen ik had nagelaten. Een paar jaar later brachten de Britse communisten, na de oorspronkelijke uitgave zo volledig mogelijk te hebben vernietigd, een verminkte versie ervan uit, waaruit zij niet alleen vermeldingen van Trotski maar ook het door Lenin geschreven voorwoord hadden geschrapt. Als er in Groot-Brittannië nog een radicale intelligentsia had bestaan, dan zou deze vervalsing in ieder opinieblad van het land zijn ontmaskerd en aan de kaak gesteld. Nu kwam er weinig of geen protest. Voor vele Engelse intellectuelen was het iets heel vanzelfsprekends. Achter deze verdraagzaamheid jegens puur bedrog steekt veel meer dan dat het op dit moment toevallig mode is om Rusland te bewonderen. Het kan goed zijn dat die bepaalde mode niet blijvend is. Het kan best zijn dat wanneer dit boek verschijnt, mijn mening over het Sovjet-regime inmiddels gemeengoed is geworden. Maar wat zou dat baten? Het inruilen van de ene orthodoxie voor de andere is niet noodzakelijkerwijs een vooruitgang. Ongeacht of je het eens bent met de plaat die op een bepaald moment op de draaitafel ligt; de grammofoonmentaliteit is de vijand.

Ik ben volkomen op de hoogte van alle argumenten tegen de vrijheid van denken en van meningsuiting – de argumenten volgens welke die vrijheid niet kan bestaan en de argumenten volgens welke ze niet mag bestaan. Ik antwoord eenvoudigweg dat ze mij niet overtuigen, en dat onze beschaving al vierhonderd jaar lang op het tegendeel is gegrondvest. Al tien jaar lang geloof ik dat het huidige Russische regime in hoofdzaak kwaadaardig is, en ik eis het recht dat te zeggen, ondanks het feit dat de Sovjet-Unie en wij bondgenoten zijn in een oorlog waarin ik de overwinning wens. Als ik een tekst zou moeten kiezen om mij te rechtvaardigen, zou ik deze regel van Milton kiezen:

By the known rules of ancient liberty.

Het woord *ancient* benadrukt dat geestelijke vrijheid een diepgewortelde traditie is, zonder welke onze karakteristieke westerse cultuur amper zou kunnen bestaan. Van die traditie keren vele van onze intellectuelen zich aanwijsbaar af. Zij hebben het beginsel aanvaard dat een boek moet worden gepubliceerd, verboden, geprezen of verketterd, niet op grond van zijn kwaliteiten maar op grond van politieke opportuniteit. Anderen, die deze opvatting niet werkelijk delen, stemmen er uit pure lafheid mee in. Een voorbeeld hiervan is het feit dat de talloze, luidruchtige Engelse pacifisten hun stem niet verheffen tegen de algemene verheerlijking van het Russische militarisme. Volgens die pacifisten is alle geweld een kwaad, en zij hebben ons in iedere fase van de oorlog aangespoord om te zwichten of tenminste vrede te sluiten. Maar hoevelen van hen hebben er ooit op gezinspeeld dat oorlog ook een kwaad is wanneer het Rode Leger hem voert? Blijkbaar hebben de Russen het recht zich te verdedigen, terwijl hetzelfde voor ons een doodzonde is. Deze contradictie valt slechts op één manier te verklaren: uit de laffe wens om goede maatjes te blijven met de meerderheid van de intellectuelen, die hun vaderlandsliefde meer op de Sovjet-Unie richten dan op Groot-Brittannië. Ik weet dat de Engelse intelligentsia redenen te over heeft voor haar bedeesdheid en leugenachtigheid – ja, ik ken de argumenten waarmee zij zich rechtvaardigt, van buiten. Maar laat het nu tenminste afgelopen zijn met die onzin van de vrijheid die moet worden beschermd tegen het fascisme. Als vrijheid iets betekent, dan is het wel het recht om mensen dingen te zeggen die ze niet willen horen. Het gewone volk staat nog altijd min of meer achter die leer en handelt ernaar. In ons land – het is niet in alle landen zo: het was niet zo in de Franse republiek en het is nu niet zo in de Verenigde Staten – zijn de progressieven bang voor de vrijheid en willen de intellectuelen het intellect bezwadderen. Om daar de aandacht op te vestigen heb ik dit voorwoord geschreven.

Orwells voorwoord bij de Oekraïense uitgave van *Animal Farm*

In maart 1947 schreef Orwell een voorwoord speciaal voor de Oekraïense uitgave van Animal Farm, *die in november van dat jaar werd uitgebracht door een in München gevestigde organisatie van Oekraïense ontheemden. Orwells oorspronkelijke tekst is niet teruggevonden. Deze tekst is gebaseerd op de Oekraïense vertaling.*

VOORWOORD BIJ DE OEKRAÏENSE UITGAVE

Men heeft mij verzocht een voorwoord te schrijven voor de Oekraïense vertaling van *Animal Farm*. Ik ben mij ervan bewust dat ik schrijf voor lezers van wie ik niets weet, maar ook dat zij waarschijnlijk evenmin de gelegenheid hebben gehad om iets over mij aan de weet te komen.

In dit voorwoord zullen zij waarschijnlijk vooral verwachten iets te lezen over de totstandkoming van *Animal Farm*, maar ik wil graag eerst iets zeggen over mijzelf en over de ervaringen waardoor ik tot mijn politieke standpunt gekomen ben.

Ik ben in 1903 in India geboren. Mijn vader werkte daar voor de Engelse overheid, en ons gezin was een gewoon middenklassegezin uit de wereld van militairen, geestelijken, ambtenaren, onderwijzers, advocaten, artsen en dergelijke. Ik ben schoolgegaan in Eton, op de duurste, meest snobistische van de Engelse *public schools*.* Maar ik was daar alleen maar binnengekomen dankzij een beurs, anders had mijn vader het zich nooit kunnen veroorloven mij op zo'n school te doen.

Kort nadat ik van school kwam – ik was toen nog geen twintig – ging ik naar Birma, waar ik bij de Indian Imperial Police ging. Dat was een gewapende politiemacht,** zoiets als de Spaanse *Guardia Civil* of de *Garde Mobile* in Frankrijk. Ik heb daar vijf jaar gewerkt. Het beviel me niet en bezorgde me een afkeer van het imperialisme, ofschoon de nationalistische gevoelens in Birma in die tijd niet erg uitgesproken waren, en de betrekkingen tussen de Engelsen en de Birmezen niet speciaal vijandig. Op verlof in Engeland in 1927 nam ik ontslag

* Dat zijn geen openbare scholen, maar juist het tegenovergestelde: exclusieve, dure middelbare kostscholen, heel dun gezaaid. Tot voor kort werden er vrijwel uitsluitend de zonen van rijke, adellijke families toegelaten. In de negentiende eeuw droomden de net rijk geworden bankiers ervan voor hun zonen een plaats op een *public school* te veroveren. Op zulke scholen wordt sterk de nadruk gelegd op sport, die om zo te zeggen het taaie karakter van heren en meesters vormt. Onder deze scholen is vooral Eton beroemd. Wellington zou hebben gezegd dat de Slag bij Waterloo is gewonnen op de sportvelden van Eton. Het is nog maar kort geleden dat de overgrote meerderheid van de mensen die in een of andere hoedanigheid Engeland bestuurden, afkomstig was van de *public schools*. [*Noot van Orwell.*]
** De gewone Engelse politie droeg toen, en ook nu nog, geen vuurwapens. [*Vert.*]

uit dienst en besloot ik schrijver te worden, aanvankelijk met weinig succes. In 1928-1929 woonde ik in Parijs,
waar ik verhalen en romans schreef die niemand wilde
uitgeven (en die ik inmiddels allemaal heb vernietigd).
In de jaren daarna leefde ik doorgaans van de hand in de
tand; herhaaldelijk leed ik honger. Pas vanaf 1934 kon ik
leven van wat ik schreef. Daarvóór leefde ik soms maandenlang tussen de arme, halfcriminele elementen die in
de slechtste delen van de arme buurten wonen, of die
bedelend of stelend hun heil op straat zoeken. In die tijd
zocht ik hun gezelschap voornamelijk uit geldgebrek,
maar later wekte hun manier van leven op zichzelf sterk
mijn belangstelling. Ik heb maandenlang – ditmaal meer
systematisch – het leven van de mijnwerkers in Noord-
Engeland bestudeerd. Tot 1930 beschouwde ik mijzelf
eigenlijk niet als een socialist. Ik had gewoon nog geen
uitgesproken politieke denkbeelden. Dat ik sympathie
opvatte voor de socialisten was meer uit afgrijzen over
de manier waarop de armste arbeiders werden onder-
drukt en verwaarloosd, dan uit theoretische bewondering voor een planmaatschappij.

In 1936 trouwde ik. Praktisch diezelfde week brak de
Spaanse Burgeroorlog uit. Mijn vrouw en ik wilden allebei naar Spanje om voor de Spaanse regering te vechten.
Zes maanden later, toen ik klaar was met het boek dat
ik onder handen had, konden we erheen. In Spanje ben
ik bijna een half jaar aan het front in Aragón geweest,
totdat een fascistische sluipschutter mij bij Huesca door
mijn keel schoot.

In het begin van de oorlog hadden de buitenlanders
doorgaans geen benul van de onderlinge conflicten tus-

sen de diverse politieke facties die de regering steunden. Door een reeks toevallen was ik niet, zoals de meeste buitenlanders, terechtgekomen bij de Internationale Brigade, maar bij de POUM-militie – de Spaanse trotskisten.

Dus toen de communisten het halverwege 1937 in de Spaanse regering min of meer voor het zeggen kregen en op trotskistenjacht gingen, zaten wij in de hoek waar de klappen vielen. Met veel geluk zijn we levend uit Spanje gekomen, zonder ook maar één keer te zijn gearresteerd. Vele van onze vrienden zijn doodgeschoten, andere hebben lange tijd gevangen gezeten of zijn zomaar verdwenen.

Deze mensenjacht in Spanje vond plaats tegelijkertijd met de grote zuiveringen in de Sovjet-Unie, waarop ze een soort aanvulling vormde. In Spanje en in Rusland waren de beschuldigingen van gelijke strekking – namelijk samenzwering met de fascisten – en wat Spanje betreft, had ik alle reden om te menen dat de beschuldigingen vals waren. Deze ervaringen waren bijzonder leerzaam: ik stak ervan op hoe gemakkelijk totalitaire propaganda vat kan krijgen op de mening van verlichte mensen in democratische landen.

Mijn vrouw en ik zagen beiden hoe onschuldigen in de gevangenis werden geworpen, louter omdat zij werden verdacht van onorthodoxe opvattingen. Toch bleken bij onze terugkeer in Engeland talloze verstandige, goed geïnformeerde waarnemers geloof te hechten aan de wilde verhalen over samenzweringen, verraad en sabotage die de pers meldde van de Moskouse processen. Zo begreep ik duidelijker dan ooit de negatieve invloed van de Sovjet-mythe op de westerse socialistische beweging.

Hier moet ik even stilstaan bij mijn houding tegenover het Sovjet-regime.

Ik ben nooit in Rusland geweest; mijn kennis van dat land berust slechts op wat ik uit boeken en kranten heb vernomen. Zelfs al was ik ertoe bij machte, dan nog zou ik mij niet in de binnenlandse aangelegenheden van de Sovjet-Unie willen mengen. Enkel om hun barbaarse, ondemocratische optreden zou ik Stalin en zijn medewerkers niet veroordelen. Het kan heel goed zijn dat zij in de aldaar heersende omstandigheden zelfs met de beste bedoelingen niet anders hadden kunnen optreden.

Anderzijds was het voor mij van het grootste belang de mensen in West-Europa het Sovjet-regime te doen zien zoals het werkelijk was. Sedert 1930 heb ik nauwelijks aanwijzingen gezien dat de Sovjet-Unie op weg was naar iets wat je werkelijk socialisme zou kunnen noemen. Integendeel, ik werd getroffen door de duidelijke tekenen dat daar een hiërarchische samenleving aan het ontstaan was, waarin de heersers net zo min als enige andere heersende klasse reden hebben om hun macht op te geven. Bovendien kunnen de arbeiders en de intellectuelen in een land als Engeland niet begrijpen dat de Sovjet-Unie van vandaag een heel ander land is dan die van 1917. Dit komt deels doordat zij het niet willen begrijpen – omdat ze zo graag geloven dat er ergens een heus socialistisch land bestaat – en deels doordat voor hen, gewend aan een betrekkelijk vrij en gematigd openbaar leven, het totalitarisme absoluut niet te bevatten is.

We moeten wel bedenken dat Engeland niet honderd procent democratisch is. Het is ook een kapitalistisch land met grote klasseprivileges en nog altijd, ook na een oorlog die alle standsverschillen heeft verkleind, grote verschillen in rijkdom. Toch is het een land waarin de mensen al een paar eeuwen lang zonder grote conflicten hebben samengeleefd, een land waar de wetten tamelijk rechtvaardig zijn, waar de officiële nieuwsberichten en statistieken vrijwel steeds betrouwbaar zijn en waar je, *last but not least*, zonder levensgevaar een minderheidsstandpunt kunt aanhangen en uitspreken. In zo'n sfeer heeft de gewone man nauwelijks een idee van zaken als concentratiekampen, massale deportaties, arrestaties zonder proces, perscensuur en dergelijke. Alles wat hij over een land als de Sovjet-Unie leest, interpreteert hij automatisch in Engelse zin, en hij slikt volkomen argeloos de leugens van de totalitaire propaganda. Tot 1939, en zelfs daarna nog, was de meerderheid van de Engelse bevolking niet in staat de ware aard van het Duitse nazi-regime te peilen, en ten aanzien van het Sovjet-bewind koestert zij nog steeds in aanzienlijke mate soortgelijke misvattingen.

Dit heeft de socialistische beweging veel kwaad gedaan en het heeft ernstige gevolgen gehad voor het Engelse buitenlandse beleid. Ik durf zelfs te stellen dat niets de oorspronkelijke socialistische idee zozeer heeft aangetast als de overtuiging dat Rusland een socialistisch land is en dat al wat zijn leiders doen, moet worden vergoelijkt of zelfs nagevolgd.

Daarom ben ik sedert tien jaar de overtuiging toegedaan dat om de socialistische beweging nieuw leven te kunnen inblazen, de vernietiging van de Sovjet-mythe een eerste vereiste is.

Na mijn terugkeer uit Spanje heb ik het idee opgevat om de Sovjet-mythe te ontmaskeren in een verhaal dat vrijwel iedereen zou kunnen begrijpen en dat gemakkelijk zou kunnen worden vertaald. Hoe ik het verhaal zou inkleden, bedacht ik pas toen ik op een keer – ik woonde toen in een dorpje – een jochie van een jaar of tien een reusachtig trekpaard over een smal paadje zag voortdrijven; telkens wanneer het van het pad afweek, gaf hij het met de zweep. Ineens begreep ik dat als zulke dieren zich bewust zouden worden van hun kracht, wij geen macht meer over hen zouden hebben, en dat de uitbuiting van het dier door de mens vergelijkbaar is met die van het proletariaat door de rijken.

Vanaf dat moment analyseerde ik Marx' theorie vanuit het gezichtspunt van de dieren. In hun ogen was het denkbeeld van een klassenstrijd tussen mensen onderling je reinste verzinsel, want zodra het nodig was om dieren te exploiteren, sloot de mensheid de gelederen: de ware strijd vindt plaats tussen mens en dier. Vanuit dit uitgangspunt was het niet moeilijk om het verhaal uit te werken. Omdat ik altijd bezig was met ander werk dat me geen tijd liet, heb ik het pas in 1943 helemaal opgeschreven. Op het laatst heb ik er nog een paar gebeurtenissen in verwerkt, zoals de conferentie in Teheran, die plaatsvonden terwijl ik aan het schrijven was. Ik had de grote lijn van het verhaal dus al zes jaar in mijn hoofd toen ik het eindelijk opschreef.

Over het boek wil ik niets zeggen; als het niet voor zichzelf spreekt, is het mislukt. Maar ik wil twee punten benadrukken. Ten eerste dat de verschillende episoden weliswaar zijn ontleend aan de geschiedenis van de Russische Revolutie, maar dat ze schematisch en niet chronologisch zijn verwerkt; dat was nodig voor de symmetrie van het verhaal. Het tweede punt is door de meeste recensenten over het hoofd gezien, mogelijk omdat ik het niet voldoende heb laten uitkomen. Sommige lezers zullen aan het eind van het boek misschien de indruk overhouden dat de varkens en de mensen zich volledig met elkaar verzoenen. Zo heb ik het niet bedoeld. Integendeel: ik wilde het met een schrille wanklank laten eindigen, want ik heb het geschreven meteen na de conferentie in Teheran, toen iedereen dacht dat de Sovjet-Unie en het Westen de beste maatjes waren geworden. Ik meende zelf dat die goede betrekkingen niet lang zouden standhouden, en de geschiedenis heeft laten zien dat ik er niet ver naast zat.

Meer zou ik er niet over weten te zeggen. Voor het geval dat iemand belang stelt in informatie over mijzelf, zeg ik erbij dat ik een weduwnaar ben met een zoontje van bijna drie, dat ik van beroep schrijver ben en dat ik sinds het begin van de oorlog hoofdzakelijk als journalist heb gewerkt.

Het tijdschrift waarvoor ik het meest schrijf is de *Tribune*, een sociaal-politiek weekblad dat in grote lijnen de linkervleugel van de Labour Party vertegenwoordigt. Van mijn boeken zijn de volgende voor de gewone lezer misschien het interessantst (voor het geval dat de lezer van deze vertaling er exemplaren van kan bemachtigen): *Burmese Days* (een verhaal over Birma), *Homage to Catalonia* (naar aanleiding van mijn ervaringen in de Spaanse Burgeroorlog) en *Critical Essays* (artikelen die vooral over de huidige Engelse volkslectuur gaan en die eerder van sociologische dan van letterkundige betekenis zijn).

Van George Orwell verscheen eveneens
bij Uitgeverij De Arbeiderspers:

1984

Nieuwspraak, Big Brother, het vocabulaire uit *1984* is
in onze taal opgenomen en een eigen leven gaan leiden.
De roman van George Orwell uit 1949 over de strijd
van Winston Smith, ambtenaar op het ministerie van
Waarheid, tegen de alles doordringende Partij, en zijn
gedoemde liefde voor Julia heeft niets van zijn literaire
zeggingskracht verloren.

In Orwells steeds weer herdrukte anti-utopie ver-
keert de wereld in de wurggreep van een systeem dat is
gegrondvest op de verbreiding van angst, haat en wreedheid, en dat iedere vorm van persoonlijke vrijheid en in-
dividualiteit uitsluit. *1984* is onverminderd geldig als
benauwend nauwkeurige blauwdruk van elk dictatoriaal
regime.

ARRIVAL

ARRIVAL

How Scotland's Women Took Their Place on
the World Stage and Inspired a Generation

S T E V E N   L A W T H E R

First published by Pitch Publishing, 2021

Pitch Publishing
A2 Yeoman Gate
Yeoman Way
Worthing
Sussex
BN13 3QZ
www.pitchpublishing.co.uk
info@pitchpublishing.co.uk

ISBN 978 1 78531 827 6

Typesetting and origination by Pitch Publishing
Printed and bound in India by Replika Press Pvt. Ltd.

Contents

Dedication

This book is dedicated to every single woman and girl who fought for their right to play

'No Scotland, No Party'

A Haiku for the Scotland Women's Football Team by Carly Brown

First Women's World Cup but not the last.
We're here now and we will be back.

www.carlyjbrown.com

Acknowledgements

AT THE heart of this book are a number of interviews I conducted with Scotland players, past and present, and those involved in women's football. I would like to thank every person who willingly gave up their time to talk. I would like to extend a special thank you to Anna Signeul and Shelley Kerr, who graciously took time out of their roles managing the Finnish and Scottish national teams to provide their thoughts and reflections.

This book would not have been possible without the considerable effort of others providing coverage of the women's game in Scotland through numerous interviews, newspaper articles and podcasts. I would like to extend my heartfelt thanks to each and every person who has dedicated time to documenting women's football in Scotland, in particular:

- Alan Campbell (@AlanCamSport)
- Craig Joyce from 6, 8 or 10 Podcast (@six8or10)
- Glasgow City FC social media (@GlasgowCityFC)
- Purple TV/BBC Alba (@purpleTV1 @bbcalba)
- Jen O'Neill at *She Kicks* women's football magazine (@SheKicksMag)

ACKNOWLEDGEMENTS

- Behind the Goals Podcast (@RachelCorsie14 & @Crichton_8)
- Leading the Line Podcast (@LeadingtheLine)
- Trampled Bet Podcast (@TrampledBet)
- Alba\Matter Podcast (@alba_matter)

I would like to thank Michael Lamont at the Scottish FA for his assistance and providing access to the Association's photographic archive, and to Daniela Porcelli for the use of her image of Erin Cuthbert.

A special thank you to Dr Carly Brown (@TheForthBelle, www.carlyjbrown.com) for her amazing Haiku, and to Pete Boydell and Susanna Freedman for their help inspiring the title of this book. The title of the Foreword – 'Get Together Now, Find Hope' – is taken from the song 'Lump Street' by Frightened Rabbit with words by the magnificent Scott Hutchison.

Writing this book involved numerous hours of research and writing, along with several periods of frustration, angst and self-doubt. I would like to thank Elaine Lawther and Grace Jean Lawther, for their indulgence, patience and unwavering support at all times and for the fantastic memories we have shared following the Scotland women's national team.

Finally, I would like to thank all at Pitch Publishing for all their support in bringing this book to fruition.

Steven Lawther

Foreword

Get Together Now, Find Hope

THERE WAS something fateful about the seats we found ourselves in at the Parc des Princes in Paris. They were low down in the first tier, right behind the goal at the north end of the stadium. They had afforded us the perfect view as Kim Little gave Scotland the lead against Argentina in their last group match of the 2019 World Cup and would later give us an unenviable vantage point over how the match unravelled.

We had departed Edinburgh Airport on the first flight to Paris earlier that morning. The decision to travel to France had been made months earlier as we watched Shelley Kerr's squad secure qualification against Albania. Having followed the team to the European Championship in the Netherlands two years earlier, there was never any question that we'd be present at their first-ever World Cup.

The trip was a poignant retracing of the past. Twenty-one years earlier, we had made the same journey, along with my brother, Neville, to watch the men's team in the opening game of the 1998 World Cup, the last time Scotland had been represented on the world stage. The anticipation and fear we'd experienced before Scotland faced Brazil in the Stade de France 21 years previously were replicated in the nervous hours before the Argentina match.

Football is a magnificent sport. It produces drama and excitement that few other sports can match. There are incidents from over 20 years ago that I can still recall with vivid clarity. Brian Potter's penalty save for Raith Rovers in the 1994 League Cup semi-final, or James McFadden giving Scotland the lead in the first leg of a European Championship play-off with the Dutch at Hampden. The joy and emotion felt in these moments still linger. Yet, along with the highs, it can also deliver crushing lows. Lewis Vaughan hitting the post in the last minute when Raith needed just one goal to secure promotion, or trudging away from the Amsterdam Arena having just watched Scotland lose 6-0 in the second leg of that European Championship play-off.

The Argentina match delivered both extremes of emotion, just not in the right order. We journeyed from the elation of racing into a three-goal lead to the unimaginable despair of surrendering that lead and exiting the tournament. At the final whistle we stood dazed, trying to comprehend what had unfolded in front of us. When we finally accepted that Scotland's tournament was over, we headed to the front of the Parc des Princes to wait for the squad to emerge. It was as much a distraction as anything else. We knew that if we returned straight to our hotel then the rest of the evening would be smothered in despondency.

We were not alone in not wanting to go home. Another group of Scottish fans had gathered, similarly bereft and equally keen to impart their frustrations about the vagaries of video-assisted refereeing, the performance of the officials and how Scotland's tournament had just concluded. A shared post-mortem and an hour-long wait afforded us the chance to decompress from the intensity of the match and reflect on the wider context of what the team had achieved. They had qualified for their first-ever World Cup, graced the biggest stage in world football and demonstrated that they could compete. The joy they had provided, both at the tournament and in qualification, were amongst our favourite moments watching football.

When the Scotland squad finally emerged, most still visibly upset from the match, a number of players took time out to engage with those who had gathered. There was a touching personal moment, when goalkeeper Jenna Fife, who had coached our daughter at Edinburgh Sports Academy, came across to give her a hug and thank us for travelling to support the squad. It was a gesture that embodied the warmth between supporters and team.

The true impact of that night was brought home months later when our daughter was writing an article for the Raith Rovers match-day programme and picked out waiting outside the Parc des Princes for the Scotland team as her favourite World Cup memory. It was an extraordinary assessment given that we went on to attend another ten matches at the World Cup, right up to the final itself. Amongst all of the brilliance that the tournament had to offer and numerous moments of drama, it had been the Scottish women's national team that had inspired the most. The team had not only made history, but had also left an indelible mark, winning the hearts and minds not just of one young person fortunate enough to be in France, but of thousands of young people across the nation. They may have failed to progress, but they had finally arrived.

1

Recognition

IT IS impossible to know exactly what was in the mind of the Scottish Football Association as they submitted their vote against formally recognising women's football to UEFA in 1971. Was it based on a belief that football just wasn't a game for females? Did they feel that women's physiques were not suited to playing the sport? Was it a fear that allowing women to play would somehow undermine the essence of the men's game? Or was it simply good old-fashioned sexism? We'll probably never know exactly what contributed to their logic, but in voting against the recognition of women's football, the message sent was clear – females playing football in Scotland was not acceptable. The concept that women playing football was somehow wrong was not a new one. It had been a well-worn argument used over the decades in an attempt to belittle, ridicule and undermine. At the moment a woman first kicked a football, there was probably a voice, most likely male, questioning her right to do so.

It was this long-standing view that led to the mostly male crowd invading the pitch at one of the earliest Scotland v England contests in Glasgow in 1881. It is unlikely that the two teams lining up at the start of the match were truly representative of the best players in the two countries at the time, with some suspicion that they called themselves 'Scotland' and 'England' merely to attract an audience, but the pitch invasion and the chaos that ensued meant that the game couldn't be played to a conclusion. The contest, a series of three planned matches between the sides, was greeted with derision in the press, with the *Glasgow News* reporting that, 'Football is not a game for women; and the spectacle of a score of girls careering about a field in knickerbockers is not to be defended on any ground of public utility.'

Opposition to women's football reached its peak in the 1920s when the Football Association in England passed a resolution banning female footballers from using their grounds and pitches. Any hope of the game north of the border escaping the same punitive measure was extinguished when the Scottish FA followed their lead and extended the spirit of the ban in Scotland. A formal acknowledgement of their position would not be made until the late 1940s, but a number of Scottish clubs' requests to host women's matches were met with the response that 'This Association does not approve of clubs arranging or sponsoring or letting grounds for Ladies' football matches.'

It is impossible now to know exactly how the women's game in Scotland would have evolved over the following years had the football authorities at the time chosen to embrace it rather than attempt to eradicate it, but it was a huge setback, with a generation of girls and women denied the opportunity to play. Matches still took place at unaffiliated grounds, but accessing pitches, facilities and officials became a constant struggle for those who wanted to participate.

It would take until the early 1970s before the possibility of real change arrived.

With numerous women's leagues emerging across Europe and two successful, but unofficial, Women's World Cups held at the start of the decade, UEFA began to take notice. The governing body responsible for men's football in Europe moved swiftly to bring the women's game under their influence by recommending that national governing bodies across Europe assume responsibility for the sport. The move was more likely motivated by money and self-interest than a burning desire to advance the women's game, but it would finally force every national association, including the Scottish FA, to grant official recognition to women's football.

UEFA's initial communication of their intentions was met with resistance in Glasgow. Minutes from a Scottish FA meeting in September 1970 reported: 'There was submitted correspondence with UEFA who enquired as to the Association's attitude towards women's football, and with the Women's Football Association (WFA), who sought recognition, in Scotland. The committee were unanimous in their refusal.'

Two months later, the WFA tried their luck again, only to be met with the same response. This policy of belligerence continued right up until the UEFA vote on the subject in 1971. Astonishingly, in that vote, every single football association in Europe voted in favour of formally recognising the women's game, except one – Scotland.

There have been many moments in the history of the Scottish FA when it has been subject to criticism. It is perhaps the inevitable fate of a governing body to be unloved by the fans who follow the game, with many quick to perceive incompetence or bias. The majority of criticism is unfounded or overblown, but by choosing to stand alone as a beacon of intolerance towards women's football in 1971, then, for once, the organisation deserved every ounce of the derision aimed its way.

There was hope amongst those campaigning for women's football in Scotland that the passing of UEFA's motion would result in a change in thinking at the Scottish FA, but their Secretary, Willie Allan, was unmoved, interpreting it as only a recommendation not an instruction. If Allan hoped that his opponents would lose heart as a result of his refusal to follow the rest of Europe's lead, he was wrong. 'I felt like a suffragette,' says Elsie Cook, one of the leading voices for women's football at the time. 'I was adamant, "Why should girls not be allowed to play the game they have come to love?"'

Within a year, Cook had helped form the Scottish Women's Football Association, becoming its inaugural secretary in 1972. The league comprised just six teams: Aberdeen, Dundee Strikers, Edinburgh Dynamos, Motherwell AEI, Stewarton Thistle and Westhorn United. But it was a significant step forward. Cook was also instrumental in setting up the first official international match between Scotland and England. The squad was selected for the game over three months of trials under the guidance of manager Rab Stewart, a former Kilmarnock and St Mirren player. There was no support from the national association, so the squad travelled to training in a milk van and the team's jerseys were bought in a jumble sale in Stewarton, with Cook personally sewing on each Scotland badge.

On the morning of the match, they improvised to make kick-off when their minibus didn't arrive at Anderston bus station in Glasgow. Cook stopped a passing furniture van and asked the driver if he could take the team to the match in the back of his lorry, which he duly did. The Scotland team played the match at Ravenscraig Park in Greenock, the venue selected to avoid contravening the ban on playing on an affiliated pitch. 'I can remember it was icy and it was absolutely freezing,' recalls Jean Hunter, making her Scotland debut aged 17. 'I did a slide tackle and went right off the pitch.'

The team performed well in the early stages of the game, with goals from Mary Carr and Rose Reilly putting them 2-1 ahead. Unfortunately, the England squad had considerably more experience and managed to score twice in the second half to win the game 3-2. 'If it had been a proper park, we would have won no bother,' reflects Scotland left-half Sandra Walker. 'The ability in the team was unbelievable.'

The team may have been narrowly defeated, but they had created a moment of history, although it would take another 47 years for them to receive the recognition of an official cap for their effort.

The writing was soon on the wall for the Scottish FA's long-standing policy of exclusion. The rest of European football had long since moved on and at home the Sex Discrimination Act was working its way through Parliament, legislation that would effectively end discrimination. There would soon be no legal basis to exclude women from the sport they loved. On 29 August 1974 the Scottish FA finally relented and passed a resolution stating: 'It was agreed to give recognition to women's football.'

That simple sentence and those nine short words now seem wholly inadequate in reflecting both the significance of the decision and the struggle that so many women had endured to reach that point, but the surrender was welcome. With the ban lifted, Celtic manager Jock Stein became one of the first to reach out, inviting the Scotland Women's National Team to play in an exhibition match at Parkhead before a European Cup tie against Olympiakos. It may have only been a short 30-minute exhibition match, but the symbolism of the invitation was not lost on the Scotland players. 'After the game Jock Stein stood at the tunnel and shook every lassie by the hand and thanked her very much,' recalled Elsie Cook. 'That was the first time we'd officially been able to play at a senior ground.'

The restrictive and unjust ban had at last been lifted, with women's football finally receiving the recognition it deserved. It was a moment to applaud, but those involved in the game knew that they were still a long distance from having the support and investment required to flourish. The battle may have been won, but the real struggle was just about to begin.

2

Resistance

ROSE REILLY reflects on her approach to football. 'The hurdles I had at the start – not just me but all the other girls as well – I didn't jump over the hurdles or go under or go around them, I just smashed them down.'

It was a philosophy that she would maintain throughout her journey, as women's football in Scotland began to emerge from its 50-year period of exclusion. Reilly was born in 1955 into a working-class Ayrshire family. From an early age, it was obvious that she wasn't going to accept the traditional interests and pastimes expected of a young girl in her era. Football dominated her thoughts. 'One year I got a doll at Christmas and I was absolutely devastated because I wanted a football,' says Reilly. 'I wasn't long in swapping it for a ball. I actually slept with the ball every night, for two reasons. One, because I was in love with it, and two, because I was afraid my mum would take it off me!'

The ball was kept, and she was soon playing football with it on a regular basis. Reilly's twin sister, Mary, recalls her wandering around to the local pitch to play football with the boys, and their mum repeatedly sending her older brothers to bring her back. Undaunted, Rose simply returned. Informal kickabouts in the park led to joining a boys' club, after a trip to the barber for a short back and sides. Her coach believed that the hairstyle would allow her to blend in and take part in matches undetected, but it would not be long before her football talent marked her out. 'In one particular game I had scored eight goals,' says Reilly, 'and there was a Celtic scout there looking for youngsters and 'S' Forms. At the end of the game they asked the manager if they could sign the wee boy, the wee number seven, and they said, "Oh no, that's a wee lassie." The Celtic scout said, "No, no, no, the one that scored all the eight goals." They said, "That's a wee girl." I got speaking to him and I was absolutely gutted that I couldn't play for Celtic. I said, "But why can I not play for Celtic if I'm good enough?"'

Reilly realised that if she couldn't forge a career in the men's game, then she would just have to do it in the women's. She approached Elsie Cook, who ran the local women's team, Stewarton Thistle, and asked for a game. As a result of the seven-year-old's hair, Cook initially thought that it was a young boy approaching her, but once she realised that Rose was indeed female, she advised her to come back in two years when she was older. 'I had a wee diary thing,' says Reilly. 'I ticked it off every day to the very second and I was back to Elsie. Then I started playing with the ladies.'

Reilly began her football career with Stewarton Thistle aged just nine years old. 'I was daft playing a nine-year-old in a team in their early and late teens,' reflects Elsie Cook. 'But she was amazing. She was like lightning. Tore through defences like they weren't there. Her passes were exceptional. Her reading of the game was exceptional. Her timing was exceptional.'

Reilly had outstanding talent and natural athleticism, and opponents were soon struggling to cope with her speed and ability. Sheila Begbie, who would later play alongside Reilly in the Scotland national team, recalls lining up against the talented young player at the start of her career. 'The games I played against Rose were really challenging,' says Begbie. 'She was really powerful. She was a really skilful player and she was really fast. We had some really tough battles. I always dreaded a Sunday morning when I was getting ready and started to think about the game. I'd think, "Oh my God, I've got Rose today."'

Reilly became a regular in the Stewarton Thistle team, but continued to seek out games at every opportunity. The playground had always provided the chance to hone her skills in an impromptu match, but when she moved to a school in Kilmarnock things became trickier. The school had a strict separation policy between boys and girls, with each allocated their own playgrounds. The problem for Reilly was that all the football at breaktime took place in the boys' playground, so she began making the regular journey across in order to get a game. When caught, she suffered the punishment of the school belt, but Reilly didn't care, as long as she got her game of football.

There was a brief dalliance with a potential athletics career, when Reilly was shortlisted for the Commonwealth Games pentathlon squad and invited to a week-long training session at the University of St Andrews. The differing demands of the sport meant that she was advised by her athletics coaches to stop playing football, but it was to prove an impossible request. 'I stopped playing for a week,' recalls Reilly. 'I kept looking at my legs and I went to bed crying every night. After a week I decided no athletics career, I was going to be a footballer.'

The choice was a brave one, particularly given the state of women's football in Scotland at the time. It was the late 1960s and the Scottish FA were still refusing to recognise the game. The prospect of a professional career in football for a female player seemed fanciful, but it was an ambition that

Reilly remained faithful to even after leaving school to start work in a local carpet factory.

'When I used to walk up to the factory,' says Reilly, 'the one-and-a-half-mile walk in the morning, I used to dream of going abroad and being a professional footballer. That is all I thought about. I didn't even notice if it was raining or whatever. Once I got to the factory, I had already been somewhere in my professional career in my head.'

Reilly's talent led her into the Scotland side to face England in the first official match between the sides in Greenock, scoring once in the 3-2 defeat, and brought the offer of a place in the Great Britain team for the unofficial World Cup in Mexico in 1971. Circumstance meant that she had to decline the offer, a crushing blow. 'I was devastated,' says Reilly. 'I was crying all the time out of frustration. I never really spoke to anybody about it. I kind of shut myself away and was just determined to make a career out of it, out of football, even though I hadn't a clue about how I was going to go about it.'

Rose would eventually decide to pursue her ambition outside Scotland. She had read about a British player, Anna Brian, who had left for a professional career in France and decided to attempt the same path. Enlisting the help of a *Daily Record* reporter, she contacted Reims and, with sponsorship from the newspaper, headed to France along with talented team-mate Edna Neillis. 'We flew out to Reims and there was a game specially arranged for us and they signed us on at half-time,' recounts Reilly. 'They didn't even wait until the game finished. They couldn't get the ball off us. We ran riot.'

Reilly reflects back now on the simplicity of her decision to leave home for France aged just 18 and the impact it must have had on her parents. 'It must have been hellish for them,' says the footballer. 'I was just going to play football. I would have gone to the moon if they had played football there. I didn't realise how much I was going to miss my family, my mum and my dad. I hadn't a clue. The emotion had taken over about me going for this football career.'

She would quickly transition to Italian football, one of the most successful women's leagues in Europe, when impressive early performances for Reims attracted the interest of AC Milan. 'I hadn't even eaten Spaghetti Hoops before I went there, never mind the real spaghetti,' jokes Reilly. 'But when my plane first touched down in Milan, I felt at home.'

The following years in Italian football would bring her unparalleled success. She won the title in her first season, scoring the winning goal in the match that secured the Scudetto. She would go on to win eight titles for six Italian clubs and in one season managed to add the French Championship, turning out for both Reims and her Italian side, Lecce. Her team-mates in that era remember a supremely talented footballer and a natural leader. 'She was a captain, let's say a true leader,' recalls Italian Viola Langella. 'She was very humble. She was never intrusive, but when it was time to talk, we had to be quiet and think about playing the game.'

Reilly's innate talent made her a success, but it was backed up by hard work and determination. 'I had a natural talent obviously, but I worked very hard,' Reilly insists. 'For example, sometimes we would train in the evenings because of the heat and I would train on my own at midday to get used to the heat and to better myself. I was on a mission to play the best football I could in the best country where they allowed me to play professional football.'

Reilly was no longer having to jump over obstacles or break down barriers to play. The possibilities that Italian football offered the striker remained unimaginable back home in Scotland, where being a woman still meant having to fight for your right even to participate. 'We were up against it from the very beginning,' explains Elsie Cook. 'We weren't allowed to use SFA pitches or SFA referees or officials or anything to do with a professional club. We struggled for players. We struggled for opponents. We struggled for referees and match officials. We struggled financially and we couldn't use the parks and the changing rooms. We were treated like lesser people. It made you angry. But that was what drove you to keep going.'

Any hope that the recognition of the women's game in 1974 would herald in a new era for women playing football in Scotland was dispelled by the lingering antipathy demonstrated by those in charge at Park Gardens. Support for the women's game remained virtually non-existent.

Things would reach breaking point in 1975. When the Scottish FA made their choice of a new manager for the Scotland national women's team, there was criticism that the person selected was a poorly qualified amateur male and a number of players expressed their reservations to the media. In the fallout from the controversy, Edna Neillis and Rose Reilly, two of Scotland's most talented players, received a lifetime ban from playing for their country. The reasoning behind the decision remains shrouded in confusion for the players. 'I still don't have an answer for it,' says Reilly. 'Nothing was ever written down. I was in Italy and there was no communication. I didn't even know until my friend Elsie [Cook] told me. We didn't have phones in those days, so she wrote me a letter.'

There was suspicion that the players were singled out because of their success overseas and their decision to play professionally. 'I think it was about keeping people in their place,' says former Scotland team-mate Sheila Begbie. 'That working-class thing of "who the hell do they think they are?" That was maybe where Scotland was at, at that point, in terms of women in our society.'

Reilly is now pragmatic about the ban. 'It was their loss,' she reflects. 'I moved on. I wasn't being big-headed, but I'm practical and realistic. I just thought, "How small-minded." I should have been playing for Scotland, my home country, but they didn't want me, and the Italians did.'

No longer allowed to play for her own country, Reilly was quickly drafted into the Italian national team as they recognised the potential of adding a unique talent to their squad. Eligibility to play international football was relatively fluid and after the backing of the President of the Federazione Calcio Femminile, Giovanni Trabucco, was secured, the former Scotland striker was allowed to represent Italy. The transition would produce the highlight of her career when she helped her adopted country win the World Cup in 1984 in the seaside resort of Jesolo, scoring once and providing an assist in a 3-1 defeat of West Germany. Scoring in a World Cup Final is an achievement she remains fiercely proud of to this day. 'The ball hit the crossbar and I was lurking just a wee bit away from the post,' recalls Reilly. 'I pounced on it, great coordination, boom – two nothing. I was so proud, scoring for Italy in a World Cup Final.'

Reilly was substituted late in the game, a frustrating moment for the Scot who always just wanted to play, but any lingering resentment dissipated when the final whistle went. She was a World Cup winner. Reflecting back now, there is no sense of resentment about how events in her career unfolded. 'There is absolutely no anger,' she insists. 'No regret, nothing like that. Everything happens for a reason. I had the career I had because Scotland banned me, basically. I've said it many times, there was always a Scottish heart beating under an Italian jersey.'

Reilly continued playing until she was 40 and over the course of her career won a French title, eight Scudetti, four national cups, two Golden Boots as the highest scorer in Serie A and a World Cup winner's medal. She was also nominated as the world's best female footballer, which gave her particular personal satisfaction. She would eventually be recognised back in her home country when she became the first woman to enter the Scottish Football Hall of Fame and was also inducted into the Scottish Sports Hall of Fame. 'I got piped in,' recounts Reilly. 'And when I heard the bagpipes, that was me. I had a lump in my throat, and I couldn't speak. A World Cup with Italy, wow, but being bagpiped into a museum in Edinburgh Castle … I was home then.'

Rose's remarkable story was brought to a wider audience when she featured in a BBC Alba documentary in 2019. 'The fact that my own folk, the Scottish folk, know more about me is thanks to Margot McCuaig,' says Reilly. 'For a couple of years, she kept phoning me to see if I would do this documentary. She persuaded me and I opened up about myself. It was quite painful because I had been through a lot, but I had just kind of shoved all these things to the side. I am forever grateful to Margot for allowing me to tell my story honestly, the way it was.'

It is one of the most incredible individual stories in Scottish football. Rose Reilly had proved that it was possible for a woman to succeed in the game. She had persevered and achieved greatness, but outside her home country and playing for a side other than the Scottish national team. Back home, it remained unimaginable for a player to do the same. If women's football in Scotland was to fulfil its true potential, that would have to change.

3

Movement

SHEILA BEGBIE never anticipated that a chance encounter on an Edinburgh bus when she was just 13 would have such a profound impact on her life. 'I was chatting to somebody,' recalls Begbie, 'and I said to her, "What are you up to at the weekend?" She said, "Oh, I'm playing football." And I was like, "What?" I said I was really interested in football too, so I went along to the club she played for.'

The other person in the conversation was Jane Legget and the club that Begbie joined was Edinburgh Dynamos, one of the founding clubs of the Scottish Women's Football Association. She was soon training on a regular basis with the Edinburgh side on a large patch of grass in the middle of the Muirhouse housing scheme. There were only eight teams in the Scottish league at the time, so it was a relatively short season, with most Sundays taken up with training rather than actual matches, but the experience helped fuel her love of the sport.

Begbie's emerging talent was also nurtured at her school, Craigroyston High, where she shared both a classroom and a love of football with future Scotland manager, Gordon Strachan. The school was fortunate enough to have an economics teacher who loved football and had started a girls' football team, providing the young player with an opportunity to develop her skills. Within two years she had progressed into the Scotland national side, aged just 15, making her debut in an 8-0 loss to England in 1973. It is a scoreline that remains the team's biggest-ever defeat. 'We travelled down in a bus and we played England in Nuneaton,' says Begbie. 'It was really quite awful. At that point we had no reference point as to how good or bad we were. It was a real thump down to earth to lose so heavily when we thought we had some really good players in the team.'

Reflecting on it now, Begbie accepts that the squad at the time was probably more a collection of talented individuals than a cohesive unit. 'We had Rose Reilly and Edna Neillis who were our real star performers,' says Begbie. 'I suppose our team style was to get the ball to Edna or to get the ball to Rose. It was quite easy for opponents to shut that off.'

There would be revenge four years later at Downfield Park in Dundee, a contest Begbie understandably recalls with greater fondness. 'I was the captain of the team and we actually beat England for the first time ever,' says the former Scotland international. 'I still remember towards the end, I had cramp in my calf, and I was wondering when the hell is this referee going to blow the whistle? It was such a fantastic feeling when she did, and all the Scottish fans ran on to the pitch. We had never really experienced anything like that before.'

It was a victory over their closest rivals that would not be repeated for another 34 years. Begbie would go on to represent her country 25 times in total, with the only regret being that the international schedule at the time didn't afford more opportunities to play. Her Scotland career still brought many special moments. 'I scored two goals at the San Siro stadium in Milan,' says Begbie proudly. 'But I do have to admit that one of the goals was for Italy! I scored an own goal from a corner. It was a bit wet and the ball just skidded off my shin. My goal for Scotland was a free kick midway in the Italian half. I just hit the ball so sweetly and I thought there's no way the keeper's going to get it. So almost before it went in the net I kind of turned and was celebrating. It was fantastic.'

Begbie was offered the chance of a move to Italy when FC Trani, Rose Reilly's club at the time, offered her a professional contract, but the lure of a full-time teaching job in Edinburgh prevented her taking up the offer. She settled into her career as a PE teacher and continued to play football until she suffered a serious injury and was forced to retire. Reflecting back now on the experience of being a woman footballer in that era, Begbie recognises the sacrifices that she and her team-mates made. 'We had to pay a lot to play football,' says Begbie. 'It was our passion, so we were doing the usual and selling raffle tickets and stuff. Being a young person and being a bit shy about asking people to give me money, you just ended up paying for it yourself.'

The grudging recognition of women's football by the Scottish Football Association in 1974 may have removed a number of barriers, but there was still no great leap forward for the game in Scotland. The national team remained outside the responsibility of the Scottish FA and support and promotion of the women's game remained almost non-existent. 'We even had to fund our own way for Scotland,' recalls Begbie. 'If we were going to Italy, then we had to fund it. It was always a case of begging, stealing and borrowing in terms of transport to get places. I remember going to a tournament in Italy and we went by bus. I think we were on a bus for about five days. It was horrendous. We kept asking the interpreter, "How much longer?" and she would reply, "Only four hours," and a day later we were still on the bus!'

Alongside the financial demands, attitudes in Scottish society were still proving slow to evolve, with many unwilling to accept that women could or should be playing football.

Matches, even internationals, tended to be ignored and when they did attract coverage, sexism persisted. 'Edinburgh Dynamos were in the cup final and I saw in the papers the referee who was going to do the cup final,' recalls Sheila Begbie. 'He was quoted saying, "Oh, I hear the centre-half is quite good looking" and all this sort of stuff. It is the kind of thing that people would never get away with now.'

Male football continued to eclipse not just women's football, but most other sports as well, and throughout the late 1970s and 1980s, the Scottish FA and the nation as a whole were consumed by the men's team as they qualified for successive World Cups, finding ever more creative ways to exit the competition at the group stages. The Scotland women's team played, but were largely ignored. Early attempts to qualify for the newly established European Women's Championship in 1984 and 1987 ended in failure, and during qualification for the 1989 tournament, they withdrew completely after losing their first two games. The players of that era were talented, passionate and committed, but were frequently let down by the lack of resource and financial support. 'My first cap was against England in 1989,' says current Scotland manager Shelley Kerr. 'We lost 3-0. I was a substitute that day and not all the subs even had a tracksuit. Someone had the top on, and somebody else had the bottoms!'

The 1990s finally brought a shift in attitude when a growing recognition that team sports could help improve physical activity for young people across Scotland, especially young women, resulted in the establishment of a Women's Football Coordinator to work in conjunction with the Scottish FA to help develop girls' and women's football. It was the breakthrough moment that the game had been waiting for.

Across in Edinburgh, on the morning commute, a colleague alerted Sheila Begbie to the new post. 'I used to give a lift to school to one of the maths teachers,' recounts Begbie. 'One morning he said to me, "I've seen a job in the papers for you. It's in women's football." I said, "Oh really?" I had a look at it, and it was a job working for the Scottish Sports Council, but actually based at Park Gardens in Glasgow.'

Begbie had forged a successful career as a physical education teacher in the intervening years and had continued to coach, so was well placed. The only challenge was that the move would require a shift from the secure world of teaching to a short-term position offering far fewer guarantees. 'On the morning I was going for the job, I actually took a wee bit of cold feet,' recalls Begbie. 'I thought to myself, "I've got a mortgage and it's only a four-year contract and is this going to be ok?" So, I popped into see my mum and dad on the way there and told them, "I'm not actually sure whether I want to go for this interview or not."'

Her parents helped persuade her to attend. Afterwards, there was no question in Begbie's mind that she wanted the post. 'I went to the interview and there was Andy Roxburgh sitting there, who was the national coach at that point,' recounts Begbie. 'From having thought beforehand, "I don't know if I really want this job," when I came out, I was thinking, "If I don't get this job then I am going to beat myself up for so long."'

There was no need for concern. The interview panel had been impressed and offered her the post of the first-ever Women's Football Coordinator. Her initial days in the job brought a stark reminder of the attitude that used to pervade at the Scottish FA's headquarters at Park Gardens when it came to women playing the game. 'When I came in 1991,' she recounts, 'one of the guys took me to this cupboard and showed me this big book where there had been a vote on women's football. The only country that had voted against adopting women's football was Scotland. He showed me this book and I just thought, "Oh God."'

Reflecting on that vote now, it still confuses. 'I honestly really don't know why they would have voted against it,' says

Begbie. 'It was probably a much older generation that were on the board and just coming with their own mindset, their own baggage and their own stereotypes of what women should be like and the things that women should do.'

Thankfully, attitudes had moved on and, working alongside Andy Roxburgh and Craig Brown, with support from Chief Executive Jim Farry, Begbie set about making her mark. She had the support of those at the top of the organisation, but that didn't mean that there weren't some who still needed persuading in those early days. 'There were maybe a few older guys on the board who didn't quite see the value of women's football,' explains Begbie. 'It was challenging. At one point in a meeting I remember one said, "We are fed up with you, because all you go on about is women's football." I said, "Well, is the secret not in my title? I am Head of Women and Girls' Football!"'

'One of the things I realised when I left football,' reflects Begbie, 'was that I had to fight every single day. Whether it was a tiny, small fight or a huge fight. Even in 2014 just before I left, there were still challenges about accepting the women's game or investment into the women's game or where the women's game stood in relation to everything else.'

Initially, hers was a new post with no established route map. For most, this would be an overwhelming prospect, but for Sheila Begbie, it merely fired her enthusiasm. 'It was a blank sheet,' explains the former Scotland international. 'When I came into the post, it was still the same as it had been when I was a player. There were eight teams in Scotland. There were only 23 qualified women's coaches and there were no structures or pathways for the women. We had to look at how we would start to build the infrastructure. I almost had a dual role in the beginning. Where I had a bag of balls on my shoulder as I travelled around the country, I was also the strategic, political person as I worked to get partners on board.'

There was early progress made with awareness of the women's game raised, a commitment to women-only coaching courses and the acceptance of the Scottish Women's Football Association as a national affiliated association of the Scottish FA. Arguably one of the biggest advancements arrived in 1998 when the governing body finally assumed responsibility for the Scotland Women's National Team. It was a huge step forward and coincided with the arrival of a new Scotland manager in the shape of Vera Pauw.

The appointment of Pauw had been fortuitous, as the former Dutch international had only recently moved to Scotland with her husband, Bert van Lingen, who was assistant to the newly appointed Rangers manager, Dick Advocaat. Pauw brought with her an in-depth knowledge of women's football and a wealth of experience from her international career. She immediately set about raising the profile of the team. 'The really good thing that Vera did was focus a lot on the first team,' says Begbie. 'The budgets, the profile and the visibility of the national team really rose when Vera was in charge. The fact that she was Bert's wife helped, but she was also a former Dutch international herself, so she had her own credentials.'

Former Scotland striker Julie Fleeting recalls the qualities Pauw brought to the role. 'Vera brought professionalism,' says Fleeting. 'There was a lot of educating about football that needed to go on within the squad, because we probably weren't aware of the knowledge that was required and different game plans and tactics and strategies. That completely changed overnight. She tried to make sure that players knew that they were athletes and you were role models and there is a certain lifestyle that you should be leading. She almost kind of made us believe that we could be professional players.'

Former Scotland midfielder Pauline Hamill agrees. 'She was the person who came in and got us organised and started that process of getting us to believe that we could compete against the better teams,' says Hamill. 'This was someone who walked in and, in terms of opposition and analysis and attention to detail, in terms of how other teams played, I had never experienced anything in my life like that until Vera arrived.'

When Pauw arrived, Scotland were playing in Category B of European qualification, unable to earn qualification for the European Championship finals, but under her influence, they began to rise up the rankings and secured promotion to Category A. The Dutch coach leant on her positive relationship with the Dutch FA to secure training camps in Holland, and helped negotiate a deal with Livingston Football Club for the squad to train at and play out of their Almondvale ground. Her focus was on creating a discipline in the Scotland camp that would help drive them forward. 'She had a vision in her head of how she wanted things to go,' explains former Scotland defender Ifeoma Dieke. 'She had a regime and rules. She was trying to change a culture in Scotland in terms of things like the drinking, the fizzy drinks, the crisps. Things that you take for granted now as a professional that you just don't do. Even things like when you were coming to dinner everybody had to wear the same thing. There were no flip-flops. People either loved it or they hated it. Vera was tough and demanding. I had a lot of respect for her.'

Pauw also lobbied for more regular training sessions for her squad. 'The one thing that really changed with Vera was the amount of times our squad met up,' says Julie Fleeting. 'We were meeting up a lot, we were staying together in a camp, training all the time. It was very, very difficult for employers. I was at university at the time and I had a lot of issues where they would say, "Well, if you're not here then you are not passing that unit," so it became really tricky.'

The conflict between playing football and the players' personal careers was not exclusive to Fleeting, with many struggling to balance the increased demands of representing their country. 'I think Vera was looking for an awful lot of change very, very quickly,' reflects Fleeting. 'And probably lost a lot of players from it, who couldn't quite commit. Vera was adamant that people should understand that you are representing your country. She came from a country where that is just what you did. The players got released to go and be with their national team, but it wasn't like that in Scotland.'

It would be a struggle that Pauw would not solve in her time as Scotland manager. When Dick Advocaat and Pauw's husband left Rangers in 2004, she departed the Scotland manager's post. For those who played under her in the national side, her contribution was significant. 'Vera Pauw was one of the best coaches I have worked with,' says current Scotland manager Shelley Kerr. 'Her tactical knowledge of the game, her attention to detail, was just phenomenal. Playing in the squad with Vera as my coach was amazing. She was a right disciplinarian, very strict, but we responded to that as a group. We needed it. Vera deserves a lot of credit for what she did with the resource that she had.'

'She was very sure of what she wanted,' says Pauline Hamill. 'She was very single-minded and had her own philosophy and belief. She was a brilliant coach and manager and she took the team into Category A. That gave us a chance to compete with the best. Unless she had taken us there, we wouldn't be competing for European Championships and World Cups now.'

Pauw had moved the game forward and left her mark, but there was to be one final contribution before she departed, when she provided a recommendation as to who might replace her. 'We were looking at coaches in England,' explains Sheila Begbie. 'There was a guy here in Scotland and we were looking at different people, but Vera said, "There is actually a woman that I have seen doing stuff with UEFA. She is a Swedish woman and she is really good. I think she would be good for you.'"

The person who would go on to transform the women's game in Scotland over the next decade was about to arrive.

4

Inspiration

ANNA SIGNEUL grew up in Falun, a town in the heart of Sweden around three hours north of Stockholm. It was a place where sport was a central part of life and, as a young girl, she had found inspiration from living next to a national ski centre. Each year, the world's best cross-country skiers would arrive in Falun to compete and Signeul would rush home from school, put on her cross-country skis and attempt to follow in their tracks, literally.

She tried her hand at numerous sports, but it was football that stuck. Signeul would go on to forge a successful career as a midfielder, making 240 appearances in the Damallsvenskan, the highest tier of football for women in Sweden. 'I had a good eye for the game,' says Signeul. 'I had good game understanding, technique and, I think, I was hard-working and had a great physique at the time. I could use both feet. I wasn't quick, let me say that. I wasn't fast.'

Her love of sport led to an early passion for coaching. She coached tennis from the age of 15, and at school her PE teacher would often call on her to help out leading a group of her peers during lessons. As a player in her early twenties, she balanced playing and coaching, successfully securing her

B and C coaching licences, and by the mid-90s found herself at the Swedish Football Association as head of the national women's teams at youth level. She won the UEFA Women's Under-19 Championship with her squad and was named as 'Youth Coach of the Year' by the Swedish FA. It was these impressive credentials that led Vera Pauw to recommend her to the Scottish FA.

Signeul quickly became their number-one target to fill the vacant position of Scotland manager. 'We were quite keen that we would get somebody who would really forge and push the game ahead,' explains Sheila Begbie. 'I spoke to our Chief Executive, David Taylor, and asked him if I was okay to try and contact her. He said, "Go ahead." One of my colleagues was given a contact for Anna through a journalist in Sweden and I just phoned her up.'

At the time of the approach, Signeul was content in her job. Women's football in Sweden was booming, with the national side having reached the final of the 2003 World Cup, losing out to opponents Germany by an extra-time golden goal. 'We were really in a good place,' recounts Signeul. 'We had accomplished so much in Sweden in terms of our player pathway and our development of the players, the facilities and the clubs. After the silver medal in 2003 in the World Cup, Sweden was really developing women's football very much at that time. The media started to get very interested and we got more resources and more funding, and we saw a huge development. At that time, I had the best job in the world.'

The approach from the other side of the North Sea surprised the Swede. 'I got a phone call from Scotland and they wanted me to apply for the job of national coach,' says Signeul. 'My initial thought was, "Thanks, but no thanks." Scotland at that time, I didn't know anything about the Scottish National Team. They were never at any championships or anything, not on the senior side, not on the youth side. They were very low-ranked and not on the women's football map at all.'

After the initial conversation, Sheila Begbie realised that it would need more than a single telephone call to persuade the Swedish coach to take a chance on Scotland. 'I went across to Sweden to meet Anna and I had taken all of our strategic plans and all the stuff we wanted to do,' says Begbie. 'I think we talked for something like six hours and she was asking lots and lots of questions about stuff. I remember at one point she said to me, "If I come to Scotland, I am taking a step back 13 years from where we are in Sweden now."'

Along with her colleagues, Signeul had fought hard to get women's football in Sweden to the point it was at. It had, at times, been an exhausting struggle and was not one that she was keen to relive in another country. 'I knew how hard we had worked in Sweden, all of us, to take women's football to the place we had. It was a lot of hard work and a lot of trying to sell the game, trying to get recognition, trying to get respect. It was a lot of arguments all the time. I didn't need to fight any more in Sweden. I just thought, "I can't do all that again." It is so consuming of your energy.'

The two women concluded their discussion and Sheila Begbie headed for the airport in a despondent mood. Back at her desk in Glasgow, she reflected on the conversation and decided not to give up hope. 'I hadn't heard anything from her,' recalls Begbie. 'So, I phoned her a couple of weeks later. I phoned her and said, "Listen, I am just checking out what you want to do so that we can move on and start checking out other people." She was on holiday so she said she would come back to me when she returned.'

Signeul still believed that a move to Scotland would be a step back, but as she reflected on her career and considered what would come next, her initial reluctance began to erode. 'I started to think a little bit,' says Signeul. 'And I thought,

"Maybe if you have the best job in the world then you start to get a little bit complacent or just a little bit too relaxed." I had been a coach for the youth national team for ten years and I didn't know what my next step would be.'

There was a strong possibility that the position of coach of the Swedish women's national team would become vacant, with the prospect of Marika Domanski standing down after the European Championship in England in 2005. Signeul was ambitious and believed that she was more than capable of the role, but was aware that it was a much sought-after post and there had been some calls for Domanski's successor to be male. 'I went into my boss,' explains Signeul. 'I said, "Do you think there is any chance that I will be getting that job after Marika for the Swedish national team?" and he said, "Of course I can't say for sure, but most likely not."'

It was a response that helped focus her mind. If she was to progress in her coaching career, she realised that she may have to do it outside Sweden. She contacted Begbie to let her know that she would consider the position of Scotland manager if she could bring Ann-Helen Grahm as her assistant, a trusted colleague from the Swedish FA. Begbie was delighted that the Swede had reconsidered, but knew that her budget only covered one salary, so immediately dedicated herself to the task of securing additional funding. 'Sheila was very innovative,' recounts Signeul. 'She was fighting very hard to make that happen, and then after a couple of weeks she came back and said, "Yes, I've fixed it," so we said, "OK, we start on the first of March."'

Signeul and Grahm arrived in Scotland to start the unenviable task of putting the country on the football map. The Swedish coach has a passion for women's football that remains undiminished. 'Football is such a fantastic sport, especially for girls,' she says. 'When girls are young, to play football and be with friends and to train and try to reach goals and live a healthy lifestyle. Even if all these players don't become Kim Littles, or even if they stop when they are 20, what football has given them, it will always be with them.'

Her passion extends to coaching elite female teams. 'If you're a female football player,' explains Signeul, 'and put up your list of criteria for a coach, one thing that comes very high up is engagement. If a woman sees someone engaged in her, or in her team, she takes that personally. If you put a lot of time and effort into these women, they will give everything back to you.'

It was a philosophy that she brought to Scotland. Under Vera Pauw, there had been a strong emphasis placed on the 11 players who started each game. Signeul brought a greater focus on the full squad. 'Vera had 11 players on the pitch,' explains Julie Fleeting. 'She focused so much on them. I think that for a lot of squad players, or players that were subs, it was hard for them, because they weren't quite treated the same as the 11 players who were going to be on the pitch. I was lucky. My relationship with Vera was very, very good, but it was quite tough for a lot of my friends in the squad.

'When Anna came along,' continues Fleeting, 'we were definitely more of a squad. She knew the importance of players who were on the bench. She knew that at some point she was going to have to rely on them in the game. Anna had a way with players and her player management was fantastic. She was more aware of players and their feelings and trying to get the best out of each individual.'

'Anna and Vera were completely different,' agrees Ifeoma Dieke. 'They both had the same drive, the same beliefs, the same message, but the way they delivered it was completely different. Anna is typically Swedish. Having played in Sweden for eight years, the Swedes are the nicest people ever. They are never barking orders or losing their cool. They are very relaxed and from Anna it was more the arm around your shoulder approach. It wasn't that Vera's approach was bad and Anna's was better. It was just an evolution.'

Signeul knew that she was coming to a country that adored football and shared her love for the game. 'You have such a great football culture in Scotland,' says the Swedish coach. 'All talented players who have a ball sense choose football. They don't choose tennis or handball or other sports, they choose football. Football in Scotland gets all the talent. The players are interested in football. They are passionate about football in Scotland. You can hear that now when Leanne Crichton, Gemma Fay and Joelle Murray sit in the BBC studio and talk about football. Men's football, women's football, whatever football. You hear how knowledgeable about and interested in the game they are. There is such a passion for the game.'

She quickly realised that this passion could manifest itself in less than helpful ways as she began to attend women's matches in her new role. The environment was far removed from how things worked back home in Sweden. 'The atmosphere around the games was terrible,' she recalls. 'The language on the pitch was frightening. I had a friend coming over and they had their little ten-year-old daughter with them. She was walking around the pitch. She came back and said, "Why does everyone shout 'fuck' at the referee?" Everywhere there were fantastic people, but it was just the football environment and culture that wasn't a healthy environment, for me anyway.'

If the players were being let down by the atmosphere around games, then facilities were also severely lacking. 'The pitches were awful,' says Signeul. 'I said at that time, "My brother is a part-time farmer and his cows feed on better fields than they play football on in Scotland." They were terrible pitches. They were not even full-size pitches. There were hardly any dressing rooms. If there were, it was like a cement bunker almost. The circumstances were really, really poor.'

Signeul found it hard to understand how players could develop without the most basic of facilities, whilst training and playing in the depths of the Scottish winter. 'I was shocked about the quality and the standard of the training,' she says. 'They were meant to train twice a week, but it was the winter season we played then, and every Saturday or Sunday there was a phone call or a text message saying, "Game's cancelled." And then the training was cancelled. At the end of the season they would be playing three games in a week, because they had to play all the postponed games.'

When asked now whether encountering such a poor football environment in Scotland led her to consider that her decision to leave Sweden had been a mistake, Signeul is honest. 'Yes, of course,' she says. 'It was a long way to go.'

If there were passing moments of doubt for the Swede, they were quickly dispelled when she met the national squad. The warmth in her voice shines through as she recalls their first encounter. 'The first time we trained and met the national team, it was so nice,' she recounts. 'The players were really nice, great sense of humour, a lot of laughs, fantastic people. They were also fantastic, talented players. From day one I said to them, "You can really be a top team in Europe." There was so much potential in these players because they were so talented.'

There was considerable ability in her squad, with gifted players such as Julie Fleeting, Rhonda Jones, Pauline Hamill, Megan Sneddon and Suzanne Grant. It gave her the optimism that with the correct support, Scotland would be able to compete. Signeul knew that if the facilities and culture around the game could be improved, then anything was possible. 'I said to the players,' continues Signeul, '"I cannot make this team any better. I can just select the players that are the best in Scotland, and okay, maybe I can change a little bit of the tactics Vera had or whatever, but if this team is going to be any better, then it is up to you. You need to become better for

Scotland to become better." I said, "I know what you need to do to get to the highest level, but I can't do it for you, but I can help you get there."'

Signeul focused on providing her players with the tools necessary to become better players, with an emphasis on fitness, lifestyle and the training required to become an elite athlete. This had been at the heart of Swedish football for many years, but had not yet reached Scotland. 'They just didn't have the knowledge of what other people were doing in other countries,' says Signeul. 'It wasn't a lack of ambition, they wanted to be the best. They just hadn't had the right culture or trained the right way.'

Not everyone was receptive to her philosophy at first. 'The players who were around 18, 19 or 20 were the hardest,' reflects Signeul, 'because they had been successful, and they had a good life on the side. They trained, but they didn't train so much, and they were out partying and leading their lives. They couldn't understand why they should do anything different. I didn't throw out all the players who didn't train in the beginning. I tried to change the mindset and gave them many chances.

'The youth players who were 14 or 15 were really into it,' she continues. 'But the problem was that when they moved up into the senior squads, they said to me, "Anna, you are saying do this, but some of the senior players don't do this." I told them, "Yes, but you are doing the right thing. It is not them that are doing the right thing." That was a conflict in the beginning before we eventually got all the senior players to buy into it.'

Signeul had key players within her squad who embraced the change and who would become the nucleus of her team. 'Pauline Hamill came to me at the beginning of June,' recalls Signeul. 'She said to me, "Anna, I have been thinking a lot about what you have been saying. I have been thinking either

I stop playing now and I have done my thing, or I can try to do like you say, I can try to train more, and I can see where that takes me." She said, "You know what, all my life I have been selected for the national team and I always thought that meant I was one of the best players in Scotland, so I thought that I did enough." For me, this was an eye-opener when she said that. People are always selected for the national team, so why should they do more? Pauline said, "OK, I will do what you say."

'When she finally finished her career,' adds Signeul, proudly, 'she was the best that she had ever been.'

The new manager knew that simply changing the environment around one group of players when they met for a Scotland camp or international match would not be enough. In order to establish a truly elite environment that would be sustainable in the long term, it would have to be supported through the clubs. This was where players spent most of their time and where the greatest influence on a day-to-day level could be employed. She worked with Ann-Helen Grahm and Sheila Begbie to begin the process of transforming club football in Scotland. 'We were never going to make the players better just in the national team,' says Begbie. 'We had to make them better in their club environment. The clubs are the heart of the game and at that point in time, that is where we needed to put all our focus and energy.'

Signeul believed that there was a culture around clubs that was overly focused on results, often neglecting the long-term nurturing and development of players. 'That is one of the first things I said to the coaches when I came,' says the former Scotland coach. 'The only thing you are focused on is winning the game on Sunday. You need to lift up your eyes and set targets higher than that. If that is the only thing that is important for you, then you are never going to develop. You have to take the risk of losing the game on a Sunday to win in the long term. You have to take away the players that don't come and train, even if they are better than the ones who come and train. They are not going to take you any further. You have to put your resources into the ambitious players. The players that want to become better.'

In her early meetings with clubs, Signeul restated the mantra of possibility that she had expressed to her Scotland squad. 'I said to them, "What do you want for the football in Scotland? What do you want to achieve? Where do you want to be?" I said to them, "Anything is possible. If a team from the north of Sweden, where it snows half the year, can win the Champions League, then you can win the Champions League. Anyone can win the Champions League. It is all about what you want to achieve."'

Laura Montgomery, from leading side Glasgow City, was enthused by the Swedish coach's approach. 'The difference in what Anna brought was that she came in with a very different attitude to previous national managers,' says Montgomery. 'They were only concerned with the best 16 players in Scotland and focused everything on them. Anna came in and said, "The game is not going to progress unless the club football gets a lot better," and she showed everyone what happens in Sweden and said, "You too can be successful. You can have this," and we thought, "Yes, we'll have a bit of that."'

Scotland's journey to success had begun.

5

Transformation

WHEN PEOPLE are presented with new ideas and different ways of working, then there is often resistance. Even if there is recognition that a different approach is necessary, actual behaviour change can take time. Transforming the mindset within Scottish football would not happen overnight. 'When Anna and Ann-Helen came in,' says Scotland midfielder Leanne Crichton, 'their remit wasn't just to build a team and make a team better. They literally had to change the mindset of a nation, and that took over a decade.'

The Swedish coach believed that unless the domestic league improved, developing players and maintaining interest in the game would be impossible. 'My philosophy was that it's always important to work with the clubs and we have to make things as strong as we can domestically,' explains Signeul. 'It wasn't a one-day meeting, then everyone go home and change. This was a long process. We worked together maybe 15 days with the coaches every year at least. We were away with the coaches for seven days once a year and then we had five workshops. The workshops were about what was required at the highest level. How should you train? How often should you train? How do you motivate your players? What demands do you put on your players?'

At the heart of her strategy was a desire for the players to train more regularly. She had witnessed the progress that had been achieved in Sweden through enhanced training and she wanted to replicate this in Scotland. The most effective way to achieve this was to show Scottish coaches first-hand what an elite environment looked and felt like. Funding was secured for a trip to her home country. 'One of the first places we took the clubs was to Sweden,' says Sheila Begbie. 'We wanted to show the clubs what it would look like to have utopia, to have a high-level professional club, and what they could aspire to. We spent about five or six days on a bus travelling around Sweden, and Anna pulled out all the stops to get us into some really good clubs.'

Glasgow City founder Carol Anne Stewart recalls the trip with fondness. 'They gave us this whistle-stop tour of the Swedish clubs and it was phenomenal,' recalls Stewart. 'We just went around all the clubs that told us everything they did, and we came back and said, "We need to train more than two nights a week, we have to improve the coaching and we have to improve the training, or we are never going to get anywhere."'

For some, the trip to Sweden was a light-bulb moment. 'I think that made a huge difference,' says Anna Signeul. 'You can stand at home and talk to them and talk to them and try to convince them, but when they see it with their own eyes, when they get time to really focus, I think the understanding of what was required started to build up.'

On their return, Signeul, Grahm and Begbie worked closely with clubs to help raise their standards. There was encouragement to train more regularly and embrace strength and conditioning, but the assistance was not limited to on-the-field activities. Advice on marketing, improving communication and developing proper club structures was also provided to help clubs develop off the field. 'The first four years was just trying to convince,' says the former Scotland manager. 'Just being a salesperson, trying to sell the idea.'

Glasgow City was at the head of the queue to embrace the new approach. 'If Anna said to go two metres, we were trying to go four,' says Laura Montgomery. 'We were probably great for her. A lot of other clubs would turn around and say, "Nah, we are not doing that, we can't afford it." There became a period of time where the gap between us and the other clubs grew quite significantly. I remember for a year or two the gap was massive and that was because we had accelerated all these plans and were doing all these things and everyone said, "Glasgow City are getting so far ahead, we need to be doing these things as well."'

Her club captain agrees. 'Glasgow City picked it up, believed in it and invested in it,' says former Scotland star Leanne Ross. 'The players started believing as well. We could see the chance to go and achieve things.'

Having one ambitious club was fantastic, but Signeul wanted to get to the point where all of Scotland's clubs embraced the change. Signeul explains: 'I said to the clubs up in Aberdeen, "You can't just sit there and complain that the players go down to Glasgow and Edinburgh. You have to make your football and your club and your training so attractive that you can keep players. You need to work on your own activities."'

Slowly, things started to change, although it was not always a straightforward path. Signeul had already fought the same battle in Sweden and knew that it would take time. There would be moments of frustration. 'I had a discussion with the Premier League coaches because I was not happy that they were not coming to one of our games,' recalls Signeul. 'We had a coaches' conference afterwards. I told them that saying you had club training means you deny your players the chance to come and watch what they should aspire to be – an international footballer. If you say it is more important to train, then you don't see the bigger picture. You have misunderstood what this is about.'

The other challenge was that many of the ideas that the Scotland manager wanted to implement required resources, so there was a continual need to make the case for investment. Men's football continued to dominate discussion at the Scottish FA and the argument for investment in women's football was, for some, unwelcome. It could, at times, be a frustrating environment to operate in. 'We got 100,000 Euros from UEFA to deliver a club licensing programme for our women's clubs,' recalls Sheila Begbie. 'We put together the criteria for club licensing and I shared it with one of my colleagues at the Scottish FA. He said to me, "This is really good, but if you put that to the committee and ask them to ratify it, you will piss them off. You are doing more with your women's clubs than we are doing with the men's teams and it will show them up, and they won't like it. You need to take it down a notch." So, we had to do a wee bit of politicking there to get it through the committee.'

The need to make the political argument extended to their dealings with Government on regular trips to the Scottish Parliament. There was a growing interest in women's sport and in the Scandinavian model for all aspects of life, so with Signeul's experience of how they delivered sport in Sweden, and Begbie's astute political skills, it became a vital source of resource and support. 'Sheila was very successful in the political area,' says Signeul. 'Working on the grassroots, developing partnerships, getting resources, working with Sportscotland. These things are really, really important and she did a fantastic job in all that.'

The 2007 World Cup qualifying campaign placed Scotland in a group with Germany, Russia, Switzerland and the Republic of Ireland. The team finished third, getting the better of their games against the Swiss and the Irish, but losing heavily to the Germans and Russians. Signeul was relaxed about the performances, recognising the gradual improvement that was happening. 'We were doing okay all the time,' she explains. 'But we never saw that great leap of progress. We were just constantly getting better and better and better. I was constantly saying to them, "We need to be patient, we need to be patient, because this is a long-term thing."'

Her focus remained on creating an environment where players could develop and improve, and next in her sights was moving the season so that girls and women could avoid playing in the worst of Scottish winter weather. 'We started to do an analysis of whether we should change the season,' explains Signeul. 'What is the purpose of playing football in the winter when you can't play football as games get postponed and parents were out freezing, and kids were freezing, and you couldn't train, and you couldn't play? So, we lobbied for changing the season and that took some years. We changed the season and I think that was a huge success, not just on the elite level but on the youth level also.'

The Cyprus Cup was established to allow the Scotland national team to build profile and test themselves against stronger nations. The week-long trip to the Cyprus Cup afforded the Scotland manager another opportunity to work with Scottish coaches and reinforce her ideas on all aspects of the game. 'God love Anna,' says Sheila Begbie. 'Before a big game, she would be in there talking to the coaches about what the tactics were, what the game plan was, what they were looking for. Win, lose or draw, she was back in that room after the game, talking to the coaches about the game.'

Qualification for the 2009 European Championship saw Scotland face Denmark, Ukraine, Portugal and Slovakia. The team were now competing much more effectively against the higher-ranked teams in the group and were unfortunate to lose out by a single goal in each of the four games against Denmark and Ukraine. Impressive wins in Portugal and Slovakia meant that the Scots went into their last qualifying match needing a win to be rewarded with a play-off place for the European Championship. The team demonstrated how far they had progressed in the four years of Signeul's reign by comprehensively defeating Slovakia 6-0 at McDiarmid Park to secure the play-off. Her team were now just two matches away from a major tournament. Scotland were paired with Russia, a tough draw given that the Russians were ranked 15th in the world, 11 places higher than Scotland, and had beaten them comprehensively in World Cup qualifying just 18 months earlier. The team would also have to face their opponents in the first leg without their top scorer, Julie Fleeting, who was suspended for the match.

The squad received a boost in the run-up to the games when Anna Signeul rejected an offer from the USA and signed a new two-year contract to stay with the Scottish national team. The move would have offered the Swedish coach a chance to work in an environment where resources and facilities were abundant, but her loyalty to her players and the wider Scottish game persuaded her to stay. 'I got some offers to go elsewhere, good offers,' says Signeul. 'I had started the journey and I didn't feel that I could let these players down, let these clubs down, let these people down that had believed in us and what we were doing.'

The first leg of the play-off was played at Tynecastle and got off to a blistering start with three goals in the first 15 minutes. Pauline Hamill gave Scotland the lead after just three minutes, but the Scottish celebrations had barely subsided when Russian striker Kurochkina outpaced the Scotland defence to shoot past Gemma Fay and equalise a minute later. Hamill restored the Scots' lead with a curling free kick. It was a lead that they would hold until the half-hour mark when Shelley Kerr tripped

Valentina Savchenkova in the box and she converted the resultant penalty. 'It wasn't great,' recalls Kerr. 'I just mistimed a challenge. I almost made up for it when I nearly scored with the last kick of the ball, but all these "maybes" in football, you can talk about them all day long.'

The result was settled with 15 minutes remaining, when Russian substitute Barbashina set off on a surging run and powered a shot inside the far post to win the game 3-2. Reflecting on the defeat, Signeul commented, 'We missed a number of chances, but the tie is not dead. We'll go for it in Moscow and it will be a real boost to have Julie Fleeting back because she brings us lots of goals.'

The second leg was played in Nalchik in eastern Russia which, despite being awarded the accolade of 'second cleanest city in Russia' in 2003, provided an intimidating environment. It was located close to Chechnya and four years earlier had experienced an attack from Islamist militants sympathetic to the Chechen cause. 'It was quite hostile,' recalls Shelley Kerr. 'There were about 2,000 soldiers on the perimeter of the pitch. I remember walking out and saying to Pauline Hamill, "It might not be a good idea if we win this game tonight!"'

Anna Signeul was acutely aware of how the surroundings may impact her players and called on Sheila Begbie for assistance. 'It was all very grey and there were soldiers there with their grey uniforms on and their machine guns around the pitch,' recalls Begbie. 'Some of the girls had never experienced that, so Anna had said to me, "When we are coming out of the tunnel, I want you to be there and I want you to smile. I want you to be the point of contact for them when they come out, so they aren't looking at these guys with their guns."'

The team needed to pull back their one-goal disadvantage, but the task in front of them became harder when, after 20 minutes, Ifeoma Dieke had the misfortune to turn the ball into her own net. The Scots now needed three goals to progress, an implausible task, but when Pauline Hamill levelled after 64 minutes and Jen Beattie headed a second with just five minutes remaining, the implausible suddenly seemed possible. Scotland were still behind on away goals, but one more goal would secure qualification. 'We had fought for so long to get ourselves into that position and Russia were a very strong side at the time,' recalls striker Julie Fleeting. 'As soon as the second game had started we realised, "We have got a huge chance here." I remember going through so many different emotions during the game like, "Are we going to do it or is this just going to be another near miss?"'

Scotland frantically pushed forward in the closing stages, but it was the Russians who came closest to scoring, hitting the post twice in the final minutes. The referee's whistle sounded, and they had lost by the narrowest margin possible, on goal difference. It was a cruel moment for the entire squad. 'The desperation at the end, where we were just giving it everything that we had got,' recounts Julie Fleeting. 'I remember it being devastating at the end, and being so far from home as well and having to make the journey back. All that you had wanted was to be happy and laughing and joking all the way home with everybody buzzing. We had had so many of those knocks before, but that would definitely be the biggest at that time, but I mean that is football.'

Current Scotland manager Shelley Kerr is similarly philosophical. 'These things happen in football,' she says. 'What people forget is there are so many variable factors in sport. You have got another team and another set of players vying to do the same thing and that is win. You are not in control of everything that happens in a sporting context. When you reflect back, I think over the two games Russia deserved to win, even though it was close. Were we ready to go to a finals? Maybe, but I think over the two games Russia probably deserved it.'

It would prove to be the defender's last appearance in a Scotland shirt. 'I had planned to retire regardless of whether we qualified or not,' says Kerr. 'I felt it was the right time. I was 39 years old and it was tough trying to keep up with players when you were twice the age of them!'

One player who took the defeat harder than most was the scorer of the own goal, Ifeoma Dieke. 'After that game I was thinking I had cost us going to the Euros, I had let the team down,' reflects the former Scotland defender. 'It didn't matter that everybody was telling me that it wasn't my fault and it was okay. In my mind it wasn't. I knew it was Shelley Kerr's last game. She was my defensive partner and I felt so bad that it was how she was going to end her Scotland career. I felt I had let her down. She deserved so much more than that. I was heartbroken. It took me a while mentally to recover from that campaign and that game. When I got home, I was just in a dark place by myself and it just took time for me to process everything and analyse everything and just let time heal.'

The narrowness of the defeat had been cruel, but the manager's faith in her squad remained unshakeable. Anna Signeul knew that just two years earlier, her team had lost ten goals to the Russians and failed to score against them in the two matches in their World Cup qualifying group. Now they had matched them across the two legs and had fallen short by virtue of an extra away goal. It was a transformation that provided consolation against the disappointment of failing to qualify. 'The year before that, we got absolutely annihilated by Russia,' says Pauline Hamill. 'They played two-touch around us and, I am not joking, it was annihilation. Shelley will tell you as well, it was one of the worst experiences ever. Being on the park and experiencing that was really difficult. To think that we could get to a place where we were able to compete with them and were so close. I never saw that as a failure. I saw that as unbelievable progress. The moment was disappointing, but after the moment was gone then all I thought was, "What amazing progress we have made."

'I just thought, "This is not how I am going to go out,"' says Ifeoma Dieke. 'You always want to write your own story and not have something dictated to you. The drive and the passion were still there. You move on and there is another campaign and you go again. You have that love for the game. That's what drives you, that's what keeps you going. It is having that belief that we are good enough and we can do it.'

'We were sitting on the bus after the game,' recounts Sheila Begbie. 'A Scottish journalist phoned Anna to say, "Oh, that's a shame, but this is what it is like to be Scottish." She said, "I'm sorry. I really don't accept that, and I don't want to hear that, because that's not what it is about."'

Signeul knew that her team were constantly improving and that, with patience, hard work and time, success would come.

6

Renewal

PAULINE HAMILL recalls a conversation with her father on a family holiday in Fife when she was just seven years old. 'My dad was quite a philosophical guy,' she says. 'We were walking along the beach one day and I had my Scotland strip on. He said to me, "What do you think you want to do in your life?" I said, "I'm not bothered what I do, Dad, I just want to play for Scotland." He said to me, "Well, you know, me and your mum will do everything we can to help you.'

At the time of the exchange, Hamill had no idea if playing for Scotland was even a possibility, but it was her dream and one that she would keep with her as she embarked on her football career throughout the 1980s. Hamill had found her passion for football whilst kicking a ball around near her house. When old enough, she had joined in the street games with the local boys that would run from first thing in the morning to last thing at night with an ever-changing cast of players. There was never any negativity or criticism of her involvement as the only girl, as long as she was good enough to play, which she was. Those early experiences helped Hamill develop the toughness and mental strength she later needed to compete in the women's game. 'There was no way I would have developed the way I did as a player unless I had played with boys,' reflects Hamill. 'I learned to fight and never give up. I learned to keep going and believe in myself. Those are all qualities you need to get through life, never mind being a footballer.'

After playing for both a boys' club and girls' clubs as a youth, Hamill progressed to Cumbernauld Ladies, one of Scotland's strongest teams at the time with a number of Scottish internationals in their ranks. Joining such an established team with older, experienced players who had represented Scotland was a daunting prospect at first for the young player, but she quickly realised that she could hold her own. 'At first you think, "These players are away on another planet," says Hamill. 'But see when you start to train with them and play with them and you start learning from them, they pass on all their experiences. You quite quickly understand that you are going to be able to cope with it.'

She would remain at the club for over 13 years, securing eight Premier League titles, 11 Scottish Cups and six League Cups, becoming captain and scoring over 350 goals. It was a fantastic experience for a young footballer, and if there is one minor regret, it was that she didn't take up an offer to play in the USA during that period. 'I got offered a scholarship to North Carolina,' explains Hamill. 'That is one thing I look back on now and think, "Did I do the right thing?" That was to play with Mia Hamm and Kristine Lilly and people like that. If I had taken that step, how good would I really have been? At the time it wasn't right for me because my ambition was to play for Scotland, and I knew that if I was out of the country that wasn't going to be possible.'

The ambition she had expressed as a seven-year-old remained her focus and she was determined to fight her way into the national team. Her persistence paid off when she was selected for the national side and made her debut in an away European qualifying match against England in April 1992. It is a moment that she still derives pleasure from. 'It was brilliant,' says Hamill. 'I am just a wee girl from a scheme. I didn't live a privileged lifestyle or anything like that. I just had a desire and a want to be successful and to play for Scotland and I managed to achieve that. It was amazing.'

Her first cap was the start of a Scotland career that would span 18 years and see her play for her country an incredible 141 times. She would go on to become the first woman to achieve 100 caps and break Kenny Dalglish's record of 103 appearances for the men's national team, making her the most-capped Scotland international ever at the time. Reflecting back on the achievement, Hamill is endearingly humble. 'I am a really laid-back person,' she says. 'I am not really keen on being in the public eye, so for me I kind of would have been quite happy if all that had just been flipped under the carpet at the time. Now that I have stopped playing and you look back, I always just take it back to me, a wee girl playing football, playing up the garages and the park, and to have actually gone on and achieved that is a bit surreal.'

Alongside her achievements in a Scotland shirt, Hamill's club career took her to Kilmarnock, Hibernian, Doncaster Rovers Belles, Blackburn Rovers, Celtic and Spartans, and included a spell in Iceland at IBV during the summer of 2001. She retired from playing in 2011, a year after her last cap for Scotland, having been persuaded by Anna Signeul to play on in the national side after the Russian play-off defeat, to allow the time and space for the younger strikers in the squad to develop and mature.

It had been a fantastic journey, but any current satisfaction from her remarkable career is derived less from the records that she broke, than from the experiences that she had and the friends that she made along the way. 'Football gave me happiness,' says Hamill. 'It gave me the happiness of when I played. It has been hard work, but it has been hard work with a smile on my face because I've been doing something that I absolutely love. Just getting the chance to pull on a Scotland jersey all those times and have the experiences I had with all those players, I wouldn't change any of it. I loved every minute. I just felt so privileged to fulfil a dream. You never forget the people that you came through the journey with. Some of those people I will be friends with for the rest of my life.'

After her playing career ended, Hamill made the successful transition into coaching and over the last decade has played a vital role in developing Scotland's young talent. It is a task that she embraces wholeheartedly. 'I loved playing and I loved every minute of it, but there is life after it and I love what I do now,' says Hamill. 'I see that as a chapter that was some of the best times of my life, but actually I have got a more important job now. I am a mum and even in football I am trying to support the next generation coming through. I see those as the important things now.'

Her focus today is providing Scotland's young players with the skills and attributes they need to succeed. At the heart of this is helping them understand the place they have in the women's game. 'I always say to the players now to think about what people did before,' says Hamill. 'There are people before me that I can be really thankful to them for what they did. They fought hard to actually be able to play. They give me the chance to be a confident woman and an international player and international coach. They created a path for me to play. It doesn't matter what era you came from, whatever you are doing you are trying to make it easier for the next generation.'

After the play-off defeat to Russia, Anna Signeul refocused on what was required to maintain the forward momentum. With the Scotland team improving and the club environment developing all the time, Signeul's priority shifted to making sure that there was a regular flow of young talent into her national side. The emphasis was on creating an environment in which they could identify, support and nurture new talent. 'We needed to find one or two players from each year group that we take up to the national team every year,' explains Signeul. 'Then you will always have a healthy squad that never becomes too old or too young.'

Signeul, Ann-Helen Grahm and Sheila Begbie worked on a proposal for establishing a centre of excellence in Scotland to help support this goal. A Scottish Women's National Academy would offer scholarships to the best young talent in the country, offering them the chance to combine education with the intensive technical, tactical and fitness support to become an elite footballer. Establishing such an environment required funding. 'It was really challenging, trying to get investment from within the SFA to make the Academy happen,' recounts Sheila Begbie. 'At that point we had one or two board members who were very supportive of women's football, but for the rest, we were just something that was happening that was never a priority. The first time we went to the board we couldn't get it approved, and Anna and I were so disappointed that they had rejected it.'

They regrouped and tried again, leaning on the supportive board members to understand the concerns that led to it being rejected. This time they were successful, securing resources for four players each year. 'We hand-picked the four best players each year to go to the Academy because we were limited in resources,' explains Signeul. 'The first year we had to take in 12 players, because you can't live on an academy of just four players.'

Pauline Hamill was selected as the person who would lead the new National Academy, which would be based at the University of Stirling. 'I think if you looked at the pathway, we were crying out for something like that at that point,' reflects Hamill. 'We needed something that would almost prepare players for full-time football. You can see quite clearly that now, in international football, if you are not in that professional environment then it is really, really difficult.'

'It was good to come to Stirling where they had other sports,' says Anna Signeul. 'You had the best swimmers in Scotland, and they had many top athletes there. They had created that elite, high-performance environment, and that had an influence on our football players. The one message that was clear from the very beginning was that you need to be an elite athlete.'

The Academy would provide access to the best possible coaching and sports science professionals to create an environment where Scotland's best young players could focus on what was required to excel in their sport. 'It was transformational,' says Glasgow City's Laura Montgomery. 'We were losing some of our best players every year to go on scholarships to the States, which was really just a nonsense. The standard of football over there really wasn't much better, but players wanted to be full-time. They were getting their fees paid for and they were getting to train every day, and strength and conditioning, and they were getting to play football. Anna just created the same here.'

The reputation of the Women's National Academy grew quickly, and it soon became a place that the most ambitious young Scottish players wanted to be. 'You look at the players that went through the Academy,' continues Montgomery, 'they are pretty much all in the national team now. You have Jane Ross, Emma Mitchell, Lisa Evans, Kirsty Smith, Lizzie Arnot, Lee Alexander, the list is endless.'

Pauline Hamill reflects now on the players that passed through the Academy with a tremendous sense of respect. 'We had a group of people there that were really ambitious,' says Hamill. 'They wanted to be professionals and the National Academy was a fantastic stepping stone in terms of getting used to training professionally every day. It definitely prepared them all for it. All those players had the character and the drive, firstly to get up and leave home at whatever age they were – 16, 17 or 18 – and then actually to get up at 7am to put themselves in the firing line for training.'

Her role would occasionally involve cajoling the players who were struggling to cope with the early starts, but for the most part, the young players were self-motivated, ambitious and driven to succeed. 'You look at those players now,' says Hamill, 'and you just think, "Well done." I don't think a coach or manager should ever take credit for players because they do all the hard work. From day one, I have always tried to instil that into players. It will never be about what a manager or a coach does for you, it will always be about what you do.'

Training alongside each other helped create an environment where players would push each other to be better. 'That was a great intake of people,' recounts Frankie Brown, one of the first wave of players at the Academy. 'It was a really good group that Anna put together. We were training full-time and it really helped all of us. It gave us the robustness and training volume we needed. That was tough, but it was great. The quality of the training sessions we had with that wee group was really high.'

'If someone did something,' explains Scotland striker Jane Ross, 'then the other person thought, "You know what, I'm going to go and do better than that." It was competitive, but in a good way. Looking back on it, it is definitely something that helped me in my journey and set me up for the career I have got today.'

Birmingham City captain Christie Murray agrees. 'I think if you find yourself in the right environment and with the right people you can go far,' reflects Murray. 'We were very lucky. We had a brilliant group. Everybody was so driven. We would all be up working on our football and coaching each other at 7 o'clock in the morning. To be in your early twenties and to actually have the desire to get up and do that.

'We had a laugh and we had fun,' continues Murray. 'It wasn't just training. We loved what we did, so it never felt like a chore.'

The Academy helped propel many of the young recruits into their first Scotland camps, something Christie Murray experienced at the 2010 Cyprus Cup. 'Anna phoned me and said, "You are coming to Cyprus with us," and I was buzzing,' recounts Murray. 'I phoned my mum and dad right away. As parents I think they go through the journey with you and carry a lot of weight of the stress and struggles of your football, so they were the first people I wanted to share the news with.'

At the tournament Murray made her Scotland debut, replacing Pauline Hamill after 87 minutes in the match against New Zealand, a symbolic passing of the baton from teacher to pupil. 'She was my coach,' laughs Murray. 'There would be different points where we would sit down with my individual development plan and she would say, "So what are you going to do to get into the Scotland team?" and I would be thinking to myself, "I am actually coming after your position!"'

Her debut was not only a recognition of the Academy's influence, but also the fulfilment of a long-held ambition. Even today, playing for her country remains extremely significant for the affable midfielder. 'Scotland was always my focus and it still is,' explains Murray. 'I am fortunate enough to play full-time football in England, but I always look at what is next for the national team. I know that is selfish, but for me the national team is the pinnacle of my career and it always will be. It has always been about Scotland.'

A further indication of the success of the initiative was Lisa Evans securing a professional contract with German side Potsdam. 'It sent a message to the rest of Scotland's young players,' says Signeul, 'that if you trained a lot and had the right lifestyle then you could be successful and could secure a professional contract. It started to change the attitude of the game, because people started to see the possibilities.'

Anna Signeul believes that the Women's National Academy was a fundamental cornerstone of her squad's development. 'To create this environment where they could actually get all these extra inputs – theory, practical, physical – it was crucial,' says Signeul. 'They got a lot of technical training with Pauline, which was great, and we had high demands on the players, that they should live up to the expectations that we had. To also be able to educate the parents and get everyone to understand what was required, how they can support their daughter. I think we did a massive job there.'

The former Scotland manager is keen to stress that not all the emerging talent in Scotland was developed by the Academy. There were other pathways available and a number of players, such as Kim Little and Jennifer Beattie, went straight down to clubs in England and developed there, playing and training with the best players in the country. There was room for anyone in her squad regardless of their journey, as long as they had ability and the desire to succeed.

One player who experienced a more circuitous route into her national side was Leanne Crichton. The young midfielder had been part of the Scotland Under-19 squad, but had not been a regular starter. When her time with that squad came to an end, Signeul immediately invited her into the senior squad, with Crichton making her debut in September 2006. Signeul says, 'I said to her, "I think you are very talented, and you have skills that are going to make you a very good international player." For many reasons at that time, she couldn't do it. Then after a couple of years she said to me, "Anna, I am ready to be in the squad again." We tried again, but it didn't work out.'

After four years, Crichton had won just two senior caps and to outside observers her Scotland career looked to have stalled. 'I was always fairly fast-tracked as a youth player in the national team set-up,' explains Crichton. 'For a two-and-a-half-year period, everything was just on fast-forward mode. It felt like it all maybe came too quickly. Work-wise at that time it was difficult and, financially, I was a young adult. I'd moved out of my parents' house and was trying to pay bills and stuff like that. Internationally, you would be away for 14 days and you'd have to take unpaid leave from work. It was hard to strike a balance and it just wasn't possible.'

Crichton was finding balancing the demands of football and life extremely difficult, but a move to Glasgow City in 2012 would prove to be the catalyst needed to kick-start her international ambitions. Anna Signeul picks up the story: 'Leanne was 25 or 26 and she started with Glasgow City,' says the former Scotland coach. 'Eddie [Wolecki Black] called me and said, "Anna, you need to take Leanne Crichton to the national team." I said, "No, she needs to fight really hard for this. If she lasts the whole season, then I can consider it." She lasted the whole season and then Eddie said, "Anna, you need to take her now." I said, "OK, if she lasts the whole pre-season before next year, because the pre-season is the tough one, if she lasts the pre-season then it is fine, and I will select her." She lasted the pre-season and then she came into the squad.'

The Scotland manager would work with the midfielder and help change her outlook. Crichton had tended to view playing football as a hobby rather than a profession, but a conversation with Signeul helped shift her perception. 'I had a conversation with Anna at one point where she was speaking about the mindset of players,' Crichton continues. 'It wasn't just me, there were other players involved. What she said is, "You don't sacrifice anything. This is your opportunity. If you want to play football and you want to be a footballer and you want to do the best possible job, then you cannot see missing a family party as a sacrifice. You cannot see not being at your friend's 21st as a sacrifice, because all those other things will be there at some point in your life. Your football is your here and now." I think when she said that, it really hit home with me. I thought, "You're right. This is the here and now," and you have to give it 100%.'

Instilled with a fresh perspective, Crichton would go on to successfully establish herself in the squad and become one of the key players for the team over the years that followed. There is pride in Signeul's voice as she reflects on the player's path back to the squad. 'Leanne really took it on,' says Signeul. 'She embraced it and she changed. She trained and she developed so much and that was great. Good on her. There are so many fantastic stories like that in this journey.'

The influence of Signeul was becoming apparent. With an increasing number of players in an elite environment, and the Women's National Academy providing a regular flow of motivated and talented young players into the squad, Scotland strengthened. They demonstrated their progress in the qualification campaign for the 2011 World Cup, winning all six matches against Greece, Bulgaria and Georgia, scoring a phenomenal 24 goals across the ties. Unfortunately, qualification for the tournament eluded them as they narrowly lost out to a strong Denmark side, with a 1-0 win at Rugby Park and a goalless draw in Vejle allowing the Danes to top the group. Signeul remained undeterred. She knew that her team were competing more effectively, becoming stronger and fitter, and that there were talented players coming through who would make her squad even better.

7

Frustration

ANNA SIGNEUL'S efforts to ensure that the team would eventually secure qualification continued. 'Anna was the real driver behind everything,' says Sheila Begbie. 'It was her absolute passion and desire. I think she was working 16 or 17 hours a day. Her application and her dedication were unbelievable.'

One player who had experienced the full journey along with Signeul was Julie Fleeting. Fleeting was an exceptional talent and an early superstar of the Scottish game. Since receiving her first cap in 1996, she had emerged as the standout player for the national team and had captained the side under Vera Pauw. Her incredible goalscoring ability left her with a record of almost a goal a game over the course of her Scotland career. Her skills had been honed as a child in Kilwinning, playing with boys in her local area, an experience that would help shape the player she would become. 'It gave me a lot of mental strength and character,' continues Fleeting. 'Because you do encounter obstacles and it is not easy. My own team were great, but I came up against a lot of sides who weren't okay with the fact that a girl was playing football. That stood me in good stead throughout my whole football career.'

As a teenager no longer allowed to play for her local boys' team, she was forced to travel to find a game, moving to a girls' team in Prestwick. It was the first time that Fleeting had met another female who enjoyed playing football. The move brought a 30-minute drive from her hometown and, with games played all across Scotland, she had to rely on the goodwill of her parents to get to training and matches. The fact that if she had been a male player she would just be walking across to her local pitch and playing for a club in a local league was not lost on the young striker.

At the time, there was no visibility of women playing the game, no pathway of development squads, and the prospect of playing football professionally was not something that Fleeting had ever contemplated. 'There wasn't the thought of, "If I continue to play here, I'm going to be a Scotland player, or I am going to be a full-time professional,"' says the former Scotland star. 'There was nothing like that. It was all just about enjoying the sport.'

Fleeting's talent saw her labelled 'the most gifted young footballer in Scotland' in a *Sunday Mail* article, and she was called up to the Scotland Under-16 team at the age of just 14, making her full Scotland debut one year later. Her inclusion in the Scotland squad at such a young age was part of a deliberate policy to refresh the national side with young talent. 'When I got pulled into the squad, it was almost as if they were looking to really change things and shake up the squad,' recalls Fleeting. 'Along with me, there were maybe three or four girls who were round about my age, so it probably wasn't as daunting as others have had it. I went there with a group, and very, very quickly you could tell that group were going to be the best players that Scotland would have at the time. It was just going to take a bit of time for these younger players to get confidence.'

Fleeting's growing reputation brought an offer in June 2002 from US women's side San Diego Spirit to play the game professionally. It was a rare opportunity for a young female footballer from Scotland to test herself against the best players in the world. 'It never entered my head, up until I got the phone call to go to San Diego, that at some point I would be a professional player,' says Fleeting. 'At first I thought it wasn't real, but as the days went on I learned more about it.'

It was an opportunity that Fleeting could not refuse, so she left Scotland and headed to San Diego. It was a test for the young striker to move so far away from home, but the experience built her character and there was always the comfort of the football pitch. 'Off the pitch, it was tough to get to grips with living so far away,' reflects Fleeting. 'But the minute I was on the pitch I loved it. I had fantastic team-mates. Americans just embrace you and look after you, and the two seasons I had out there were some of the happiest in terms of football that I had throughout my whole career. The fact that I was getting paid for doing something that I loved and had actually been paying for in Scotland, it was a dream come true.'

Her first season brought success with a Most Valuable Player award and a place in the end-of-season All-Star team. She gained the affectionate nickname of 'Air Scotland' for her prowess in front of goal. It was an environment in which she thrived and one that she would have been happy to continue in had the opportunity not been removed when the US women's league collapsed with financial difficulties.

Her next significant move would take her to leading English side, Arsenal. The move to London brought eight years of extraordinary success but, unusually, did not include a relocation to the English capital. Instead, Fleeting remained in Scotland, training locally and flying down only on match days. The striker accepts now that it could be considered a bizarre arrangement, but it was one that worked well for her and her family in that period. 'I am quite sure there were players who didn't like that kind of player flying in and starting every week,' says Fleeting. 'But for me that was what Arsenal offered me and that is what worked for me, and for as long as they wanted me to do it, and as long as I was enjoying it and could fit it into my life, then I was going to continue. Arsenal made it so easy for me. They booked everything for me and sorted it all so the only thing I had to worry about was playing the game.'

She would catch a flight to London on a Sunday morning, be picked up at the airport by the club, with a briefing on tactics, game plans, set plays and opponents provided on the way to the match. Her eight years at the London club brought her eight league titles, eight domestic cups and a UEFA Women's Cup win, when they defeated Umeå of Sweden 1-0 over a two-legged final in the 2006/07 competition, with Alex Scott scoring the winning goal.

If Fleeting's club career was a success, then her Scotland career also flourished. Her prolific goalscoring record allowed her to reach 100 goals for Scotland in 2007, closely followed by her 100th cap for her country a few days later in a European Championship qualification match against Denmark. Fleeting would eventually finish her Scotland career with a remarkable record of 116 goals in 121 games for her country. 'Julie Fleeting was the best football player I ever coached,' reflects Anna Signeul. 'She was a fantastic football player. I saw that immediately. In the first training session I had with her I thought, "Oh my God!" I have had many great players that I coached in Sweden when they were young, like Nilla Fischer and Caroline Seger, fantastic players, but Julie Fleeting was the best.'

'Julie was just so strong and powerful,' says Laura Montgomery. 'You couldn't stop her. She was fast and pacey with the ball and obviously such a good finisher. She was someone I thought was pretty much unplayable.'

Reflecting on her career now, Fleeting realises how little attention she paid to the history she was creating and the records she was breaking. 'Like an awful lot of things in my career,' she says, 'I was not aware of any of them at the time. I never thought about how many caps I had, how many goals I had. I was never looking at, "Am I at 50 yet? Am I at 60 yet?" I couldn't have told you how many goals, and because there wasn't the same media attention either, it was never brought to my attention how many I had scored. I was just continuing to play, totally carefree, a youngster who loved football with not a care in the world.

'Now when I reflect back,' continues Fleeting, 'I think, "I wish I had really thought about the moment." Not even about the football, but things like visiting all these different countries. I didn't even realise how special that was and how privileged I was to be going to Russia and Brazil and places that people don't go on holiday and don't see. Now when I am doing homework with my kids and they are looking at different countries, I can go, "Yeah, I was there with Scotland." But I didn't take notice of all these wonderful things, I just took it for granted.'

If there is one thing that the former Scotland star does not take for granted, it is the significant role that football has played in influencing her life. 'Football has completely shaped the person that I am,' says Fleeting passionately. 'My characteristics, my personality, it all developed from football. It has shaped me as a person, as a teacher and as a mum. As a female in sport, the mental strength that you need to have, I think if I didn't have that from my football career, then my life could be different. I feel so strong in myself. I feel self-confident. All of that has come from playing the sport. Football gave me everything.'

And her passion for what football has given her extends to her team-mates, with the greatest warmth reserved for the squads she was part of and the friends she made, especially as part of Scotland squads. 'The thing I miss the most about football is the friendships and the fun and the laughs we would have,' says Fleeting. 'Every time I went away with Scotland it was fun and my sides were sore laughing, it was a great time. The group of players were very close and most of us had been together for years. When you are together so often, they are like your family.'

Under Anna Signeul, the Scotland squad had developed into a strong and cohesive unit. She had fostered a togetherness and closeness that was demonstrated on and off the pitch. Results and performances improved, and Scotland rose to 22 in the FIFA World Ranking. Fleeting's appearances in a Scotland shirt over the next few years would be limited by the birth of her two daughters, but her team-mates continued to build towards the eventual goal of qualification for a major tournament.

The next opportunity would present itself in late 2012. The team had finished second to France in their European Championship qualifying group, earning them the right to a two-legged play-off against the Spanish. With her home country, Sweden, hosting the finals, there was extra incentive to qualify for the Scotland coach. The teams played out a 1-1 draw at Hampden in the first leg, with free entrance for spectators generating a crowd of 4,058. The result was disappointing, but the tie was still very much alive, although the Scots now knew that they would have to score in Spain to qualify.

The second leg provided unimaginable drama.

Signeul was confident that her team could find the net in Madrid and her belief was justified when Emma Mitchell gave her side the lead after 62 minutes. The Spanish fought their way back and equalised 12 minutes later, the Scots suffering a further blow with just 15 minutes remaining, when defender Rachel Corsie tore her anterior cruciate ligament (ACL) in a tackle with Veró Boquete. The defender was replaced by Eilish McSorley and the game raged on. There were no more goals and the tie moved into extra time.

Kim Little restored Scotland's lead after just eight minutes of the extra period, but a thunderous Spanish strike from outside the box levelled the match at 2-2 to set up a tense finish. The aggregate score was level, but the advantage of Scotland's two away goals meant the home side would have to find the net again to deny Signeul's side a place at the European Championship.

The closing stages of the match were chaotic. In the final minute of extra time, Spain were awarded a penalty for handball. Incredibly, Gemma Fay managed to block Veró's spot kick and force it away with two hands, but any elation at the reprieve was shattered moments later when, with the last meaningful kick of the ball, Veró made amends for her miss by turning inside the box and firing the ball into the bottom left-hand corner of the goal. The ball appeared to trundle towards the net in slow motion, but once it was over the line the whole of the Spanish bench exploded onto the pitch in celebration. Scotland defender Rachael Small recalls the pain of the moment. 'To this day that is the most haunted memory I have in football,' says Small. 'It was heartbreaking. I can just remember everyone collapsing to the floor.'

Across on the touchline, Anna Signeul experienced the worst moment of her entire football career. 'When they scored that goal in Spain,' she says, 'I have never ever felt so bad in my whole life. For something that was a mental thing, it physically affected me. I almost fainted when we lost that game. That was absolutely terrible. It was a very, very difficult moment.'

Her team had been seconds away from securing qualification for the first-ever tournament, seconds away from being rewarded for all their hard work, seconds away from making all the arguments about resources and investment she had endured worthwhile. To have it undone with the last kick of the ball was beyond harsh. 'I've never really felt so disappointed after a game of football, probably in my whole life,' says Scotland defender Emma Mitchell. 'I was in tears and I think it took us a long time to get over it. For how well we had played, to lose it in the dying minutes it was really hard to take.'

Signeul returned to the dressing room with the impossible task of lifting a group of players that were crushed. 'You go and give one another a hug and you try to comfort one another,' says the former Scotland coach. 'It was a process together. We were sitting the whole evening together, not just staff on their own or players on their own or in their own rooms. We were sitting together for many hours and just trying to digest it. It was really, really tough.'

There was nothing meaningful that she could say to them other than to repeat her belief that the squad's time would come. Signeul says, 'I always said to them, "If you put all this effort in and all this time to become elite athletes, and you always do your best and you fight hard, then you will always win respect." People respect when other people put everything into it. You might not win, but then you get respect.'

The team had won respect, but they had yet again narrowly lost out on what they craved the most – an appearance at a major tournament. It was a titanic disappointment. 'Just to go out on the last kick of the ball against Spain was such a heartbreaking moment,' reflects Kim Little. 'Straight after the game we all just had a cry. The worst part of it was then seeing England play Spain in the first game at the Euros and to see Spain do so well. I think we played really well against them in the second game in our play-off, and to see them being there and competing well, it was frustrating.'

There was further play-off disappointment two years later when, after finishing second to Sweden in the qualification group for the 2015 World Cup, they lost out to the Netherlands in the play-offs. The Dutch were an emerging force who would go on to lift the European Championship in 2017, so there was no disgrace in losing to such a talented side, but the continued absence from a major tournament was a huge frustration. The disappointment was compounded by the Canadian World Cup capturing the imagination of people all across Britain the following summer, largely due to England's progression to the semi-final of the tournament.

Women's football may have been attracting a new audience, but during the qualification campaign there had been an indication of just how far they still had to travel in Scotland. After the team had played a match at Fir Park, radio presenter Tam Cowan wrote in his newspaper column that the stadium should have been 'torched'. It was a depressing reminder of the outdated attitudes that women's football still faced from some quarters. The ill-judged comments resulted in Cowan being removed from his regular radio programme on BBC Scotland until an apology was made.

Anna Signeul remains unflustered by those who try to diminish the women's game. 'When people start to get interested, then you start to become a threat,' says the Swedish coach. 'In some ways it is better that people tell you to your face what they think, rather than the people who are not honest. It is easier to deal with a threat you can face than those that work against women's football behind the scenes.

'We had another guy in Glasgow,' continues Signeul. 'He was at our training and he was writing something that made fun of the players. If you have a big audience, then you can make fun at other people's cost. He [Cowan] made fun at women's football's cost, but I don't think he understood how inappropriate that was and, in the end, he had to take it back.'

Signeul's primary concern remained what happened on the pitch. The play-off defeats to Spain and the Netherlands had been bruising, but she knew that the next European Championship was being expanded, with more teams and a greater opportunity to qualify. Her squad was strong, with exciting new talent emerging all the time. Signeul says, 'You just say, "You know what, we are not giving up. We are going to make it!"'

8

Migration

ONE OF the striking things about the Scotland squad as they prepared for their 2017 European Championship qualifying group, was the breadth of experience that the players had accumulated playing outside the United Kingdom. The players had represented teams in Australia, Cyprus, Finland, France, Germany, Italy, Sweden and the USA. The fact that such a significant part of the squad had gained experience playing outside Scotland was not down to chance. 'Anna wanted to get the players out into other countries that have got a higher level of competition than we have in Scotland,' explains Sheila Begbie. 'We started to think that if we were going to be successful, we needed the players in a much more professional environment. So, we tried to do that while still trying to raise the standards in Scotland.'

One of the first to head overseas was National Academy graduate Lisa Evans. The ebullient Perth youngster had progressed from playing for St Johnstone Women's team to Glasgow City, although her initial thoughts of a career in football had not even considered the women's game. 'When I was younger,' says Evans, 'I just thought I was going to play in the men's league. I watched Henrik Larsson. I was a pretty big

Celtic fan at the time, and I thought I was going to be playing in the men's team. You get more educated and you realise that there are actually opportunities out there for women.'

Her talent had been spotted by Glasgow City manager, Eddie Wolecki Black, who invited her to join the Scottish champions in 2008. It was her experience with City in the Champions League that led to a move overseas, when she had impressed German champions Turbine Potsdam, despite a bruising 17-0 aggregate defeat for her Glasgow side. Like most young footballers heading away from home, there was nervousness about leaving behind the familiarity of Scotland. Evans recalls: 'I remember being on the plane with my iPod in and just crying my eyes out, thinking, "Why am I doing this? Why am I leaving my family? I have got my university degree. Why am I putting all this on hold to take a plunge on playing in Germany?"

'But I did it,' adds Evans, 'and it is probably one of the best things I've ever done.'

Evans's time at Potsdam proved hugely rewarding and, under her new coach, Bernd Schröder, she flourished. Schröder was from the traditional school of coaching and favoured training methods that placed a heavy emphasis on player fitness, which proved a shock for the young Scot at first.

'Potsdam was just so much harder, physically, than anything I have had to endure,' recalls Evans. 'Nothing can really prepare you. This was just another whole level. There were days we would just turn up and we would actually have to ask if we needed our football boots, as there were sessions where we just had running trainers and that was it.'

Evans made almost 50 appearances for Potsdam, developing a strong relationship with Schröder in her time at the Brandenburg club. Her strong performances for Potsdam attracted the interest of Bayern Munich and in 2015 she made the switch to the Bavarian club. The attraction of playing for such a well-known name in the world of football had persuaded her to sign, but she quickly discovered the scale and ethos of the two clubs were markedly different. 'Potsdam is a small community, a family club, whereas Bayern was on a larger scale,' explains Evans. 'Personality-wise, I didn't feel like I fitted in with the way things were done at Bayern. I am very out there and bubbly and sociable. That was almost frowned upon at Bayern and everyone was expected to be the same robotic self, and it was just hard for me to be that person.'

In her first year, Bayern won the Women's Bundesliga, but before long the young Scot's appearances in the first team became restricted, hastening her decision to sign for Arsenal and move closer to home. There is no sense of regret now about her time at the German giants. 'It's always good to say that you played for Bayern,' reflects Evans. 'It is such a prestigious team who are regarded very highly, and they are obviously well known. They have a lot of tradition behind them. I am obviously very lucky to have done that.'

Another Scotland player who would make the journey from Glasgow City to their Champions League opponents was forward Fiona Brown. 'We played Eskilstuna from Sweden in the Champions League,' recounts Brown. 'They phoned me in November when the season was done.'

Brown had won a domestic treble with City, but had suffered an ACL injury whilst playing for Scotland in France in 2015. It was the second of her career and the two injuries helped persuade her to make the move away from Scotland. 'I didn't want it to define me,' says Brown. 'I remember at one point, all I was known as was the girl who'd had two ACLs, instead of what I was achieving on the pitch. It used to infuriate me. Over there it was a fresh start. Nobody would need to know. This was a chance to go and play in a professional environment as a fresh start.'

Her experience in Sweden helped improve her as a player, with the opportunity to focus full-time on her game and the chance to play in a highly competitive league structure, a refreshing change from the often one-sided games she would encounter back in Scotland. Her performances for Eskilstuna would eventually earn her a transfer to leading Malmö side, Rosengård. The Scotland star is in no doubt about how beneficial the decision to play outside Scotland has been for both her career and for her life outside football. 'I always did want to go abroad at some point,' says Brown. 'Just because I wanted to live in a different culture, and I wanted to see how it would be. There is so much you can learn about yourself. I made unbelievable friendships. There are people I know now who I would never have met, and they will be part of my life forever.'

The transition to playing overseas was not confined to those with Champions League experience. Lana Clelland made the move to Italy as a result of a YouTube video. 'It was the most random thing,' says Clelland, who was playing for Spartans at the time. 'Sometimes, to this day I don't even know how it happened. An agent from Italy had seen, I think it was clips from YouTube. I had scored a goal from the halfway line against Aberdeen in a Scottish Cup game. He had seen it and he messaged me, but never got me, and then he messaged my dad.'

Clelland contacted the Italian, who invited her to Italy the following week for a trial with Italian side, ASD Pink Bari. 'There was something within me that knew I had to grow outside Scotland,' says Clelland. 'I went out. It was supposed to be for three days, ended up there two weeks, signed, came home for Christmas and then went back out in the January to start.'

Clelland knew that it would be a different style of football from what she had known in Scotland. Bari were struggling in the relegation zone, but it was an opportunity to experience Italian football for the first time and improve as a player. 'I was just coming back from an injury,' explains Clelland. 'So when it came around, I thought, "Lana, you need the playing time.

If you go there for five months, get some playing time and you come back with a new experience, a different style of football, and you will have grown within yourself." That was the plan. To go there and come home.'

Clelland made the move but would not return to Scotland. She established herself at Bari before signing for UPC Tavagnacco, one of the top sides in Italian football. Clelland says, 'I went from Spartans, where it was literally mums, dads and friends – you're talking 50 maximum people that were at games watching – to Bari who were in a relegation battle and there were four or five hundred people coming, banners, they blow horns, it was crazy. Then going to Tavagnacco, it was even bigger again.'

She would eventually move to Fiorentina, one of the biggest names in Italian football. In her time in Italy, Clelland has become fluent in Italian, appeared in a Copa Italia Final, won the Super Cup, scored in the Champions League and became only the fourth foreigner to be awarded the Golden Boot in Serie A. 'If I was to tell a ten-year-old Lana that she is currently a professional football player, playing in Italy,' says the Scotland striker, 'I think she would be very proud. Having been in Italy, I grew so much more than if I had stayed in Scotland.'

Not all moves overseas were as smooth as the one experienced by Clelland. Defender Jennifer Beattie's experience at Montpellier in France would prove more challenging. The move had been inspired by a conversation with her international manager, Anna Signeul. 'Anna said to me, "Look, if you want to be in this team, we kind of see you as a centre-back, so you need to find a club that will play you there," explains Beattie. 'That was one of the best conversations I ever had with Anna because that kind of set me going to play in Montpellier. Not a lot of people had gone abroad at that point.'

Beattie had the comfort of her older brother, Johnnie, playing rugby in the same city, which helped persuade her to make the move, but it would be a tough experience for the young Scot. 'It was by far the hardest thing I have ever done,' says the Scotland defender. 'It was the first time living by myself. I had gone from living in halls to shared houses with other players, so to be 22 years old and living by yourself in a foreign country, a French-speaking country at that … The coach didn't speak a word of English so all the training sessions were in French and our physio would try and translate things for me.

'The girls were a little bit tricky,' continues Beattie. 'It is the classic French cliché, but they weren't as forthcoming as if you were to go and play in, say, America where everyone is English-speaking. The French were a little bit more reserved, so it was hard to make friends, but I would still encourage anyone to go abroad and play. It is a hard experience, but it can be amazing. I learned so much about myself and football.'

The personal challenge of moving away was often harder than the challenge faced on the pitch. 'It was very daunting,' says Christie Murray, who left Scotland to play US college football aged just 16. 'It kind of hit when I was on the plane over there. My dad and I had been across to check everything was okay, but when I was on the plane myself it was, "Right, this is headfirst into the deep end." Looking back on it now, I'm like, "Mum, how did you let me go to America when I was 16?" She was, "That was your dream and that was what you wanted to do. So, we wanted to support you with it."'

'You are moving abroad on your own,' says Hayley Lauder on her own experience with Finnish side Åland United. 'So, it can be quite lonely at times. You learn quite a lot about yourself. How to enjoy your own company and just take care of yourself, I think.'

Lauder had already experienced playing outside Scotland when she featured for Cypriot side Apollon Limassol alongside fellow Scotland international Frankie Brown in their 2011

Champions League qualifying campaign. It was a brief interlude, lasting just three games, but it created a desire for more. 'I just had it in my head that I wanted to go abroad and play,' says the Glasgow City and Scotland player. 'I ended up going to Finland to see what it was like out there and to give professional football a go. It didn't faze me at all. I just got up and went. Now, I need to know every detail of everything, where I am staying, but back then I just turned up with a suitcase and that was that. The first contact from Åland was maybe the middle of March and by the end of March I was living on an island.

'It was a strange place to live,' continues Lauder. 'I lived on an island between Sweden and Finland, so the travel was horrendous. We actually used to get a ferry overnight to the Finnish mainland. We would get on the boat at about 11 o'clock at night, sleep on the boat and then you'd get off the boat in Helsinki at about 9am and it could be another eight-hour drive or a six-hour drive. Then you'd play 90 minutes, then you would come home. We used to get home at 3am in the morning after the match. To think I used to complain about going to Aberdeen for a game, two and a half hours up the road!'

The experience of playing on a professional contract outside of Scotland had helped many of the Scotland squad develop their game, their approach to football and exposed them to new training methods. 'Sweden was excellent for me,' says Scotland goalkeeper Lee Alexander, who spent time at Swedish side Mallbackens IF. 'It was a totally different league compared to Scotland. It was very much a more physical league and I think I grew a lot in terms of my physicality on the pitch and in the 18-yard box and demanding more of myself. It stood me in good stead to get where I am now in terms of my experiences.'

'When I was playing in Scotland,' explains Scotland striker Jane Ross, who turned professional with Swedish side Vittsjö

GIK, 'I was also doing my university degree, so it was the balancing act of going to training, coming home, trying to recover as best I could, going to my classes. When you move and turn professional, your sole focus is on playing football. You have the time to be looking after yourself, recovering properly, resting up, eating properly. You have that focus that "this is my job, and this is my career".'

Christie Murray, whose desire to play in the USA had been fuelled by watching *Bend It Like Beckham*, believes the experience changed her outlook. 'It was the best decision I ever made,' says the Scotland midfielder. 'It provided me with an understanding of what it meant to be an elite athlete. It made me realise that it was what I wanted to do.

'America gave me the opportunity to go out and be a full-time athlete,' continues Murray. 'Going from training two, three times a week to full-time was brilliant. I loved it. I met so many great people and it improved my game, training every day with a good coach and good players around me. It put me out of my comfort zone, but it allowed me to develop as a person as well as a footballer.'

The players' experiences across numerous clubs in several countries had all been very different, but they had all developed as players and the Scotland squad strengthened as a result. 'You could see the progress in the players,' says Sheila Begbie. 'Kim Little was in America and Anna had used some of her own contacts to get players into Sweden, down in England or elsewhere. You could see the players going away and coming back much better.'

The Scotland squad approached the start of its European qualifying campaign in stronger shape than it had ever been.

9

Realisation

THE SCOTLAND squad was developing all the time as they approached the European Championship qualifiers. 'Every year we would take up one or two young players to the squad,' explains Signeul. 'And one or two players we would take away from the squad. You can't just throw out all the old players and bring in ten young ones. That is not the right way of doing it.'

This constant evolution meant that considerable experience would often be lost. Since Scotland last attempted to qualify for a European Championship, Signeul had lost the combined talents of Megan Sneddon, Suzanne Grant and Rhonda Jones, a trio of players who had amassed an incredible 351 caps for their country. Rhonda Jones had been the first to enter the squad in the spring of 1998. After making her debut against Estonia at Somerset Park in Ayr, she went on to feature 117 times for her country. 'Rhonda wore her heart on her sleeve,' says current Scotland manager and former team-mate Shelley Kerr. 'She contributed massively to the team's success.'

She was an extremely capable, tough-tackling defender who netted four times for the national side. Her goals for Scotland were irregular, but when she scored it tended to matter. She scored a dramatic last-minute winner against the Czech

Republic as Scotland battled for a European Championship play-off spot in 2004, and a late equaliser against the Republic of Ireland in a vital European qualifier in 2012 contributed to a spectacular comeback when Scotland scored twice in 60 seconds to win the match. Her final goal in a Scotland shirt was the winner for her team against a strong Italian side at the Cyprus Cup in 2013. Just a month later she made her last-ever appearance for the national side and eventually retired from football altogether in 2016 after an incredible career, which had included an eight-year spell in the USA.

Jones was followed into the Scotland team in 2002 by Suzanne Grant who, astonishingly, made her international debut despite not playing for a senior women's team. The young footballer from Grantown-on-Spey was just 16 at the time and playing for her school team and a local boys' club, but was accepted into the squad. 'Julie Fleeting kind of took me under her wing when I went into the squad,' says Grant. 'She was captain and helped me be the player that I was.'

Grant established herself in the Scotland side and would go on to win 104 caps for her country, her 100th cap arriving in a 3-1 friendly defeat to the USA in 2013. It was a memorable match as Grant scored the Scotland goal and shared the occasion with Abby Wambach, who was making her 200th appearance for the US national team, the two players exchanging tops at the end of the game. Grant's strength of personality around the squad was welcomed by her team-mates. 'She was a huge part of the team's togetherness,' says Shelley Kerr. 'Always the joker, but always in a positive way. A good footballer, proven goalscorer at all levels and a positive person regardless of any situation.'

Grant loved her time as a Scotland international, although it could be challenging as she and her team-mates tried to narrow the gap between themselves and the top nations. 'When I played for my national team,' reflects Grant, 'we were all still working, playing with clubs in Scotland and then obviously going into international level. All the other international teams we played against like Germany, France, they were all full-time footballers. It was hard to compete.'

It was her passion for the sport that drove her on, a passion she shared with twin sister, Shelley, who would also represent Scotland at senior level. Grant played her last game for the national side in 2013, but continues to be a vociferous supporter of the squad. 'I still feel like I am kicking every ball with them,' says the former Scotland star.

The last of the trio was skilful central midfielder Megan Sneddon. Sneddon had arrived in the Scotland team in 2002 when, as a teenager, she made her senior debut the day before her 17th birthday in an 8-2 defeat to the United States in Ohio. She went on to play an incredible 130 times for Scotland, placing her in the list of the ten most-capped players in the history of Scottish football. 'Megan came into the squad at an early age,' recounts Shelley Kerr. 'She was a mainstay in the side for many years and arguably one of the best holding midfielders we've ever had. She was a very intelligent reader of the game, could see a pass, really industrious, and a lot of her work on the pitch allowed others to play.'

Sneddon's ability resulted in her being named Scottish FA International Player of the Year at the Scottish Women's Football Awards in 2011, an award that team-mate Rhonda Jones also won the following year. Her final appearance for the team was in a World Cup qualifying defeat to Sweden in Gothenburg in 2014, although she would continue to feature for her club side, Motherwell, memorably helping them secure promotion to the Scottish Women's Premier League and reach the Scottish Cup Final in 2018.

The three experienced players had made their mark on the Scotland Women's National Team over the years and featured in the play-off defeats of the past, but they would not be present as the team attempted to qualify for the 2017 European Championship.

The slogan adopted by the Scottish FA for the qualifying campaign was 'All or Nothing'. It summed up the prospect facing the players as they attempted to go further than any previous Scotland squad and qualify for a tournament. Having been placed in a group with Slovenia, Belarus, Macedonia and top seeds Iceland, and with expansion of the tournament meaning that a strong second-place finish would likely see them progress, it gave Anna Signeul's side an excellent chance of success. 'We had gone to two play-offs,' says Signeul. 'We had never lost a qualifying match to a team that was lower ranked than us in 12 years. We could always perform when it mattered. We had just been very unlucky in both of those play-offs in Russia and against Spain. When there were more spaces rather than play-offs, I just thought, "Yes, we are going to do it now."'

The schedule of fixtures favoured the Scots as their first five games would be against the lower-ranked teams in the group, providing the opportunity to build momentum before they faced their biggest rivals, Iceland. It was an opportunity the squad grabbed with both hands as they won their first five matches, scoring 27 goals and conceding just two over the fixtures. Impressive 7-0 and 10-0 wins over Belarus and Macedonia underlined the capability within the team. Iceland matched Scotland's results, winning all of their first four games without conceding a single goal, setting up a crucial clash between the top two sides at the Falkirk Stadium.

The Icelandic women's national team in many ways represented what Scotland sought to replicate. They had invested in their football infrastructure and had reaped the reward with qualification for the European Championship in 2009 and 2013, advancing to the quarter-final stage of the latter before succumbing to hosts Sweden. It was a stunning achievement for a small island nation with a population of just over 330,000 people. They were a side who knew what it took to qualify, so Signeul knew that they would provide a stern test.

Unfortunately, the match did not go as the Scots hoped and Iceland secured a resounding 4-0 victory. The scoreline was an extremely harsh reflection of the match, with a calamitous seven-minute spell in the second half, when Scotland conceded three goals in quick succession, proving their undoing. It was a defeat that left Scotland trailing in the group, slipping to second place behind Iceland on goal difference, with their opponents still having a game in hand. The scale of the defeat handed Iceland a virtually unassailable lead in the head-to-head results between the two sides, barring a surprise five-goal reverse in the return fixture in Reykjavík.

The one consolation for the Scots was that their record against the rest of the teams in the section meant that they were still well placed for qualification as one of the best-placed runners-up – a position they strengthened in the days after the Iceland defeat with a narrow 1-0 win over Belarus in June. The win meant Scotland had secured maximum points from all the lower-ranked teams in the group, but they would have to wait five months until the final round of matches in September to have it confirmed whether it would be enough to secure a place at the tournament in the Netherlands.

For one player in the Scotland squad the slogan 'All or Nothing' felt more meaningful than for most. Defender Leanne Ross was approaching the conclusion of her career and knew that the European Championship represented her final chance to reach a major tournament. She recalls: 'I just thought at the start of that campaign, "Right, this is your last shot. At your age, you have not got another campaign in you after this. Go and give it your all. If it happens, it happens. If it doesn't then it doesn't."'

Signeul had brought Ross into her Scotland squad back in 2006 and she had since established herself as a mainstay at the heart of defence. She was a late arrival to the international set-up, despite having played the game for over two decades, but a transition from Newburgh to Glasgow City helped her progress. 'I was starting to be invited along to the National Team set-up,' explains Ross. 'So I thought, "If I want to progress with this then I am going to have to move on and find myself a club where I can improve my game and develop as a player," so I contacted Glasgow City and asked if they would be interested.'

The Glasgow side had been keen on signing Ross for a number of years and she became an integral part of the club that would go on to dominate Scottish football. She won every single domestic honour, competing regularly in the Champions League and eventually becoming captain of the club.

Reflecting on her experiences at City, there is pride from having kept her place in a team where there was a constant stream of talent emerging. 'We have been the best team in Scotland for a number of years,' says Ross. 'And because of that we have continued to bring in the best players or better players. So, for me to continually reach the level and still be in the team, that's probably what I'm prouder of, rather than the achievements themselves. I have seen so many great players come through the club, but I have been able to still be in the team and still contribute to our success.'

Ross had experienced first-hand how the club had wholeheartedly embraced Anna Signeul's philosophy after the Swede's arrival in Scotland. 'When I came here first, people were only training maybe one or two nights a week with a game on a Sunday,' explains Ross. 'To start training four nights a week and everybody expected to be there the four nights a week, it was demanding on your time and it was quite difficult to adapt to at first, but it just became the way of life.'

Signeul would also be instrumental in bringing her into the senior Scotland squad when she handed her a debut as a left-back in a World Cup qualifying win over Switzerland in April 2006. 'I was kind of in and out of training squads when Vera

Pauw was here,' says the former Scotland defender. 'Looking back now, I know why it was, I wasn't fit enough, and I wasn't good enough to be playing in that team. I kind of thought that international football wasn't for me at that point and my time had passed, to be honest.

'To get invited back along to a training camp and then very quickly into the European qualifying games,' continues Ross, 'it was completely surreal. I started the first game I was involved in and then played every game after that until my 40th or 50th cap, so I had a really good run in the team.'

Ross would eventually become one of a handful of players to win more than 100 caps for the national team and she was determined to finish her Scotland career by helping her country qualify for the Euros. When the final round of fixtures in September arrived, results elsewhere meant that the Scots needed just one point in their final match against Iceland to be assured of qualification, but in the end, the tie was rendered meaningless before the match in Reykjavík. Portugal defeated Finland to ensure that the Finnish side could not surpass Scotland's points total, guaranteeing Signeul's side a place as one of the six best runners-up who would qualify automatically for the tournament in the Netherlands.

Most of the squad had gathered together in the team hotel to watch the drama unfold. 'It was a weird one,' says Caroline Weir, 'because we knew that there were three games on the Friday that could send us through. Some of the girls were watching and we were called through for the last ten minutes, and at the end everyone started celebrating.'

'It was unbelievable,' says Lana Clelland. 'It was unbelievable emotions. We had been a nation for so long that struggled or had fallen at the last hurdle. It was emotions of relief for most people, especially the older ones who had been there for such a long time and never been able to get there. You could just see the relief on those faces and the emotion and the pride.'

Scotland had finally made it. The frustration of all the previous campaigns, the pain of defeat in Russia, the agony of that last kick of the ball in Spain and the disappointment of losing to the Dutch, all forgotten as the players celebrated the fact that when Europe's best teams took their place at the European Championship the following summer, Scotland would be there.

'Anna had been here that long she was nearly Scottish I think,' jokes Pauline Hamill. 'But I was so happy. I just felt that it was our time. To see all the hard work Anna had put in and to see the team get to a final, that must have been a great thing for her and for everybody that worked alongside her as either a player or a colleague. She was so driven and so passionate about what she wanted to do and to see her achieve that in her time was brilliant.'

The overwhelming emotion for Signeul was relief. 'This is a dream come true for the players,' she said in the moments after qualification. 'This is what they have been working towards. It is fantastic. It is absolutely brilliant. We experienced some fantastic highs in previous campaigns, and the pain of missing out at the final hurdle, and it's all been worth it to take this final step. It's a bit surreal that when the moment came, we were not on the pitch, but we won't complain about that.'

Buoyed by the achievement, the team travelled to Iceland and won 2-1 in front of a noisy crowd in Laugardalsvöllur, Reykjavík, with Jane Ross scoring both goals. The win in their final game meant Scotland finished level on points with Iceland, only conceding top spot in the group on account of the head-to-head record between the two sides. They were the top-ranked second-placed team in Europe, having won seven of their eight qualifying ties, scoring 30 goals and amassing 21 points. It had been an incredible campaign and a magnificent achievement.

10

Completion

ANNA SIGNEUL may have taken her adopted country to their first-ever major tournament, but within a few months she knew that her time as manager of Scotland was coming to an end. She had accepted a position as the national coach of Finland, a post that she would take up after the European Championship. There were tears when she informed her backroom staff of her intention to move on.

The decision to leave had not been an easy one. The Swedish coach felt an incredibly strong bond to her players, her staff and the clubs that she'd worked so closely with to develop the game at every level in Scotland. She had devoted hours and hours of her own time and energy to make the case for proper investment and support. 'I thought it was really tough to always fight for money for the women's game,' reflects Signeul. 'When we qualified for the Euros and we were sitting in a budget meeting for the next year and it was the same fight as it was in the budget meetings in previous years, then I thought, "No, I can't do this anymore."'

It was now time for someone else to take up the fight and for the Swedish coach to start a new chapter. 'I knew that the journey must end sometime,' says Signeul. 'You can't be a national coach for 20 years. I don't think that is right. I could have stayed for another four years and that would have been great, but I just thought that with these players and the coaches and the people that had been on the journey for these 12 years, I thought it was a good ending of that story.'

The Scottish FA announced her departure at the beginning of 2017, six months before her Scotland team would take to the field in the Netherlands. The Scotland manager prepared a statement to reflect her thoughts. 'Firstly, I would like to say that after 12 great years in Scotland I am proud that this squad have made the journey to their first-ever European Championships,' she wrote. 'This was a wonderful achievement and one that has been thoroughly deserved. These players are dedicated, professional and have overcome adversity to become the formidable players they are, individually and collectively.'

She concluded with a reflection on her time in Scotland. 'Scotland and its people will always have a very special place in my heart,' said Signeul.

With the announcement made, the Swede focused on preparing her team. Their opponents would be England, Portugal and Spain, with the opening tie the formidable prospect of a match against their closest neighbours. Their first qualification brought increased media attention and extra support from the Scottish Government, with funding provided to allow the players to train full-time in the run-up to the tournament. It was a welcome boost for players such as Gemma Fay, Jo Love, Joelle Murray and Leanne Ross, who all balanced their playing careers with demanding jobs outside football. 'To have our best domestic players on the same playing field as their team-mates who are full-time footballers is really important,' said Anna Signeul. 'It is fantastic to support the players in being the best they can be ahead of their first European Championships.'

If reaching the European Championship had brought elation, the build-up to the tournament was characterised by frustration. In the months before the tournament a number of key players in the squad suffered serious injuries that ruled them out of contention, depriving Signeul of the spine of her team. Any irritation felt as a coach was eclipsed by frustration that her players would miss out on potentially the greatest moment of their careers. 'Kim Little had been there for all those years,' reflects Signeul. 'Hayley Lauder had been in the squad all the time and such a loyal player, so good, and to tear her hamstring in the last minute of the last training game before we go to Holland. For Emma Mitchell to tear her hamstring in March. For Jennifer Beattie to injure her foot and not be able to play. For all these players that had been in the squad and fought so hard to be there. For them I felt really, really sad.'

The loss was felt by the entire squad, and for the players injured it was a devastating blow. 'I just remember feeling numb to it at first,' recounts Jennifer Beattie. 'I kind of shut down all emotions. I didn't really know what to do, I didn't really know how to feel apart from completely gutted.

'I couldn't bring myself to go to Holland,' continues Beattie. 'It was too tough. My family, extended family, and friends from school had all booked to go. They still went and had a great time, but I couldn't. I didn't even watch the games. I stayed in Manchester and did my rehab, focused on getting back fit for pre-season with my club. It was without doubt one of the toughest times of my career, but that's professional sport; it has its ups and downs, and that was a major down.'

Kim Little, who had sustained a rupture to her ACL in training six weeks before the tournament, is philosophical about her own injury. 'I look back now and I don't feel I missed out in any way,' says Little. 'It is all just part of the journey. Going through a long-term injury like that, you almost learn more from that than from anything else. I got different opportunities. I went over and did some of the TV stuff,

Scotland manager Anna Signeul contemplates the challenge ahead

Developing a strong bond with her players

The Euro 2017 squad create history

That winning feeling

Elation in Albania after qualifying for their first ever World Cup

The Scotland players happy and relaxed after selection for France

Shelley Kerr meets Scotland's trailblazers from the 1970s

Ready for France after beating Jamaica in front of a record crowd at Hampden

The manager keeps her eye on the ball

Warming up for the Auld Enemy

Scotland's first ever starting eleven at a World Cup

Singing the anthem with passion in Nice

The captain receives some final instructions

The team prepare to face England

A controversial refereeing decision hands England an early penalty

Claire Emslie tormenting her opponents on the wing

which was different for me. I am grateful that although I wasn't playing, I got to go and do that and experience something else.'

Injuries to key players would not be the only disruption to the team's preparations. A dispute developed between the Scottish FA and the playing squad over finances, support and the disparity in treatment between the men's and women's games. The disagreement resulted in the players refusing to fulfil any media duties until their concerns were addressed and led to the postponement of the announcement of the Scotland squad for the tournament. That the players were involved in a fight for proper recognition – even after having qualified for a major international tournament – was a sobering reminder of the challenges that women's football still faced.

PFA Scotland were engaged to represent the players and, after negotiation, a resolution was reached. The squad welcomed it, stating: 'This is an historic moment as it is the first-ever collective agreement between the Scottish Women's National Team and the SFA and is a major step towards achieving equality and parity between the men's and women's game at all levels. As a team, and individuals, we are looking forward to working closely with the SFA to promote and develop women's football in Scotland and ensure we are all moving in the same direction.'

Anna Signeul, who had diplomatically remained neutral throughout the dispute, was now free to announce her squad. She gathered at Hampden Park with Lisa Evans, Jo Love and Joelle Murray and unveiled the players she would be taking to the Netherlands. There were few surprises in her selections. The injuries sustained in the defensive positions handed an opening to Vaila Barsley, Sophie Howard and Rachel McLauchlan. The three players had collected only eight caps between them, but it was a fantastic opportunity for the young players.

Against a backdrop containing the words 'Humility' and 'Pride', the players – alongside Signeul – spoke of their delight at having helped Scotland qualify for their first-ever tournament. 'I have always wished for it to happen,' said midfielder Jo Love. 'There were times when I thought the dream would have been over, but we have persisted. It is a bit into the unknown. Hopefully we are going to enjoy every day that we are there and every minute of the experience.'

When asked if she now considered herself a role model, Love demonstrated with her reply some of the humility that was writ large behind her. 'It is a great honour to be looked up to. I don't like to see myself as any kind of pioneer, but if I can encourage one girl to go and pick up a ball and go and kick it around the back garden, then it's enough for me.'

Lisa Evans boldly expressed the confidence of the squad. 'We are not just going there to make the numbers up,' said Evans. 'We are going to show what we are about.'

A player who would not feature in the Netherlands was Julie Fleeting. The veteran striker had always been an outside bet to be part of the Scotland squad, but Signeul had wanted to give her an opportunity to work her way back into contention during the qualifying campaign. 'Anna brought me into the squad and made me part of the group that were pushing and trying to get to the finals,' recalls Fleeting. 'I tried to get myself back, but I was just plagued with injuries non-stop. I couldn't get a run of games and sustain it long enough to be at the fitness level that I needed. I had calf injuries all the time and I just couldn't shake them off. I think my body was just saying, "No, this is not for you."'

Fleeting eventually had to accept defeat, but the striker would still get to experience the tournament when, like Kim Little, she travelled to be part of the television coverage. 'Just to be there was fantastic,' says Fleeting. 'Being able to go to games and give my opinions on the games. I would have loved to have been on the pitch, of course, but I was really proud that the team had made it and we had this group of players who were finally getting success.'

One experienced player who would have the chance to conclude her Scotland journey on the pitch at that European Championship was 36-year-old Ifeoma Dieke. The central defender had made her debut 12 years earlier against Greece and had gone on to amass over 100 caps for her country. Having been born in Massachusetts to Nigerian parents, her football career may have taken a different path had her family not relocated to Cumbernauld when she was three years old. It was in the Scottish new town that her enthusiasm for the game was first spotted as she kicked a ball about in a local gym hall with her younger brother in the half-hour wait for her sister to finish high school. She was invited along to Cumbernauld Cosmos and, with the encouragement and moral support of a friend, they became her first club. 'Because I was so shy and so quiet back then, it was hard for me to make that move myself,' explains Dieke. 'I was excited about it, but just the thought of going somewhere new with new people, that was just the scariest thing for me.'

She quickly discovered that football was her passion and progressed through youth football into the senior game with Cumbernauld Ladies, where she won back-to-back trebles in her first two seasons. 'You are just this little kid and you are thrown into the world of competing with actual women. People who were ten years older than you,' recounts the former Scotland defender. 'You are going into a changing room with people like Pauline Hamill, Pauline MacDonald, who captained Scotland, Michelle Barr. Big names and big personalities and you are just, "Wow!"'

Dieke would go on to forge a successful professional career, playing in the USA, Cyprus and Sweden. It would be Vera Pauw that invited her into her first Scotland camp. With Nigerian heritage and having been born in the USA, Scotland was one of three national sides that Dieke was eligible to represent, but the pull of the country she had grown up in proved too enticing for the formidable defender. 'I got an invite into camp for the USA in California,' recounts Dieke. 'I had already been to Scotland camps and it was going to collide with the first European qualifier against Ukraine, so it was tugging on my heartstrings. The week before I was due to go, I just wasn't excited. I couldn't put my finger on why I wasn't excited about going to a US camp and then I thought, "You know what, I just don't want to do it. How can I represent a country I don't really feel any attachment to?"'

Dieke chose Scotland and never looked back. She would go on to play for her country an astonishing 123 times, reaching her century in 2014. Dieke was also one of only two Scots, alongside Kim Little, who represented Team GB at the London Olympics in 2012. It proved one of the highlights of her football career, although the experience was cut agonisingly short by an ACL injury in her second appearance. 'Growing up, like everybody else I watched the Olympics,' says Dieke. 'For me, it was the greatest sporting event and, being a girl from Cumbernauld and an Olympian, it is so surreal. There were two of us as well, as there was also a girl who played handball, so for Cumbernauld to have two Olympians, what are the odds of that? Just being alongside people like Chris Hoy and Mo Farah, athletes of that magnitude and at the top of their game, to be in the same room as them and soak it all up, it was definitely special.'

Throughout her Scotland career, her ambition had always been to reach a major tournament, and the numerous play-off failures had left Dieke questioning whether the squad would ever get over the line. 'You worked so hard for the two years of a campaign for it to be a letdown again,' says Dieke. 'It takes a lot out of you and you start to think, "Am I cut out for this?" You commit to a campaign. You put in the work. To have to then go back and be asked to work harder, to sacrifice more, have less of a social life and do all those things, it is hard, and as you get older it gets harder.

'The Spain one was the toughest,' continues Dieke. 'In my mind around that time it was going to be the Olympics and then the Euros with Scotland. That was the way I had written it in my head. Then I got my injury and I was out and not ready to come back into the national team for nearly two years. Qualifying would have been the kick up the backside for my rehab and to have something to really look forward to the following year. To lose that game with the last kick of the game, I was absolutely devastated. That was the time where I was, "This is never going to happen." It doesn't get any closer than that. We were literally five seconds away. The pain that goes with that was unbearable.'

Scotland's eventual qualification for the European Championship in 2017 gave Dieke the opportunity to remove that pain forever. 'I just remember the joy of knowing that we had finally done it,' reflects Dieke. 'The relief not just of that campaign but of all the failed campaigns we had had up until that moment.'

The Scotland squad finished their build-up with a single-goal victory over the Republic of Ireland at Stark's Park. Christie Murray, then playing for Liverpool, headed home the winner in front of an exuberant crowd in Kirkcaldy. The match represented a significant milestone in the career of Scotland captain Gemma Fay, who picked up her 200th cap for her country. It was an astonishing achievement for a goalkeeper who had made her Scotland debut 19 years earlier at the age of 16, whilst still at school. 'On the Sunday I was making my debut for the Scotland national team,' says Fay, recalling her 1999 debut against the Czech Republic. 'And then on the Monday, I was back in double maths! I can remember my family being in the stands and being extremely proud to hear that national anthem. Looking back, it was fantastic. And if I knew then the opportunity that it would have given me for the future and for my entire life, I would have been amazed.'

Establishing herself as first choice for Scotland at such a young age was a huge achievement, but it meant that the mistakes that every goalkeeper makes in the early stages of their career tended to be played out on the international stage. At times it was not easy, but Fay rapidly identified her strengths and weaknesses and worked on the mental side of her game so she could recover from any errors quickly. It delivered a consistency that kept her in the Scotland side and led to her eventually being named captain by coach Anna Signeul at the start of the 2009 Cyprus Women's Cup.

As she approached the end of her Scotland career, qualification for the European Championship had rewarded all the challenges of the past. 'We talked a lot about being that so-nearly team and we wanted to change that mentality,' says Fay. 'That is not what Scottish football is about.'

The match in Kirkcaldy gave Anna Signeul's team the win they desired before they departed for the Netherlands, and meant that the goalkeeper joined an exclusive group of players including Hope Solo and Carli Lloyd of the USA, Christine Sinclair of Canada, and Germany's Birgit Prinz, who had all reached 200 international appearances for their country. 'It was quite an emotional day,' reflects Fay. 'I didn't think it was going to be, but just thinking about all the games that had gone before and everybody that had been there to help me along the way, I had a wee tear in my eye before the game.'

The squad knew that a significant test would await them in the Netherlands, none more so than the opening game against pre-tournament favourites England in Utrecht, but the opportunity to represent their country at their first-ever major tournament was what they had worked so hard to achieve. Their moment was finally about to arrive.

11

Participation

GEMMA FAY sat alongside Anna Signeul at the pre-match press conference, the night before the England match. The Scottish goalkeeper laughed when a journalist mentioned that the English squad had recently been given a history lesson about the rivalry between the two countries. 'I don't think we need a history lesson in anything about the English,' Fay replied. 'When you are born in Scotland, the Scottish/English rivalry in sport, you're just born into it. It is one that excites us, but it is not overshadowing what we are here to do, and that is to go out and look to win this first game in the European Championships.'

Amongst the wider squad there was anticipation ahead of the game. 'It was exciting,' recounts Leanne Crichton. 'And it was so new, everything about the experience. The hype around it, the hotels you were staying in, the way that training was set up, the hype around the games, the team buses, it was just stuff that we had only seen on TV. So to actually be part of that, and to be part of that with your friends and your team-mates, meant a huge amount.'

Signeul knew that England would present a huge challenge for her squad. The Lionesses' strength was in their attacking line and Scotland would have to face them without many of their regular defenders. Even some of those available for selection were struggling with injury. 'For probably four out of the five weeks building up to the Euros, it was entirely off-feet training,' explains defender Rachel Corsie. 'I wasn't running at all. I wasn't allowed any load through my knee. At the Euros, I would play and then I wouldn't be able to get out of bed really. It was so sore.'

The match was to prove a bruising experience. Scotland conceded after just ten minutes and by half-time found themselves 3-0 down. The England attack had been unrelenting, with Jodie Taylor in particular causing the Scottish defence problems. 'It was really tough to play against England in the first game,' reflects Signeul. 'An England that was really on fire, with attackers that had been so successful. We have three of the four players in the back line injured. Emma Mitchell was away, Jennifer Beattie was away, and Hayley Lauder was away. So, you need to be realistic. To be able to compete on that level, we needed our best players.'

'I had played consistently with Rachel Corsie, Jenny Beattie and Emma Mitchell,' reflects Ifeoma Dieke. 'We had that settled back four. You have a connection with the players that you are used to playing with and sometimes you don't even need to communicate. They know where you are going to be, and I know where they are going to be. It is just that rhythm. To go into a tournament and have that disrupted and have new players who were not just new to the squad, but new to international football, it just becomes difficult. That first game we just crumbled with the pressure.'

Their troubles were exacerbated further when one of their best forwards, Jane Ross, was taken out of the game by an unforgiving challenge from England captain Steph Houghton. Her replacement, Lana Clelland, recalls the emotion of taking to the field as a result of the incident. 'I never expected to be put on at half-time,' says Clelland. 'They were on top of us all the game, so I was told, "Just try and bring the line further up and try and push them back. Make those runs and try and put them under pressure." We were obviously 3-0 down already, you are at a major tournament, we just need to show why we are Scottish and why we deserve to be here. I ran for my absolute life. I just wanted to bring as much energy to the park as I could, and I hope I did that.'

Clelland added much-needed energy and the Scots performed better in the second half, but the power of the England attack again proved too much and the game finished with a 6-0 defeat. Speaking after the match, Signeul reflected that it had been a daunting occasion for her squad and that perhaps this had showed in the nervousness of their play. Captain Gemma Fay echoed the frustration. 'The goals we lost,' said the Scottish goalkeeper, 'there were a couple that were good play by England, but scrappy from us and that's what we're most disappointed in. We played better in the second half in terms of ball retention and creating chances, which was good, but if we don't defend properly or we give them opportunities, they're going to take it.'

The match was a wounding introduction to tournament football for the whole squad. 'You base success on winning games and performing,' says Leanne Crichton. 'And certainly, in that first game against England we never did that, so it was a crash landing in a major tournament and one we had to learn from very quickly.'

Signeul is keen not to make excuses for the result, but there is no doubt that the long list of absentees had left her squad significantly weakened. 'Losing out on seven or eight of your best players, no one can do that,' she reflects. 'Not even England can do that. Vaila Barsley and Sophie Howard came in and were really good players, but Vaila Barsley had never played a competitive match, and to be put on the pitch against England was really hard.'

There still remains a lingering sense that her team were unfairly criticised afterwards, with journalists not fully recognising the full context of the match. 'I think the media was too tough on us and couldn't see the bigger picture,' says Signeul. 'There is so much heart and feeling in football, and when they are there they just want the team to win so they don't look at the tackle that Steph Houghton did on Jane Ross, and she couldn't play anymore. That is a terrible tackle. No one spoke about that very much. They actually took out one of our best players.'

The tackle from Houghton ended Ross's tournament. The loss of Ross for the remainder of the games was a significant blow for the squad. The talismanic striker's ten goals in qualification meant that she had finished joint top scorer across the whole of Europe, along with Þorsteinsdóttir of Iceland and Norway's Ada Hegerberg.

The humble and self-effacing demeanour of the current Manchester United striker means that team-mates frequently refer to her as one of the nicest people in football, but in Jane Ross there is a fierce determination and drive to succeed. 'I am quite a driven person,' says Ross. 'I am constantly trying to improve and constantly trying to be better. No matter what you have achieved as a player, there is always that next level and always something you can improve on.'

It is a determination that she demonstrated from an early age as she sought to make her way in the game. Growing up on the Isle of Bute, just off the west coast of Scotland, her pathway required an extra degree of commitment and logistical planning. There were no dedicated girls' teams on the island, so she was forced to join a club on the mainland. Ross describes her complicated weekend routine: 'It was a ferry trip on the Friday, up to Paisley to stay with one of my friends there. Stay the whole weekend and play Under-15s on the Saturday and then Under-17s on the Sunday and then home again. At the time I didn't really think much about it. I was just excited that I was getting to go away and play with these other girls.'

Ross was one of the initial players in the Scottish FA's National Women's Football Academy, combining it with playing for Glasgow City, where she scored a phenomenal 104 goals in 118 appearances. Her evolution into a top-class striker attracted the interest of Swedish club Vittsjö GIK and brought the offer of a professional contract.

Playing football full-time had been a long-held ambition of the young striker and the move to Sweden offered the opportunity to link up with Scotland team-mate Ifeoma Dieke. 'I knew Ifeoma was playing there at the time,' says Ross. 'She had spoken positively of it and the environment and, having spoken to the coach on the phone, it seemed like the right move for me at that time. It was exciting. I ended up really enjoying it there and felt at home. I really enjoyed the environment and the club and so I stayed for three years.'

Ross would eventually return to the UK to sign for Manchester City before the European Championship. The foul by her Manchester City team-mate, Houghton, in the first half of the England game in Utrecht meant that her European Championship was over, a frustration for both the player and her manager.

If the margin of defeat to England had been disappointing, the loss to Portugal in their second match four days later in Rotterdam was exasperating. Portugal were ranked 38th in the world, 17 places below Signeul's team, and on paper it offered the most realistic prospect of securing three points. The Scots passed up a couple of early chances in the game to give themselves the lead and their failure to score was punished by the Portuguese after 27 minutes, when Mendes fired them in front. It was a lead that they held until the 68th minute, when Erin Cuthbert, on for Clelland, combined with Caroline Weir and curled the ball past the goalkeeper. Her manager would later warmly praise the young striker for her contribution. 'Erin did really well when she came on,' said Signeul. 'She has such great technique and a technical mind. She is fearless; I am very proud of her.'

Scotland's first-ever goal at a major tournament had finally arrived, but any hope that it would provide the springboard to victory was erased minutes later when substitute Oliveira Leite outsprinted the Scottish defence to slot the ball beyond Gemma Fay. Scotland pushed for an equaliser and Caroline Weir hit the post late on, but a combination of luck, resolute defending and proficient time-wasting by their goalkeeper meant that the Portuguese retained the lead until the final whistle. 'When you come to these tournaments, the margins are so small,' said a rueful Anna Signeul afterwards. 'This is how it is sometimes.'

The loss left Scotland having to defeat Spain in Deventer by two clear goals and hoping that Portugal lost to England in their final match. In the end, they secured the win against the Spanish but fell agonisingly short. A heroic performance saw them defeat Spain 1-0 with a goal from Caroline Weir but, despite being roared on by a small but vociferous Scotland support, they couldn't find the second goal that would have taken them through to the knockout stages. The Scotland manager was disappointed not to progress, but felt enormous pride in how her team had performed. 'It was fantastic how we fought,' said Signeul after the match. 'It has been so long that we wanted to get to this tournament that today we had everything to win and nothing to lose. I am so proud of them because today we showed what we are about. After the first two games, if people thought Scotland were not very good, then tonight we showed we play good football and have great technique.'

It was a theme that goalscorer Caroline Weir echoed. 'We just didn't quite get that second goal,' said the Scotland midfielder. 'But we go out with our heads held high. On any other day, that's a top result against a very good team, but unfortunately tonight it's not enough.'

The final whistle had signalled the end of Scotland's tournament and Anna Signeul's time in charge of the Scotland national team. That it was their manager's last time in charge of the team was not lost on her players. 'We knew it was going to be Anna's final game,' says Rachel Corsie. 'That was emotional for the majority of the squad because, maybe bar four or five players in the squad, she'd given every other player their first opportunity. I think that person always holds a special kind of memory to everyone who has had that experience. It was something very unique.'

Reflecting back now, Signeul feels that there was no additional personal emotion attached to her last-ever game in charge. 'I think I was prepared for that,' says the former Scotland manager. 'It was very sad, of course, that ending, because one more goal and we would have been in the next round. That was disappointing, of course. I would have liked that journey to be a little bit longer in the Euros, just to take us to the next round, but when you take a decision months earlier, you have already processed it in a way. So of course, it was very sad to leave, but because Gemma stopped, Ifeoma stopped, it felt like a natural ending.'

For Dieke, it was a bittersweet moment. She had finally achieved her ambition to represent Scotland at a major tournament, but coming so close to reaching the next round hurt. 'I never wanted to say that I was going to officially retire after the Euros,' reflects the former Scotland defender. 'That would have then become the storyline for so many things. But in my mind, I knew regardless of what happened, that was what I wanted my final chapter to be for Scotland. I was 36, I had had a great run.

'To go one goal up against Spain and be thinking, "We could actually do this,"' continues Dieke. 'We were throwing everything at it and we just couldn't get the second goal we needed. At the end I was in tears. It was just the feeling of, "That's it." Not only was it the end of the tournament, that was also the last time I was going to kick a ball for Scotland. It was maybe more painful.'

Dieke now views Scotland's performance in the Netherlands as an integral part of the evolution of the team. 'You get there and you think, "This is brilliant,"' reflects Dieke. 'You end up sort of being like a deer in the headlights. It is all new and amazing, instead of thinking, "We are part of this," but you learn from that and it helps the squad at the next tournament. After the Spain game I just remember telling the younger ones that the experience will stand them in good stead for the future. I told them, "It won't break you. It is what is going to make you. You learn from your disappointment and your failures. It makes you more resilient. It makes you stronger."'

The squad may have narrowly missed out on progressing, but the experience would strengthen them, and the memories created by the Scotland team at the tournament would endure. 'I am very proud of the team and the way we played the games,' says Signeul as she reflects back on the tournament. 'I don't think that we could have done much different. I am so happy that all the hard work that we had done had brought Scotland to a European Championship and to be a team that the football world was talking about.

'When I first came to Scotland, I was so naïve,' continues Signeul. 'I thought we'd qualify for the Euros within four years, but in the end it took 12. I totally believed in what we were doing though. We didn't want a short-term fix. I didn't want to just put all the money into the national team in order that we qualified and do nothing else, because I wanted to build something sustainable. Something that we could be proud of when we stopped. A legacy.'

It is this legacy that gives her the most personal satisfaction. 'Ann-Helen, Sheila and I are very proud of what we built up together,' says Signeul. 'The success in Scotland was not by default. The success in Scotland was by design. I always said to the players, "Everything is possible. We can do this. We just need to work hard. It will take time, but we need to be patient and we need to believe in what we are doing, and as long as we believe in what we are doing and we train hard and work hard, we will get there in the end."'

Under the guidance of Anna Signeul, the squad got there in the end. The significance of her achievements remain widely celebrated by the whole of Scottish football. 'Anna transformed Scottish football,' says Laura Montgomery of Glasgow City. 'She was brought in as national coach, but along with Sheila Begbie, she grabbed the game by the scruff of the neck.'

'There were people who disagreed with some of her tactics,' says current Scotland captain Rachel Corsie. 'But you certainly can't dispute how she drove the game forward. Exceptional. She had ideas that people thought were crazy, but that's just because she understood what top-level sport looked like.'

'Anna has made the biggest single contribution of anybody to women's football in Scotland,' reflects former colleague and friend Sheila Begbie. 'She was a fantastic leader. She was really inspirational. We all followed her. The players followed her. I followed her. She was doing a fantastic job. What she was doing was really infectious. She had a really personal touch to how she did things and she could laugh at herself. She really cared about the players and took good care of the players.'

'Anna was great for the players and off the pitch she was mental,' reflects Christie Murray. 'Some of the random team activities she would have us doing. At the Euros she had us working in teams to herd sheep. Actual sheep! We walked out and we were like, "Are you kidding us on?" She had us doing all sorts of things, on paddle boards in Brazil and on quad bikes. She was always trying to make it a fun environment.'

It is her relationship with the players that brings out the greatest affection in Signeul's voice when she reflects on her time in Scotland. The warmth for her squad remains as strong as it was when she was their manager and she follows the careers of her former players as closely as if they were still under her guidance. 'I had Jane Ross sending me a text yesterday and Leanne Crichton last week,' recounts Signeul. 'Every success that Scotland has, every success that the players have, every success that any individual player has, I feel a part of, and I feel joy over. When I see Jane Ross score a goal in the qualifying campaign, then I get a tear in my eye. When I see these players have success, I know how hard they worked, and I really am with them in every situation. I am so proud of them.'

Anna Signeul had been an inspirational influence, the heartbeat of the national squad for over a decade. She had transformed Scottish football and taken her side to a major championship and a place on the European stage. She knew that she was leaving behind a Scotland squad stronger than it had ever been, a belief she made clear in her final comments to the press as manager: 'I am absolutely convinced that this team will go on and qualify for the next World Cup.'

12

Determination

'RIGHT AWAY, you are up against it,' explains Shelley Kerr on her early experience of playing football. 'It wasn't deemed the right thing to do, for a girl to play football. It was tough. I would come home and sometimes be distraught, because people didn't want me to play.'

Shelley Kerr grew up in the 1970s when stigma around girls and football was still an accepted part of life. She was labelled a 'tomboy' for wanting to take part in the sport she loved, but rather than discouraging her, it merely fuelled her desire to succeed. Kerr would join her older brothers and the rest of the boys in her village for games on the local football field. It could be a challenging environment, but it helped her develop the resilience and courage she retains to this day. 'I found myself, right at an early age, always having to be strong,' says Kerr. 'I had to be able to run quicker, I had to tackle as hard as the boys, I had to practise kicking the ball further. But I also had to develop being brave and resilient and being able to challenge other people.'

The Scotland manager's character was not only influenced by her experiences in football, but had also been shaped by her background as the youngest of four children in a working-class family from Polbeth, a small mining village in West Lothian. It is an upbringing and community that she remains fiercely proud of. 'My parents taught me real working-class discipline and values,' says Kerr. 'I can hardly ever remember them being off their work. If they were ever off it was because somebody had died. That was how I was brought up.

'Even when I go back to see my mum and dad now,' continues Kerr, 'they just treat me the same. I am from a working-class place and I am proud of the little community I come from and they see me as that Shelley who kicked a ball from an early age. They don't see me in a different way, and I like that.'

For many families in the 1970s, there may have been the temptation to discourage their daughter's interest in football. Kerr's parents were encouraging and supportive, however, with her mother even sending a letter into school asking if her daughter could be excused dancing and allowed to take part in football instead, a request that was granted. It was a welcome opportunity to play, as the lack of organised girls' football – and rules preventing her from joining a boys' club – meant that she had to make do with informal kickabouts and infrequent matches for her primary school.

At secondary school, even the option of playing for the school team was removed. So, aged just 13, she was left with no choice but to join a senior women's team. Kerr was young and still physically small, so her first two years at Edinburgh Dynamos were spent largely on the sidelines, but it gave her the opportunity to absorb what she could, learning from the older players and developing her technical and tactical skills until she had matured sufficiently to feature regularly for the first team.

The chance to learn from her more experienced team-mates was a welcome one, as role models for aspiring young female footballers were thin on the ground at the time. Visibility of women's football was non-existent, and with no television coverage of the Scotland national team it was hard even to know where or when they played. 'The first woman I saw playing football was Rose Reilly,' recalls Kerr. 'I remember watching a documentary on the TV and that was the only exposure I had to a female footballer from Scotland that had done well.'

Kerr would have the opportunity to meet the World Cup winner later in her own career, an encounter that Reilly recalls with fondness. 'I met Shelley in about 2002,' recounts Reilly. 'She was playing for Kilmarnock against Ross County at the time. After the game, Elsie Cook said to me, "There was this wee lassie that wants to meet you," and it was Shelley. She came sprinting over with a big grin on her face. She was asking me all these questions about Italy and I thought, "She'll go somewhere." She is a sponge and intelligent people are like that. They absorb everything that is going on around them.'

Kerr's ability to learn saw her progress into the Scotland national side and she made her debut against England at Stark's Park in 1989. It remains a highlight of her career. 'I still have a little soft spot for Raith Rovers as a club because I got my first cap there,' says Kerr. 'It brings back fond memories. I came on as a second-half substitute and I remember it well. Hope Powell was playing in the midfield that day for England and I went on and played as a striker. It was a proud moment.

'When you start kicking a ball,' continues Kerr, 'you do it for fun initially, but everyone dreams of being on a pitch scoring goals for Scotland. My parents have still got newspaper clippings from when I was a ten-year-old and the first girl to play for my primary school, and I said at the time that my dream was to play for Scotland.'

Kerr would represent Scotland 59 times, shifting position to become a strong, no-nonsense centre-half. She reflects on the abilities she brought to the role. 'I was rough,' she laughs. 'I was quite tough and aggressive, but controlled aggression, I was very smart. I would always say that I probably wasn't the most talented player, although I did have some talent, but I worked hard, and I could read the game.'

'Shelley would drag me through games at times,' says fellow Scotland defender Ifeoma Dieke. 'She was tough as boots. She would stick her nose into things. She would slide tackle, take the ball, the player, our player, other players. She was an absolute warrior. You could see the passion in the way that she trained and the way that she played and definitely when she sung the anthem.'

The chance to represent her country remains an immense source of pride for the current Scotland manager, and she talks passionately about the team-mates she played alongside during her Scotland career. 'The players I played with were phenomenal,' says Kerr. 'Julie Fleeting, Pauline Hamill – the first player to get 100 caps – and players like Linda Brown. There are too many to mention. We had so many fantastic players at the time.'

Her domestic football career took her to Kilmarnock, Doncaster Rovers Belles, Hibernian and Spartans, winning every domestic honour possible in Scotland and playing in the UEFA Women's Cup, the forerunner of the Champions League. Alongside her playing career, she gained experience of coaching at every level in the game with spells as player-coach at Kilmarnock, Hibernian and Spartans, and experience as an assistant manager in the men's game with local junior side, Stoneyburn. 'The committee came to my door,' recounts Kerr, 'and said, "Look, our manager has just left, and we have not got anybody to take training. Will you come and take training?" So I said, "Aye, of course, no problem." I turned up and the guys were all out on the pitch. I went over. A few of them I knew, a few I didn't. I went over and said, "Look, you're bottom of the league, your manager has just been sacked and now you have got a lassie taking your training session." I said, "Don't worry, you are in capable hands." I took the session and it was absolutely fine. The guys were great.'

There is an extraordinary thoroughness to everything that the Scotland manager tackles, and the coaching experience she accumulated throughout her career was by choice not chance. 'I wanted to do it the right way,' says Kerr. 'And for me, the right way was going through the children's pathway, the youth pathway, the adult pathway and developing all of my skills. And on top of all that, work in boys' football, work in nurseries, work in development squads, work as an assistant coach, work as a volunteer, work in different clubs. I think what that does is develop your skill set at all different levels of football. There was always a conscious effort on my part to try and get the broadest skill set possible and different experiences.'

Her experience led to her being appointed Technical and Development Manager for Girls' and Women's Football at the Scottish FA as she approached the end of her playing career. She was charged with managing the Scotland Under-19 team, steering them to the 2010 UEFA Women's Under-19 Championship in Macedonia and memorably securing a draw with Italy in their final group game. Her success in the role provided the springboard to one of the most successful teams in the women's game, when Arsenal approached her for the role of manager in 2013. 'I got the phone call on a Sunday out of the blue,' recounts Kerr. 'I thought it was one of my pals winding me up at first. They asked me if I would be interested and I said, "Yes." So, I arranged to fly down and meet with them. I spent the day down there at their training ground and got offered the job.'

The club was not fully professional at the time and only trained twice a week, but it was an outstanding opportunity. The London club had excellent facilities and a squad packed with talented players such as Kelly Smith, Alex Scott, Rachel

Yankey and Kim Little. Her time at Arsenal brought success, but was ultimately short-lived, lasting only 16 months. She led the side to a cup double in 2013, but after a mixed start to her second season, decided to quit.

The decision to leave the London side had been a difficult one, but had been influenced partly by a desire to return to Scotland with her daughter. 'We both missed home,' says Kerr. 'And aspirational-wise, things weren't moving fast enough for me, if I'm being honest. I am a really ambitious person and I thought I needed to be home. I took a big gamble and came up the road.'

The Scotland manager now looks back on her time in London with no sense of regret. 'Your gut feeling is usually the right one and I made the decision to come back home and it has worked out pretty well,' reflects Kerr. 'It was tough, but it was good. We won back-to-back FA Cups, we won the League Cup and we played Wolfsburg in the semi-finals of the Champions League. It was a great learning curve for me.'

Back home in Scotland, Kerr considered her next step. She contemplated what would set her apart from many of the other well-qualified coaches in the Scottish game, eventually deciding to pursue a degree in sports management. She believed the qualification would help distinguish her from her contemporaries and also satisfy a lingering personal frustration about having left school with no formal qualifications. Having been accepted by the University of Stirling, a chance encounter while waiting to start her course shaped her next move. 'I was at a game doing a bit of scouting,' explains Kerr, 'and someone said that Stirling University men's team might be looking for a coach. I thought, "That is quite interesting."'

Kerr asked around about the post and, when it was advertised, submitted her application. At her interview she highlighted her qualities as a coach and put forward the wealth of experience that she had accumulated across the course of her career. On the journey home her phone rang. 'I pulled over and stopped the car,' recounts Kerr. 'It was the lead guy from the interview panel. He asked me how I thought the interview had gone, and I was thinking, "Get to the point!"'

Kerr was informed that they wanted to offer her the job and were willing to help fund her degree if she completed it over two years rather than one. There was no need to think twice. Kerr accepted and early the following morning arrived on campus to take training.

The first 24 hours in the job would prove a whirlwind. Not only was she starting a new job with a completely new squad of players, but she was also one of the first female managers in the men's game. Word spread rapidly. 'I went in the following morning and got introduced to the boys,' says Kerr. 'By lunchtime, the BBC had turned up at the campus. It had already gone viral and I actually had to do a coaching session for the BBC with about six of the boys so that they could feature it on the news that evening. I didn't even have time to tell all the members of my family that I was taking the job. My sister and my brother watched it on the news! It was crazy; the university had requests from as far away as Israel to do interviews.'

Amidst the media frenzy, Kerr's only concern was making a good start in her first match. There was no need for concern. Her side secured a credible draw with Dalbeattie Star and, under her guidance, results quickly improved. She would remain manager at Stirling University for the next two and a half years, her performance attracting the interest of several senior clubs in the Scottish League. 'There were a couple of approaches from senior teams,' says Kerr. 'But the timing wasn't right for me at that point. I was about to go into the graduation period and there were a few months left for me to do my dissertation.'

Kerr had ambitions to work at a higher level in the game, but the successful completion of her degree took precedence. However, it would not be long before another opportunity presented itself that would prove impossible to turn down.

13

Preparation

THE SEARCH for a replacement to Anna Signeul was never going to be easy. The Swede had shaped Scottish football for over a decade and delivered on her ambition for Scotland to feature at a major tournament. With qualification matches for the next World Cup due to start just four weeks after the European Championship was due to finish, there was a need to find someone who could hit the ground running. Across at the University of Stirling, Shelley Kerr had completed her sports management degree, was established in the manager's role and enjoying working with her young squad. 'I have to be honest,' says Shelley Kerr, 'I had no intention of leaving Stirling. I was really happy in my job. I was doing my job and I was doing a bit of lecturing up there as well and I absolutely loved my time. I was definitely not looking for another job.'

A phone call from a recruitment company about the vacant Scotland manager position would change all that. Managing your country brings a prestige that few other managerial positions can offer. It affords the chance to work with the best players in the country and the opportunity to achieve success that can energise a nation. Kerr was aware that it was not an opportunity that would present itself often. She also knew that she would be inheriting a strong legacy from her predecessor. Anna Signeul had been her coach as a Scotland player, her line manager at the Scottish FA when she was managing the youth squad, and had mentored her in that time. She knew intimately the Swedish coach's qualities and the impact that she had had on the Scotland squad, a group of extremely talented players who were ambitious for success. She applied for the job and, after a rigorous interview process, was offered the post.

The phone call to inform her of her success came whilst training with her Stirling University squad and she initially had to hide her delight as the Scottish FA wanted to announce her appointment a few days later. She was allowed to inform those closest to her, so at the first available opportunity she phoned her family. 'I told my daughter first and it was amazing,' recalls Kerr. 'We're like pals and have a really tight bond. I love our relationship. God bless her, she's probably missed out on a lot. I've missed out on a lot of her milestones with playing and being away: parents' nights, school stuff, things like that. That eats away at you because you never get those moments back. It was really, really tough at times.'

Being able to tell her daughter that she was about to become the manager of Scotland was a special moment that went some way to repaying the sacrifices of the past. 'You are out there in the spotlight, but people don't see you as having family or having an emotional side,' says Kerr. 'Sometimes people think that as a manager you don't have emotions and you aren't a normal person. You are normal. I have got feelings and I have got emotions.'

The Scottish FA formally announced her appointment on 3 April 2017. In her statement to the media, Kerr spoke of her delight at being offered the post: 'I am extremely proud and honoured to be named as coach of the Scotland Women's National Team,' said Kerr. 'As a young girl, and being extremely passionate about Scotland, it was my ambition to represent my country, and now to get the opportunity to lead the women's national team is a dream come true.'

She went on to pay tribute to her predecessor. 'Anna Signeul has done a fantastic job throughout her 12 years in the role and has really changed the perception of the girls' and women's game in Scotland,' Kerr concluded. 'We have a great group of players and my goal is to continue the good work and sustain the level of success that the team has achieved in recent years.'

Kerr immediately turned her attention to her ambitions in the role, along with her newly appointed assistant, Andy Thomson. 'I think when you go into a national team you have to have a vision and a philosophy,' says Kerr. 'I was a player for many years, and I had been involved as a coach. I had worked under Anna and I had worked with Vera and so on, and I had my experience from Arsenal. I think what myself and Andy and my close staff did, we discussed it and looked at the way the squad had been playing. We looked at players and personnel and devised a blueprint in terms of how we wanted to play the game and a style.'

Her approach would be built on what already existed, but she immediately turned her attention to what she felt was needed to drive the team on to even greater success. She was aware that the team had a reputation for being robust defensively and believed that this had been the right approach for the squad at the time, but her personal desire was for Scotland to adopt a more aggressive, attacking mentality. The thinking behind this was twofold: it would allow the team to compete more effectively in matches, especially against the higher-ranked teams, and it would also help entertain supporters and shift views of women's football. 'To change the perception, we wanted to entertain,' explains Kerr. 'Entertaining was the big thing for us. You can't always do that because of the opponents that you play, but where and when possible, we wanted to have more possession of the ball and play in a more expansive way.'

This involved players getting higher up the pitch, winning the ball there and, when they did so, going on the attack. The phrase that Kerr and her staff repeated to the players was 'the ball doesn't go in the net by chance'. It encapsulated the positive attacking mentality that she sought to foster. The challenge of international football and the irregularity of meeting up would mean that the message would take time to communicate, but achieving buy-in for the new philosophy was not difficult and over time her players embraced the shift. 'I think football-wise it really benefited the team,' reflects defender Sophie Howard. 'We went from a team who were trying not to lose to a team that were trying to win. You can't change that overnight. It was a long process to get to that point, but over time we became a winning team, rather than just a team that is trying to survive.'

'I think Shelley unlocked our potential as a team,' reflects striker Erin Cuthbert. 'We've always had talent in the squad, but Shelley has us playing an exciting, attacking type of football, which is enjoyable. Having a manager that has the belief that we can beat anybody gives us the confidence to go out and show what we can do, rather than what the opposition can do to us. We believe in ourselves and that is all down to her.'

'Tactically, she helped give us a different shape and a way of playing that suited the players that we had,' says Christie Murray. 'With the players that we have got, especially going from middle to front, we have some of the top players in the English league. When you have got players like that you want to showcase them. You want them to get on the ball. The style of football suits how we are as a team and the players we have got available.'

Kerr's arrival energised the squad. Players, even those who were regulars in the side, felt that they had to prove their worth to the new manager. 'I just remember those first couple of training sessions under Shelley and Andy just being through the roof,' recalls Leanne Crichton. 'Because people were all of a sudden running about mad. Not that you weren't turning up before, but there was loads of competition and there was loads of squad rotation. Everybody was on their toes.'

'It was like a breath of fresh air with a new coach coming in,' says Lana Clelland. 'To see someone Scottish with that passion. It gave people the opportunity to show what they could do. We had such good young talent coming through and I think it gave them a determination to say, "OK, right, now is my time."'

The team had only one warm-up match against Hungary before the World Cup qualification matches began, which they won comfortably 3-0. It was only a friendly, but it provided Kerr with a winning start to her Scotland career.

The teams that Scotland would face in qualification were Albania, Belarus, Poland and Switzerland. The psychology of avoiding one of the stronger sides in Europe helped the squad as it meant they avoided the automatic deflation of being paired with a side like France, Germany or England. 'You need a little bit of luck in the draw and we got that,' says Pauline Hamill. 'We got Switzerland. Don't get me wrong, Switzerland were still a good team, but we didn't get a Germany or another real, real top team.'

There was a renewed determination after their European Championship experience to succeed. 'It was like we had had a little nibble of what we could experience,' explains Lana Clelland. 'The Euros is a big competition, but the World Cup is on another level. We'd had a little snippet of what could be and the determination throughout the group was just to come back so much stronger and to get to that World Cup no matter what.'

The intense pressure of never having qualified for a tournament had been lifted and the motivation in the squad was arguably higher than it had ever been. Those who had experienced the Euros wanted to get back to a tournament and do better, those who had missed out through injury were desperate to get to their first major tournament, and those who had not been selected for the Euro squad were determined that they would not suffer the same fate again. 'You could feel it from the whole squad,' reflects Sophie Howard. 'We really want to do this, and we believe in each other.'

That belief was shared by Shelley Kerr. 'From the outset we were quite clear,' says Kerr. 'Our objective was to qualify automatically for the World Cup. We didn't dress it up. We didn't say, "We want to be runners-up, or we want to get to a play-off." We said, "We want to qualify for the World Cup."'

At the heart of Kerr's approach to management is preparation. She is methodical and thorough, leaving no stone unturned in preparing for a match, regardless of the opponents. She and her staff work tirelessly to make sure that the squad is equipped to deal with any challenge that might arise. She knew that if Scotland were going to compete effectively in the qualification group then the players had to be as well prepared as they could possibly be on every aspect of the game – physically, mentally, technically and tactically – and instilled with the confidence to express themselves.

To help achieve this, she knew that she needed a strong captain who could lead the squad. Gemma Fay had retired, and she needed a new voice to drive the team forward on and off the pitch. She believed that experienced defender Rachel Corsie fitted the bill.

Football is woven into the fabric of the Corsie family. Her great-grandfather played for Aberdeen prior to the First World War and even built the brick dugout at Pittodrie, one of the first of its kind in Scotland. Her mother is a passionate Aberdeen season-ticket holder and together they would regularly attend matches. Her father was an amateur coach and, as a child,

Corsie would accompany him to matches on a Saturday. 'My earliest memory is my dad used to either go to his football or go and coach his football and if I didn't have anything on, I would just go with him,' says the Scotland defender. 'I remember on a Saturday watching the game and I would fill the water bottles or collect the corner flags at the end of the game or chase the ball that would go over the fence every so often. It was just part of my life really.'

The strong presence of football in her life led to her playing for her primary school team, one of only two girls in the team. Like many other young female players at the time, she discovered that as she got older, the option to continue playing for her school was removed. It never felt like an injustice to the young footballer; it was simply accepted as how things were in that era.

Corsie signed for Aberdeen Ladies in 2006, spending 18 months at the club. The team was not officially affiliated to the club she passionately supported, but they wore their strip and trained next to the stadium, so it was as close as she could get to representing her hometown club. Reflecting back on her early years playing, she accepts that she had talent but remained unaware of the possibilities that lay before her. 'I never had any inclination that I was on any sort of pathway to play for Scotland,' says Corsie. 'It sounds so silly, but it wasn't even on my radar. I didn't even think that a professional footballer was something that I could be. It wasn't like I didn't want to be. I just didn't put two and two together.'

Her ability would soon mark her out and she progressed into the Scotland Under-19s set-up, representing her country 16 times and becoming captain. To help facilitate the transition from youth level to the senior Scotland team, Corsie moved to Scottish champions Glasgow City. She had faced the Glasgow side many times and recognised that the standards they set were far superior to most other clubs at the time, although having just started a degree in Aberdeen, the move presented a major logistical challenge.

'How we worked it,' explains Corsie, 'I came down on a Thursday for training and, depending on what lectures I had, I would stay to the Friday and then go home, then come back down on the Sunday for the game. Twice a week I was driving back and forth. I was lucky in that Robert Gordon University had a sports scholar programme, so in terms of my conditioning and my gym work, I was supported by them through that, and I also trained with the University men's team, which was actually really, really good.'

She had joined the club as a midfielder, but an injury would result in her finding a new position on the pitch. Returning from injury, she was allowed to join in a training session but only as a passive defender to assist the forwards in practising their crossing and finishing. It quickly became apparent that she was a natural in the position as she headed ball after ball clear. She shifted to the centre of defence and has stayed there ever since. Her time at Glasgow City brought six league titles and eight cups and she successfully progressed into the senior Scotland side, winning her first cap during a 3-0 defeat to France in 2009. 'I don't remember too much of the game,' admits Corsie, 'but I can still relate to the emotions that I felt when I first knew I was going to be playing.'

Her Scotland career blossomed but was briefly interrupted when she damaged her ACL in the heartbreaking European Championship play-off defeat against Spain. The time spent rehabilitating allowed her the space to complete her accountancy qualifications and progress her career in the field, but she would soon make the switch to full-time footballer when she was offered a professional contract in England with Notts County. After a year with the Nottinghamshire club, her career-defining move arrived when she was offered a chance to sign for Seattle Reign in the US league. It was a fantastic opportunity to join Scotland team-mate Kim Little under the management of English coach, Laura Harvey. On arriving in Seattle, she immediately knew that she had entered an intensely competitive environment. 'There were people who had won World Cups and Olympic gold medals,' explains the Scotland defender. 'You just go, "Wow. I am on the same pitch as you." If you'd gone back 18 months, I was doing my professional exams and recovering from my ACL. Now, I am getting shouted at from Hope Solo, which was terrifying!'

Corsie would spend two years in Seattle, but the latter part of her time with the Washington club was interrupted by injury. Having flown back to Scotland and undergone surgery, she received an unwelcome call. 'I had the surgery,' says Corsie. 'It was probably two days after surgery that the owner of Seattle called and said, "We are looking to release you. We don't see you as part of the plans."'

It was a brutal moment at a difficult time for the defender and she began to question whether, after rehab, she would be able to secure another professional contract. An approach a few weeks later from Laura Harvey, now head coach at Utah Royals, brought the reassurance needed. She joined them for training and quickly signed for the Utah side.

Back in Scotland, national manager Shelley Kerr knew that Corsie had the right qualities to lead her team on and off the field. Corsie had captained Glasgow City in her time at the club, taking over from previous captain, Laura Montgomery, and could provide the experience and reassurance needed. Kerr phoned the defender to let her know that she wanted her to be captain for the qualification campaign. 'I can still remember the phone call,' says Corsie. 'I remember just having this beaming smile on my face, "Wow, what an honour." To know that you get that role and that privilege and to feel that someone has given you that responsibility, because they think you are capable of handling it, is something to be very proud of.'

Corsie would be supported by Kim Little as her vice-captain. The players had known each other since they were ten years old, having played against each other regularly, and were friends from their time in Seattle. 'We were very, very close,' says Corsie. 'I was just glad that there was going to be the two of us, able to work together, get the best out of the current squad, because it was really, really talented.'

The squad were ready. They had a new manager, a new captain and a renewed determination to succeed. With Kerr's new attacking philosophy gradually being adopted, there would never be a better opportunity to qualify for their first-ever World Cup.

14

Substance

SCOTLAND'S WORLD Cup qualification campaign got off to a successful start with two wins. The trip to Belarus in the first match had provided the biggest test. 'That was a tough one,' says Shelley Kerr. 'It was the first time in 12 years that the team had a new manager. On the logistics side of it, our luggage didn't arrive. It was a stopover in Frankfurt and then we were late for the next flight and that delayed the luggage, so we actually had to train in Belarusian kit. Then I was coaching with my glasses on, Andy didn't have his spare contact lenses and we were thinking, "Is this for real?" Eventually the kit arrived, and we were fine.'

After dominating for the first 25 minutes of the match, the Scots conceded. 'At the time we were really in front in the game in terms of possession, creating chances and it was one-way traffic,' recalls Kerr. 'You could only see a goal coming for us, and then a freak goal and Belarus go one-nil. The ball looped skyward and over Lee Alexander, who tried her best to reach it but ended up unceremoniously wrapped around the post.'

Any concern was momentary and there was no panic on the sidelines. Kerr knew that her team was performing well and was confident in her game plan. She knew that she had a talented group of players who would find a solution and her confidence was rewarded when Jane Ross equalised almost immediately. With the teams still level at half-time, Kerr reassured her players in the dressing room that if they kept doing the right things, they would win the game.

Scotland dominated their opponents in the second half and eventually found a breakthrough, forcing an own goal on 62 minutes to secure the points. The scoreline did not reflect the balance of the match, but speaking to the press after the game, Kerr focused on the fact that the win had been achieved and that they had come away with three points. Reflecting on the trip now, Kerr was simply relieved to have secured a win in her first competitive game in charge. 'We came home and one of the players had a bereavement in the family,' says the Scotland manager. 'There were a lot of things for us as a group to contend with, and I have to say the players matured and matured and matured all the way through the campaign.'

The win in Belarus was followed by a comfortable 5-0 defeat of Albania in Paisley. The team sat top of the group, ahead on goal difference, with an away trip to the second-placed Switzerland up next. The match in Schaffhausen proved a tight affair, ending in a 1-0 victory for the home side. The game saw the return of Kim Little to the Scotland side for the first time since the injury that ruled her out of the Euros, but not even the talented midfielder's presence could help inspire the breakthrough that the Scots needed to salvage something from the game. The loss brought the first criticism of her tactics, with her side's conservatism questioned by some in the media. 'I think the players were a bit disappointed and the reports after the game from the media weren't too flattering for us either,' says Kerr. 'I think they felt that we could have done more to go for it. I don't think people appreciated how good a team Switzerland were. I said to the players, "Look, just hang fire here. Be confident. That is not the worst result for us as they are a really good team."'

The Scotland manager maintains that her caution was the right approach. If her team had opened up in search of an equaliser, then there may have been a risk of conceding more goals. 'I remember deliberating in terms of substitutions,' recounts Kerr, 'and saying to Andy on the touchline, "One-nil might not be a bad scoreline here for us." I felt that in that game in particular and where we were in our development, if we had opened up, we might have been vulnerable, because their attacking threat was phenomenal. Given that we had a home game against Poland coming up, I thought it might be detrimental to lose heavily to Switzerland, so it was very calculated. It wasn't as if we played for a draw or anything, it was just the way the game panned out.'

It was still early in the campaign and the Scotland manager knew that the team was still a work in progress. It would take time for the squad to fully adapt to her new attacking philosophy, but she was confident in the ability of her players. When she looked around the dressing room, she saw a solid foundation of experience. At the heart of her squad was a group of players who had grown up together in the side. Jo Love, Kim Little and Jennifer Beattie had played together in the Scotland team for over a decade, all having experienced the pain of the three play-off defeats to Russia, Spain and the Netherlands.

Love was the oldest of the three, having started her Scotland career back in 2002. The talented midfielder had begun her football journey at Kilmarnock and had experienced playing for both Doncaster Rovers Belles and Celtic. Like many in the squad, she had found her way to Glasgow City. 'They won all the time,' says Love. 'Eddie [Wolecki Black] had asked me the year before and I thought, "I'll do one more year with Celtic and see if we can compete against them." That is obviously what everybody wanted to do every year. It didn't happen, so

I just thought, "It's time to try and kick on again," and at the time City was the pinnacle of Scottish football.'

She would become the heart of the side over the following years, contributing to the club's outstanding success on the field domestically and in European competition. It is a club where she is happy to remain to this day. 'I have had opportunities in the past to go to Sweden,' says Love, 'to go to England to play, but I am a bit of a home bird. I've chosen to stay at home and whether that was the right decision or not, I'll never know, but I have had a great time in football and football has been good to me. I don't regret any decision that I have ever made.'

Vera Pauw brought Love into her senior squad after the midfielder had unsuccessfully trialled for the Scotland Under-18 team. 'There were trials on for the Under-18 team,' explains Love. 'At that time, it was just a free-for-all. About a hundred people went for trials for Scotland and just played on the same day. I went for trials, didn't get picked, so that was fine. The next thing I heard, my coach Julie Hind had been fighting my corner and said, "Can we give her another chance?" The next trials that were coming up were for the A squad, and Vera Pauw was the manager at the time. I went to those trials and she was like, "I want you to play for the A squad." I basically got into the A squad before I got into any of the younger teams.'

She would go on to cement her place in the national side and become the fourth player to reach 100 appearances for her country after Pauline Hamill, Julie Fleeting and Gemma Fay. 'She lives and breathes football,' says former Scotland manager Anna Signeul. 'She loves football. That is her passion in life. She has invested her whole life in football.'

Reflecting back on her success now, Love remains modest and unassuming: 'It has just come upon me,' she says. 'I never really went looking for anything. It has just sort of happened.

I have loved every second of it. I have met so many people, I have been so many places that I would never have thought imaginable. It has been so rewarding in my life.'

Playing alongside Love in the centre of the park was the equally humble, but supremely talented, Kim Little. A quiet and thoughtful person away from the pitch, Kim Little is a phenomenally driven talent on it. 'I love football,' says the Arsenal and Scotland midfielder. 'I like to play. I like to compete and do the best I can on the pitch. I put pressure on myself because I want to do well for my team-mates and my coach and perform for them. I always remind myself that you have a responsibility to turn up every day, be your best and work your hardest for the people around about you.'

Little could never be accused of not working hard, with the Scotland midfielder regarded by many in football as one of the best players currently playing the game. 'Kim is the most talented player I have ever played with,' says former Seattle team-mate and World Cup-winner Hope Solo. 'She is great at everything. Her passing and vision and technical skill are, I believe, the best in the world.'

Little had grown up 30 miles north of Aberdeen and played for her local girls' team, Buchan Girls. Her first move into senior football took her to Hibernian, making the six-hour round trip from her home in Mintlaw to train with the Edinburgh side. Her parents would have to write her a note so that she could skip the last two periods of the school day on a Wednesday in order to make training. Reflecting back, she had no thoughts of a professional career at the time, it was purely for the chance to play. 'To be honest,' reflects Little, 'I wouldn't say that I thought I was going to have a career in football until probably very late on in my teenage years. It wasn't something that I thought that I would make a living from. Not at all. I just kind of went with it and I was good at it and I was passionate about it.'

Her passion was rewarded when she broke into the Hibs first team aged just 16 and went on to win a historic treble with the club in season 2006/07. Across the season the club remained unbeaten and Little scored an astounding 55 goals in only 30 appearances. 'I remember Kim breaking through at Hibs and she was unbelievable,' recalls Scotland team-mate, Joelle Murray. 'It was pretty much, give the ball to Kim. She would just beat players for fun. She is a fantastic player and a fantastic person on and off the pitch.'

Most of those around her knew that she was destined for great things, even from a young age. 'I remember when I first met Kim Little in Inverness,' says Hibernian and Scotland star, Rachael Small. 'We used to travel up there every second Wednesday for a couple of hours of training with the regional squad. I came across Kim and you just knew she was a top player. We used to play bounce games against boys and the first couple of weeks they think they are big time and they think they can beat you, but as soon as they come up against Kim they very quickly went back into their shells. Everything that she did was first class.'

'When Kim was playing in Scotland,' says Glasgow City's Laura Montgomery, 'it was probably the only domestic game where we set up entirely to stop one player. I don't think we had ever done that before in Glasgow City in our entire time. We just player-marked Kim, because we knew if we stopped her, we had a chance of winning the game, but if we couldn't then we would lose. She was utterly unplayable even at 16 years old.'

Little's emerging talent was soon recognised by Arsenal, who signed her at the age of 17, flying her down from Aberdeen for games at first, before she moved south to start university. After five successful years at the London club she left to join former manager Laura Harvey at Seattle Reign. 'I was very ambitious,' says Little, 'and I wanted to experience something else. I remember my first match. We played against Boston in

Seattle and I scored two goals straight away. I just kind of hit the ground running. We had such a good team at Seattle. It was unbelievable the team we had there. It made it easy for me to just fit in and do what I do.'

Playing alongside superstars of the game such as Megan Rapinoe and Hope Solo, Little helped Seattle win the NWSL Shield as the regular season winners in 2014 and 2015, but lost out in both championship games to Kansas City. She accumulated numerous individual honours, with Player of the Month awards, a Most Valuable Player award, a Golden Boot and a place in the league's Best XI. She became a central figure in Anna Signeul's national side, the coach marvelling at the talent of her midfielder. 'Her understanding of the game is fantastic,' said Signeul, speaking about Little's talents during that period. 'The way she moves on the pitch and covers so much ground. She maybe doesn't have the ball all the time, but her movement makes her the player she is. She is so hard for an opponent to cope with. She is one of the best football players in the world. I know that they are absolutely so jealous in England that she is not English.'

There would be an opportunity for England fans to marvel at Little's ability when she played for Team GB at the London Olympics in 2012. It remains a special moment in the Scot's career. 'It was such a unique occasion,' says Little. 'It was the first time it had happened. It was in London and we got to play at Wembley and the Millennium Stadium in front of home fans, it was a pretty unique experience. To be involved in something that big and game-changing was pretty special.'

Little returned to Arsenal in 2016, before cruelly missing out on the Euros the year after when she ruptured her cruciate ligament during training in the months before the tournament. She was keen to make up for lost time by reaching the World Cup.

Another player equally eager to put the frustration of missing the Euros behind her was Jennifer Beattie. The defender was the daughter of former Scotland and British Lions rugby star John Beattie, but had forged her own path in football, although her father's sporting experience had come in useful when she was trying to cope with the disappointment of missing out in 2017. 'My dad was brilliant when I ruptured ligaments before the Euros,' says the Scotland central defender. 'He'd gone through exactly the same before the very first Rugby World Cup and he guided me through a really tough time. He told me that much as being a pro athlete feels at the time like the world is against you, you can't afford to dwell on what you're missing out on. You have to look forward.'

Beattie had played alongside Little when she moved to Arsenal after spells at Queen's Park and Celtic. For the young player, there was extra pride in moving to the London side as it emulated a path that one of her childhood heroes had taken. 'I always looked up to Julie Fleeting,' says Beattie. 'I remember getting her autograph as a kid. She was my role model. She was this unbelievable, prolific goalscorer that just had an insane record for Scotland. She was one of the first Scottish players to go out and play in the pro league out in America. For a Scottish female to be playing professional football, that for me was huge.

'It was overwhelming to turn up to training at Arsenal,' continues Beattie. 'You had players like Faye White, Jayne Ludlow, all these players who have done so much in the game, but the fact that Kim was already down there was such a massive comfort blanket – to have a friend down there that I had known for years and grown up with and been in youth squads with.'

Beattie would go on to secure professional contracts at Montpellier and Manchester City, before eventually returning to Arsenal. 'Being a professional footballer allows you to give absolutely everything to football,' says Beattie. 'It gives you that platform where you can focus your full attention to the small details, and it allows that bit of rest and recovery. You have the best gym facilities. You have the best pitches you could ask for, meals provided and all that stuff. So, all your mental effort just goes into being the best footballer and being the best person.'

When Shelley Kerr arrived as Scotland manager, Beattie had featured over 100 times for her country and, unusually for a defender, contributed over 20 goals to the cause. She holds a unique record in having scored four in one match, a 5-1 friendly win against Northern Ireland in Belfast. The Scotland manager knew that in Jo Love, Jen Beattie and Kim Little, she had a spine of experience in her team that she could rely on when things got difficult. All three featured in her starting line-up for the next qualifier against Poland.

If Scotland were to challenge for the top spot in the group, then a win was essential. The defeat in Schaffhausen to the Swiss had left no margin for error. The Polish team were third seeds in the group but were tough opponents, which they proved by dominating possession in the opening exchanges of the match in Paisley. Their pressure was rewarded when they were given a penalty with an hour on the clock. A speculative ball from the Polish goalkeeper had reached Jo Love in the Scotland penalty box and the awkwardness of the angle meant that all she could do was to head the ball high in the air above her. As the ball descended, Love adjusted her position to clear and it brushed her outstretched arm. The Polish players immediately turned to the referee, but there was no need to appeal as the official was already pointing to the spot. Even from an objective point of the view, the award had been harsh.

From the resultant penalty, Ewa Pajor struck the ball to the right of Lee Alexander, but the Scottish goalkeeper dived and parried the ball, reacting quickly to successfully smother it. 'Fortunately, I had played the girl that was going to take it a few years back,' says Alexander. 'I had done enough homework to know what I was going to do. I saved it, held onto the ball and the crowd just went crazy. It was the lift that I think we needed.'

Alexander's penalty save shifted the entire momentum of the match. The Scots took a grip of the game and, after Polish left-back Dudek – who had been booked in the first half – was sent off for clumsily bundling into Claire Emslie, they drove home their advantage. Emslie, who had been tormenting the Polish defence the whole of the second half with her direct approach and energy, broke down the wing and delivered the perfect cross for substitute Zoe Ness to head into the net. Minutes later, Erin Cuthbert found Emslie on the right wing with a pinpoint cross-field pass and she cut inside a defender before driving the ball low past the goalkeeper. Cuthbert sealed the win in injury time with a deflected shot from the edge of the box. It was a searing display of attacking football to finish the match, but it had been built on the foundation of Alexander's penalty save. 'Looking back, that penalty save was huge,' says Rachel Corsie. 'We needed someone to do something big that changed the momentum. And that was it.'

Scotland were now six points adrift of Switzerland, but with a game in hand and a return match against the Swiss still to come.

15

Momentum

IF SHELLEY Kerr's squad was packed with experience, it also benefited from the energy of youth. Caroline Weir, Claire Emslie and Erin Cuthbert were three players symbolic of the new generation of Scots forging successful careers south of the border. The first to break into the Scotland squad had been Weir. The talented midfielder from Fife had an ambition to play professionally from an early age. 'People always asked me what I wanted to be when I grew up,' says Weir, 'and I always said, "Footballer." A lot of people thought, "Is that even a thing, can women play football?" I didn't bat an eyelid, I just thought that is what I wanted to do.'

It was an ambition that her family supported, watching her matches across the country and encouraging her whenever they could. 'My dad built this wooden board in our back garden,' recounts Weir. 'He drew white goals on it. I just used to spend hours in the back garden, hitting the ball against the board.'

There were few visible female role models at the time, so Weir instead drew inspiration from the play of Zinedine Zidane and men's football. She would become engrossed in international tournaments during the summer, avidly watching every game and, during the season, looked forward to

Champions League nights, although she would frequently only get to see the first half of matches before her bedtime arrived.

Her own football career began in earnest with Hibernian in 2005, when she joined the Edinburgh club aged just 13. She would spend six years at the club, progressing into the first team before signing for Arsenal, then managed by current Scotland manager Shelley Kerr. It was a dream move for any young player, but the challenge of living away from home for the first time and adapting to life in London brought many challenges for the young Fifer. 'The transition going from Hibs to Arsenal was a big one,' she reflects. 'It was a welcoming place, but I was really quite shy. I was quite quiet, so people didn't really get to know what I was like. I was missing home loads as well, so I was super homesick.'

There was the added challenge of not playing regularly. At Hibernian she had been a regular starter in the first team, but in a squad that included well-known stars like Kelly Smith and Alex Scott, game time was much more limited. Weir loved the opportunity to train alongside such talented players, but not playing fed her self-doubt. 'I felt constantly like I wasn't good enough to be there,' says the Scotland midfielder. 'I was, "How have I ended up here?" I wasn't enjoying it and I felt a bit guilty because I should be enjoying it.'

The team won the FA Cup in her time at the club, but eventually she decided that she needed to play regularly, and she moved to Bristol. The move back to go forward worked when she eventually signed for leading English side Manchester City, a club where she remains an influential player today. Anna Signeul had recognised Weir's talent from an early age and had handed her a Scotland debut in a 3-2 friendly win over Iceland in Reykjavík, a few weeks before her 18th birthday.

The elegant midfielder has incredible ability with her feet and the capacity to mesmerise defenders. Scotland team-mate Rachel Corsie recalls being on the receiving end of Weir's ability in a match when playing for Notts County. It was an incident that would later resurface on video at a Scotland training camp. 'We met up maybe a month later,' recounts Corsie. 'Anna Signeul had asked the technician to pull together a motivational video for us and it was goals that the squad had scored. They tried to get one for everyone and they used the one Caroline had scored against me. For whatever reason, it has made it onto the video three times.'

Corsie would not be the only defender to suffer at the feet of Weir, but was unique in being forced to relive the moment in front of the whole Scotland squad. 'Not only that,' adds Corsie, 'but we get to the end of the video and Anna Signeul highlights it and says, "Wow, Rachel, sometimes these things happen."'

Alongside Weir in her Manchester City side was Claire Emslie. The young player from Penicuik boasted incredible pace and the ability to run at defenders, a talent she had ably demonstrated in the 3-0 home win against Poland. Her skill had been nurtured on a local pitch in her hometown, a place that she still goes to practise when back in Scotland. 'That park has been such a big part of me being successful and I love it,' says Emslie. 'What's even better is that when I was nine, ten years old I'd be the only girl, but now there's loads and they'll come and ask for pictures. They know I used to play there as a kid and if that's inspired them then that's fantastic.'

Emslie had also started her career at Hibernian before making the decision to study in the USA, combining her education with playing for the Florida Atlantic Owls. 'I followed my gut and it was the right thing to do,' reflects Emslie. 'I could have stayed in Edinburgh and gone to university there, but I was four years in Florida, was still only 22, and had my degree in exercise science and health promotion. The four years I had at Florida Atlantic University were fantastic. I loved the place, the sunshine, and living by the beach.'

She broke into the Scotland side in 2013, but by the time Anna Signeul picked her squad for the European Championship, Emslie was one of the players who narrowly missed out on selection. The exclusion came as a blow. 'It was hard,' says Emslie. 'I was so gutted I didn't get to go. I guess Anna didn't know me well at the time and with me being so far away she wouldn't get to see me play. Whatever the reason, it was tough to sit out the Euros. I was gutted, but when I saw Caroline Weir and Chloe Arthur there, two of my best mates, I was so determined that next time I'd be with them, whatever it took. It was brutal to sit at home, but it made me so determined to work hard and make sure I was up for selection for the next tournament.'

After a spell at Bristol City, the young winger was offered a professional contract with Manchester City and it provided the perfect club to help secure a regular place in Shelley Kerr's Scotland squad during the qualifying matches, developing into a frequent starter and an influential member of the team. Selection for the national side remains something that is hugely important to the young winger. 'Every time I pull a Scotland shirt on it makes me feel a huge sense of pride,' she says. 'As a patriotic Scot, there is no better feeling than representing my country playing football.'

Her pace and directness had been instrumental in helping secure the points at home to Poland and it was an energy she would bring to the forward line in the next qualification match against Belarus. Along with team-mate Weir, she would form the attacking impetus for Scotland, supported by a player even younger than the two rising Manchester City stars.

'Gallus' is the word that Shelley Kerr uses to describe Erin Cuthbert, one of Scotland's brightest young football talents. Cuthbert epitomises many of the attributes that represent the best of Scottish football. 'She's streetwise, she's gallus, she's confident and she's a fighter,' says Kerr. 'That's the kind of Scottishness we're looking for.'

The young striker had been introduced to football by her father and her grandfather, or her 'Papa' as she affectionately refers to him. Both men would play an influential role in shaping the early development of the young striker. 'He was at every game,' says Cuthbert, reflecting on the role her 'Papa' played in her life. 'He meant an awful lot to me. I used to take him shopping every week when I was back home. He was literally my best mate. He used to pick me up from school every day. I was just as close to him as I was to my dad at some points. It was my dad and my Papa who got me into football.'

Her ability with a football led to her joining a local boys' club at the age of five, after being spotted kicking a ball by one of the parent helpers on a school trip. Cuthbert was soon running rings around the boys in matches and progressed to playing in both boys' and girls' teams at the weekend.

Cuthbert is fortunate to be from a generation where both male and female footballers were visible. Barry Ferguson and Julie Fleeting would become her role models as she developed her approach to football. Fleeting was from her local area, so Cuthbert would see her both training and playing, giving her the understanding that football was as much about the hard work and commitment put in during the rest of the week as what happened on the pitch in a game. The young player was eager to learn and quickly became a known face in women's football circles. 'I remember my first impression of Erin,' says Scotland team-mate Jo Love. 'She used to come down to Hurlford and watch when I played with Kilmarnock. She was about six or seven years old. We knew from there that things were going to get better for her.'

Former Scotland manager Anna Signeul also recalls the presence of a young Cuthbert at matches. 'I remember Erin since we saw her standing at the side next to the pitches kicking the ball and doing keepie-uppies,' she says. 'She is confident, but she is not cocky. She just has a little bit of a very wonderful swagger about her.'

It was a swagger that Cuthbert took to Rangers where, aged 11, she became part of the first Rangers Girls youth set-up. It was there that she first attracted the attention of the national press, dubbed 'Little Miss Messi' by the *Daily Record*, when a goal in a cup final was voted the best in Scottish youth football, her mesmerising run through the Hibs defence typical of the sheer force of will Cuthbert still demonstrates in her football today.

She progressed into the Rangers first team while still at school and won the SWPL Young Player of the Year award at the age of just 15. As a Rangers supporter, it was extra special to play for the club but, like so many other rising stars in the Scottish game, she would eventually leave to make the move to Glasgow City. Cuthbert would win a treble in her first season at City, but life wasn't always straightforward. 'I was once subbed after 13 minutes in the Champions League,' laughs the Scotland striker. 'We played Chelsea at Airdrie. We tried to set up damage limitation and tried to sneak a wee goal. We lost a goal after 12 minutes and straight away, hooked. As a footballer, that is a hard one to take. I was absolutely gutted.'

Being replaced so early may have left a lasting impression on Cuthbert, but it did not linger long in the minds of her opponents as she would later sign for the London club. Emma Hayes invited her down and showed her around the facilities that Chelsea could offer, before taking her back to the airport. As Cuthbert waited to board her flight, an email with a contract offer arrived. Cuthbert would go on to establish herself in the Chelsea side, helping the club win two league titles and an FA Cup. 'She has got that youthful zest about her,' says former Scotland captain Gemma Fay, 'where everything is fantastic, and the world is great, and she just plays like she is at the park.'

It was this zest that persuaded Anna Signeul to bring her into the Scotland squad while she was still in her first year of Under-19s, making her full-team debut away to Belarus. Representing her country was a proud moment. She had once graced the pitch as a mascot who had accompanied the Scotland players, and now she was a first-team player sharing a dressing room with those she had once idolised. 'When Erin came in, she reminded me of Pauline Hamill,' says Ifeoma Dieke. 'She is always buzzing about at training with a ball at her feet. Anytime we started to warm up, Hammy would always have a ball at her feet, that is the same as Erin. She is just like a kid who loves the ball, loves playing and loves playing for her country. What a character.'

Cuthbert cemented her place in history with Scotland's first-ever goal at a major tournament, with her strike against Portugal in the European Championship, and under Shelley Kerr had become a regular starter in the first XI. Kerr admired her energy and an ability to make things happen in games, an ability that would prove significant in the next qualifier against Belarus as Scotland's bid to reach the 2019 World Cup continued.

'Frustration is the word I would use about that Belarus game,' says Shelley Kerr.

Scotland had dominated the game, but after half an hour were undone by a speculative shot from outside the box by Olkhovik, a goal oddly reminiscent of how they conceded in the corresponding fixture in Minsk. It left the home side requiring at least two goals to win the tie. 'We switched off in a moment,' says Kerr. 'I think that sometimes that happens subconsciously. In international football, there are always players that can hurt you and always teams that can hurt you if you are not switched on, and for us that happened in the campaign quite a wee bit.'

Once they had a lead to protect, Belarus redoubled their defensive efforts. Watching the match, Gemma Fay knew that

Scotland would have to work hard to find a solution to break down their opponents. 'There might be this misconception, because of the way that women's football was previously, that you have the top two seeds and below that there is an expectation that you hammer everybody,' says Fay. 'It is not really like that anymore. If you play against a team like Scotland, who play with fast wingers and want to play an expansive, attractive, open game, and you just sit in, then you just frustrate them. I think that has been a learning curve for the team throughout. How do we win against teams who do that?'

It was a question that needed to be answered. After conceding, Scotland regrouped and returned to dominating the match. Jane Ross had the ball in the net but was marginally offside. Moments later Ross hit the post from a Kim Little cross, to be followed by Claire Emslie rattling the crossbar. It was Erin Cuthbert who finally made the breakthrough when, in the second minute of first-half injury time, she broke down the right and drilled the ball home from an unbelievably tight angle. The shot was helped by a touch of the defender's boot on its way to goal, but the Scotland striker was just relieved to have brought her team back into the game. Her relief increased in the 65th minute when she collected a cutback from Claire Emslie and found space to fire a shot past the Belarusian goalkeeper for the winning goal. The rest of the game played out with no further scoring to ensure that Scotland secured the three points. Kerr was glowing in her assessment of Cuthbert's contribution after the match. 'She plays without any fear,' said Shelley Kerr. 'She is exciting, direct, got an eye for goal. She was outstanding.'

Kerr was pleased with the win, but frustrated by the performance. It was the way the team had conceded the first goal that concerned her the most. Her team were dominating matches, but were prone to lapses in concentration and in both matches against Belarus had to come from behind to win the game. It was a pattern that she was keen to eradicate before the vital away match against Poland. 'I remember doing a little theoretical session with the players after that game,' says the Scotland manager. 'We set them a task in groups. "I want you to critique the goal." We weren't sure what we were going to get from all of the different groups, but there was one group in particular that actually named every single player, every single part of the process in terms of who could have done what. It was a really good exercise, because you had a group that was being more generic – "Well we should have pressed from the front, we should have done this … " – but there was a group that actually just went for it and picked people out.'

With another group of footballers, such open criticism may have had the potential to cause division, but there was such respect and desire to succeed within the Scotland squad that they were willing to engage with anything that would help them improve as a team. 'I can remember at the time thinking, "This could go one way or another,"' smiles Kerr. 'But actually it ended up as a group that they were all laughing. They took it on board. I said, "Look, sometimes at this level you have to critique and, as long as it is done in the correct manner and you recognise and you take responsibility, you learn from it, because we are conceding goals we don't need to concede."'

As the team prepared to face Poland in their next match, Kerr was hopeful that her team would not have to come from behind again.

16

Resilience

SOPHIE HOWARD lay on the ground of the stadium in Kielce, Poland. It was the 66th minute of the World Cup qualifier and she had just turned the ball into her own net to give the home side a two-goal lead. It had been an unfortunate touch, glancing off her boot as she attempted to clear and spinning beyond the reach of Lee Alexander, but it left Scotland with yet another mountain to climb in a game they had to win.

Howard had been born in Germany, to an English father and Scottish mother, and had had an unusual route into the Scotland squad, having featured for Germany at youth level and also spent time with England. Her initial experience of football had been at a boys' club in her hometown. 'I played with the boys till I was 15,' says Howard. 'I tried with the girls, tried to play with my twin sister, but I didn't like it, so I went back to the boys. That kind of defines my playing style as well, which is quite aggressive. I had to fight for my spot, not only on the pitch but within the squad, just being accepted.'

At the age of 15 she moved to 1899 Hoffenheim to follow her dream of becoming a professional footballer. It was a bold move for someone so young. The club were ambitious but in the third tier of German football, so it offered her the chance to play more regularly than she might have at a more established club higher up the leagues. At first, the distance between her and her family was a severe test, with the separation from her twin sister particularly hard to deal with, but she coped by concentrating on the reason that she was there – to pursue a career in football.

Her play soon attracted the attention of the German national set-up and she was invited into their Under-20 side. It was a huge endorsement for the young defender, despite her British heritage. 'I felt very honoured playing for the German Under-20s,' reflects Howard. 'People might not understand now that I play for Scotland, but at that moment that was a big recognition and I felt very proud of that. It was a nice feeling to get that recognition, somebody noticing my hard work. I was playing with some of the best players in the world. Marozsán was there, Leonie Maier was there, and being around those players benefited me.'

She was part of the German squad that went to the FIFA U20 Women's World Cup in Japan in 2012. Howard had featured in the warm-up games, but as the team advanced to the final at the tournament, Howard was left on the sidelines. It was an early lesson for the young defender that life in football doesn't always unfold as planned. 'At that time, it was very hurtful,' reflects Howard. 'It was like somebody is not believing in you if you don't play, but I have come to realise that football is just a very interesting world where sometimes it is just your style of play, or the coach doesn't like you, or they favour other people, and you can't do anything about it. I used to beat myself up, but I have now come to the point where I just realise that all I can do is control what I can control.'

Howard moved to the USA to play college football while studying for a sports science degree at the University of Central Florida. The scholarship gave her the opportunity to combine football, education and the experience of a new culture. Back home in Germany after graduation, she rejoined Hoffenheim and caught the attention of England. She was invited for one week's training by their Next Generation squad, a replacement for the previous Under-23 set-up, established to help identify future stars. After the week, Howard never got a callback, but she retained ambitions to play international football. 'You just keep going,' says the defender.

A further opportunity soon arrived in the shape of Scotland. Anna Signeul was preparing for the European Championship in 2017 and, after suffering injuries to key players, was looking for replacements for her squad. Signeul called up Howard along with Vaila Barsley of Eskilstuna United in Sweden. 'It all kind of got set up by Lisa Evans,' explains Howard. 'She was playing for Bayern Munich in Germany, and at that time I was playing for Hoffenheim in Germany, and we had a friend in common, so Lisa found out that I was Scottish as well. We played Bayern Munich and she approached me after the game and said, "So, how do you feel about Scotland?" and I was like, "Well, Lisa, it's not really up to me, but if the call-up ever comes, then I would gladly accept." And that is how it all started.'

The selection, when it came, was an incredible honour for Howard. 'I have English, Scottish and German in me,' says the Scotland defender. 'I felt honoured having represented Germany three times in the Under-20s. I was also very honoured about the call-up to England, but senior level is a different thing and that was my goal, to play internationally. Scotland came in at the right time and, once I was with the squad, I immediately knew that was the place I wanted to be. It is hard to put into words, but it just felt right at that time and it still does.'

Howard made her Scotland debut in April 2017 as a 64th-minute substitute against Belgium, replacing fellow newcomer Vaila Barsley. The match ended in a 5-0 defeat, but it was a rewarding moment, as her parents drove up from Germany to see their daughter play. Howard was pleased to have featured but knew that it was just the start for her international career. She immediately set her sights on becoming a more established player and a regular in the side. 'Once you have that first little step,' explains Howard, 'you just want more. That is where I am still at today. I just want more and more and more.'

Howard was selected for Signeul's European Championship squad and established herself as a regular in Shelley Kerr's squads for the World Cup qualifiers. Kerr had handed her a start in the crucial tie against Poland as they attempted to catch Switzerland at the top of the group, a task that had just grown more difficult with Howard's unfortunate touch. 'When I scored that own goal,' says the Scotland defender, 'I was on the floor for about three, four, five seconds, but funnily enough I wasn't really disappointed, I wasn't really heartbroken, because I knew this wasn't the end. I needed that time to gather my thoughts and take a deep breath and think, "Let's turn it around. Let's change it. Let's get back in the game."'

At the side of the pitch, Shelley Kerr looked on stunned. 'I was sitting on the bench,' recalls the Scotland manager. 'I remember saying to Andy [Thomson], "How on earth are we losing this game?"'

It was a thought shared around the ground. At that stage, the Polish team had not officially had a shot on target; the first goal had been a deflection and the second an own goal, yet they were 2-0 up and in danger of ending Scotland's World Cup ambitions. The one remaining hope was the players on the pitch. The Scotland team had been shaped by Anna Signeul and Shelley Kerr to not give up. The two managers had instilled a belief and confidence that they could retrieve any situation, no matter how improbable. 'I think in all of the games, we always had a feeling that we were going to win,' says Kim Little. 'Although there were tough moments within the games, it always felt like there was a possibility of us coming back.'

Scotland captain Rachel Corsie agrees. 'There was something about that moment,' reflects the defender. 'When we conceded our second goal, I just didn't think that we were done. I just had this feeling that we had 15 minutes and we just had to give it everything and just try and get everyone together and say, "We have to give it everything. We have to try. We need to do it and we can do it."'

The Polish team had been delighted with the second goal, but as Scotland fought to get back into the match, the home side seemed uncertain whether to stick or twist. Kerr believed that all her team needed to get back into the match was one opportunity. 'As crazy as that might sound,' says Shelley Kerr, 'I have been involved in so many games as a player and a manager, where there is that 2-0 scoreline and whoever is winning that game is really comfortable, but that moment you get a goal back, then all of a sudden, the nerves kick in.'

Poland started to get deeper and deeper in their play as they sought to protect their lead, and it gave the Scotland manager confidence that her team could find a route back into the game. They pushed forward and when Erin Cuthbert was dragged down on the left-hand side just outside the box, Kim Little stepped up to take the free kick. There were four Scottish players in the box, but Little's cross eluded them all and the lack of a touch wrong-footed the Polish goalkeeper, allowing the ball to drift effortlessly into the net. It was the goal that Scotland craved. There were just 12 minutes left, but suddenly the match felt winnable. 'Once we scored the first, I knew that was the goal we needed,' says Sophie Howard. 'We were back in the game.'

Three minutes later Scotland equalised. A long ball from Rachel Corsie found Lisa Evans on the right wing. Her cross found Lizzie Arnot who cleverly cut the ball back to Jane Ross. The striker calmly took a touch to evade the Polish defender and drilled the ball past the goalkeeper and into the net. As

Ross wheeled away to celebrate, Evans ran into the goal and grabbed the ball to speed up the restart. Confidence within the team began to surge. 'At 2-0, I was thinking, "We are not going to get this back. We are not doing it. We are not doing it,"' says Erin Cuthbert. 'When we scored the first one, it was "Right, we're doing it." When we scored the second one it was, "Right, we are definitely doing it now."'

The game was now incredibly open with both sides pushing for a winner. Poland almost found it, but Lee Alexander blocked the shot brilliantly to deny them. Jane Ross and Erin Cuthbert combined to create the next chance, but Cuthbert's strike was tipped onto the post by the Polish goalkeeper. The striker collapsed in frustration. Moments later Kim Little broke free and rattled the crossbar, further adding to the frustration. All disappointment evaporated in the 90th minute when Lisa Evans produced a moment of individual brilliance to win the game. Caroline Weir found Evans in space on the left-hand side, with her Polish counterpart standing off her. Evans had one thought in her mind, to head towards goal.

Her opponent looked weary. Fiona Brown had tormented the Polish defender for most of the match and now she had to face the pace of Evans. The Scotland star gathered the ball and easily took it round her opponent, leaving her struggling to catch up. Evans found herself in the box with sight of goal and curled the ball beautifully, beyond the goalkeeper and into the net. 'When Lisa cuts in and puts the ball across the face and it went in, it was just absolutely incredible,' recounts Shelley Kerr. 'A brilliant feeling for the players, for myself and for the staff. I remember Lisa playing with my Under-19s and she scored goals like that every time we played. The full-back at that point in time was really, really struggling and Lisa used her pace and technique of driving across. When the ball went in the net, it was absolutely fantastic.'

As Evans raced away to celebrate, she encountered Kim Little, calmly pointing towards the corner flag. They had clawed their way back into the game to lead and the experienced midfielder's only concern was to give their opponents as little time as possible to recover. Evans about-turned and headed towards the corner to celebrate and waste as much time as possible. The strategy worked and Scotland had the victory. 'I've never celebrated so much in my life,' says Claire Emslie. 'With 12 minutes to go, 2-0 down and to win 3-2, was unbelievable. I was crying after that because our dreams were still alive.'

For many in the squad, it was a defining moment in their qualification journey. 'The strength and determination we showed as a group to get two goals for the draw,' says Jennifer Beattie, 'and then Lisa Evans popping up down that left wing to get the winner was just an unbelievable feeling. That kind of kept the whole campaign alive.'

'Sometimes when you play those games you can start to get a bit frustrated and try to do things that you don't normally do,' reflects Christie Murray. 'But I think we stuck to our game plan and the way we play and showed a bit of grit and never-say-die attitude. We've got such a strong togetherness on and off the pitch. We will fight and we will never be done until the final whistle goes.'

Shelley Kerr knew that she had just witnessed something special. The squad had shown an incredible strength of character and had just given themselves the platform to qualify.

17

Elation

AS THE crucial home match against Switzerland in Paisley approached, expectation grew. The remarkable comeback in Poland had cultivated a belief amongst both the support and the media that Scotland had a chance. Their one-goal loss to the Swiss meant that they required a two-goal win to go above their opponents in the group. 'The whole country was talking about us needing to beat Switzerland by two clear goals,' says Shelley Kerr. 'I said to the players the night before the game, "Everybody is talking about needing to win by two goals. Forget it. Forget about the two goals. Your task tomorrow night is to go and win the game. Don't worry about goal difference. That will take care of itself. Just go and win the game."'

Kerr knew that Scotland had never played a team that were higher ranked and beaten them when it mattered. She wanted her squad to be the first to do so, to prove that they could compete against the best teams in Europe. She was confident that they had the game plan to make it happen and it was a confidence shared by her players. 'I felt like there was a certain type of arrogance from the Swiss side,' says striker Erin Cuthbert. 'They were just going to turn up and beat us and they knew that they only had to do that in order to win the group. I felt like we had to prove them wrong.'

A central part of Kerr's game plan was to start fast and take the match to Switzerland. Her staff's analysis had identified that the Swiss goalkeeper had a weakness at kicking the ball, providing the Scots with the opportunity to put pressure on the defence early. This assertive strategy became even more critical when one of the opposing defenders was injured in the warm-up. 'We got the word from our video analyst to say that her replacement had not played many games,' explains Kerr. 'We said to them before kick-off, "Whatever side she is on, go and put her under pressure." From the first minute we pressed them really high and we found ourselves two goals up.'

The Scots attacked relentlessly from kick-off, forcing an error after just two minutes to allow Erin Cuthbert to score. Three minutes later the tactic worked again, with Kim Little firing home from a tight angle. There were just five minutes on the clock and the team already had the two-goal deficit they required to go above the Swiss on head-to-head results. 'It was crazy,' says striker Erin Cuthbert. 'It was one of those games where you couldn't quite believe what was happening.'

There were still 85 minutes of the match to play and Kerr knew that Switzerland would not accept their fate lightly, which they proved immediately by pulling a goal back after seven minutes. It was a ridiculously frantic start to the match.

The rest of the game was played out in a tense atmosphere as both sides battled for the result, the record crowd of over 4,000 Scottish supporters vociferously urging the home side forward for the goal they needed. 'I'll never forget young Erin Cuthbert,' says Jennifer Beattie. 'Only 18 or 19 years old, trying to rally up the crowd. That was a moment for me, you never really see that sort of behaviour and character and it was incredible. It riled the crowd up and led us on to win that game.'

The team pushed for another goal, but the away side held firm to restrict Scotland to a 2-1 victory. The result drew Scotland level on points with Switzerland but left the Swiss with the edge on the head-to-head results, having managed to score away from home. 'It was a strange one,' recalls Sophie Howard. 'That was probably one of the biggest achievements, winning against Switzerland, but for some reason we couldn't be happy as we knew that we had to have that two-goal difference.'

Erin Cuthbert expresses her disappointment more colourfully. 'I was raging after the game,' recounts the striker. 'Absolutely raging even though we had won the game.'

If there was one person in the stadium that was confident that her team would still qualify, it was the Scotland manager. She knew that her team had just beaten, for the first time, a side ranked higher and that the Swiss team would now have to travel to Poland and face a tough game against a strong Polish side. This made the celebrations of some of the Swiss players to just having lost the game feel a little premature. 'They were celebrating,' recalls Shelley Kerr, 'which really annoyed me. I kept my feelings to myself at the time, but I can remember a few of the players and the coaching staff celebrating and I was saying to myself, under my breath, "You are not there yet. You guys aren't there yet."'

It was a theme she reinforced to her players back in the dressing room. 'At the final whistle I genuinely believed, at that point, that we would qualify to go to the World Cup finals in France,' says Kerr. 'When I addressed the players, I said, "That was an amazing performance. I have never seen a performance like that from a Scotland team in all the time that I have been involved, as a coach, manager, player, it was phenomenal. Don't be disappointed. Do not be disappointed, this isn't over yet. We win the game in Albania and see where it takes us."'

Reflecting back on the decisive victory against Switzerland now, the Scotland manager still ponders her tactics in the latter stages of the match. 'It is still something I think about now momentarily,' says Kerr. 'That night going home, I never slept a wink after that game. We opened up latterly in the game and I kept on thinking, "What did I do? What if we had conceded?" I was questioning myself and the tactics of having a go, rather than actually protecting the win.'

The three points against the Swiss secured, the squad headed to Albania for their final match with one goal – "Make sure you win." Shelley Kerr admits that for the first time as Scotland manager she did not care about how the players performed, only that they secured the win. Her focus meant that even disruption to plans when they arrived in Albania failed to distract her. 'We went to the training pitch that they had organised for us and we couldn't even train on it,' says Kerr. 'It was that bad. Typically, I would have been upset, and I was, but I tried to keep my anger and my frustration in check and I just said, "Look, this game is about winning the game and we will do whatever we can to win the game."'

The first half of the match in Albania typified much of Scotland's qualification campaign. They dominated their opponents and took an early lead through Kim Little, but a lapse just on half-time let Albania back into the game to equalise. Kerr spoke to her players in the dressing room, delivering the message that if they stayed calm and kept playing then they would win the game. The match in Poland was goalless, but there was no reference to the scoreline as her staff prepared the team to go out for the second half.

The second half initially produced a repeat of the first, as Scotland continued to dominate but couldn't find the breakthrough. 'We were playing tragically,' says Erin Cuthbert. 'We had about 47 chances, honestly. We just couldn't put the ball away. It was just one of those games where you can't put the ball in the net.'

'I was watching it thinking, "Come on, this is not part of the plan,"' says former Scotland goalkeeper Gemma Fay. 'Switzerland and Poland were doing their bit, so I was sat thinking, "Come on, Scotland. Let's put this to bed."'

The pressure was finally lifted after 68 minutes when Jane Ross headed in Scotland's second to give them a vital lead. With Scotland leading and Switzerland and Poland still drawing, it placed Kerr's side top of the group and in the automatic qualification spot. Back home in Scotland, how events were unfolding left Pauline Hamill with a decision to make. 'I was on my Pro Licence,' explains Hamill. 'I was learning French because you have to learn another language on the course, and I had a class that night. In the end I didn't go to it as I was thinking, "This is a moment that you might never get again. Scotland are 20 minutes away from qualifying for a World Cup," so I dodged my French class and sent my apologies!'

The minutes ticked past slowly. Albania were showing little sign of troubling the Scots, so attention on the sidelines shifted to what was happening in Poland. Scotland kit man Paul Brownlie began providing the manager with updates. 'The last ten minutes, I started to get the wire from my kit manager,' recounts Kerr. '"Gaffer, it's still nil-nil," and he was telling me the time of the game quietly in my ear. "It is 84 minutes. Still nil-nil." Then, "86 minutes, they've got a corner." Things like that.'

The focus of everyone not on the pitch began to be consumed by events elsewhere. 'We were going out to warm up,' recalls Lana Clelland, who was a substitute. 'We were looking up at the girls in the stand to see if we could get a thumbs-up or a thumbs-down.'

As the match in Poland drifted towards a conclusion, the nervous energy around the stadium became harder to ignore. 'The players in the stand were starting to get a wee bit edgy and that started to transfer to the ones that were on the bench,' says Kerr. 'Then the players on the pitch were starting to ask, "What's happening, Shelley?" Rachel Corsie was doing some sort of sign to me and I was saying, "Just concentrate on this game," and pointing at my head. Some of our subs were getting off the bench and I remember saying, "Look, sit down, calm down."'

Eventually, news filtered through that the match in Poland had finished goalless. Scotland just needed to hold on to their 2-1 scoreline to overtake the Swiss and top the group. 'Paul was prancing up and down behind,' says Kerr. 'And then I got in my ear, "Shelley, that's the game finished. It's finished nil-nil." At one point, Caroline Weir gets the ball and pings the ball right into the box and I remember turning to Andy and saying, "I am going to kill her. Why is she not keeping the ball?"'

Scotland regained possession and controlled the ball in the left-hand far corner of the pitch. Seconds later, the referee blew her whistle to signal the end of the match and pandemonium ensued. There was bedlam as players and staff at the sidelines raced onto the pitch in celebration. Many of the players on the pitch had no idea what had just happened, but it didn't take long for the realisation to hit. 'We didn't realise the score in the Switzerland game,' says goalscorer Jane Ross. 'So, it wasn't until the final whistle went and all the subs and staff ran on to the pitch celebrating that we realised, "OK, we've qualified for the World Cup." We were anticipating that we would likely have to go through a play-off, but to directly go through as group winners was an amazing feeling.'

'The full-time whistle came,' recounts Erin Cuthbert, 'and everybody ran on the park. I was like, "What's going on?!" Madness. Madness! I was thinking, "That's what you get, Switzerland. Bandits!"'

Scotland had just qualified for the World Cup. The scenes in that moment were overwhelming, summing up everything that is magnificent about football, with raw emotion and breathtaking joy on display. 'That moment where the final whistle went,' recalls Shelley Kerr, 'it was just, what a feeling, emotions. It was just an unbelievable feeling. It was just phenomenal. It is a moment that will live with the players forever, but for me as a coach, it is the proudest moment of my career.'

The video of the scenes after the final whistle is one that players and fans alike still revisit to recapture the moment. 'Even now if the video gets played,' says Christie Murray, 'I still get goosebumps.'

'I watch it sometimes,' says Scotland goalkeeper Shannon Lynn. 'And it seriously makes me smile from ear to ear. That you can be that happy from a football game, it is so amazing. You want to bottle that up and pull it out of your pocket and throw it at people that need a smile.'

'I can't even put it into words what it felt like,' says Jennifer Beattie. 'It was just the best. Even for a team achievement it was just insane and obviously it was Shelley's first campaign with us. To end it that way and be successful and think, "Wow, we are going to a World Cup." But for me personally, having missed out on the Euros, it was, "OK, I have got another chance at this. There is still hope."'

'At different points in the campaign we showed that we had the character to bounce back and we had the capability to win games,' continues Christie Murray. 'In other qualification campaigns we probably wouldn't have done that, but it showed the character of our group and how strong we are. It is one of the highlights of my career, without a doubt.'

The joy felt in that moment was not confined to those inside the stadium. The intense emotion was experienced by every Scot watching. 'I was crying,' admits Pauline Hamill. 'I was sitting watching the game at home and I felt as if my heart was going to beat out of my chest. I just knew what an achievement that was. I think people who have been involved in the game for a long, long time will really understand that as well.'

The fact that her close friend was the manager made the moment even more special for Hamill. 'We had been friends for 30 years,' says the former Scotland star. 'That is one of my best friends out there in Albania, so that was absolutely a part of it. I was so happy for Shelley. I am somebody who watches how she works and how she operates every day and how much she gives to that job. Scotland never gave up. They just focused on the next game and the next game. She always believed that she would do it.'

'It was absolutely massive,' reflects Joelle Murray, who had been injured throughout most of the campaign. 'Obviously, my injury kept me out of the games, but I was so, so chuffed for all the girls and for Shelley. When Shelley first came in, we spoke about goals and aims and that was the goal. That qualification was what we were going for, and to achieve it in the manner we did was absolutely fantastic.'

Kerr's predecessor, Anna Signeul, who had laid the foundations of the squad, also looked on with pride. 'I was so delighted,' says Signeul. 'Kim Little has been in the squad since she was 16 but missed the Euros and she was the first one I thought of when the team qualified. And there's others like Jenny Beattie, Hayley Lauder and Lizzie Arnot. They now get the opportunity to experience the World Cup.'

Back in Albania, Shelley Kerr gathered the players and staff in a single huddle in the centre of the pitch. She reminded everyone that they were going to a World Cup and then slipped out to allow her players to enjoy the moment. 'I still see the big huddle shared on the BBC page,' says Erin Cuthbert. 'It is just pure raw emotion. What we felt was raw. Nothing else mattered. We were in a bubble. It didn't matter if we were in Albania or wherever. It was literally just our team and that is all there was there.'

Kerr would have time to reflect on the scale of their achievement later that evening. 'We got back to the hotel and I went upstairs,' recalls the Scotland manager. 'I said to my team, "Look, I'm just going up to the room." I lay on my bed and I had a moment to myself. I phoned my daughter and the people that are closest to me, my family, and I had an hour on my own. It was nice.'

She had achieved what she'd set out to at the start of the campaign. Her team had won the group and would take their place at a World Cup, yet she knew that the achievement was not hers alone. If there is one belief that drives the Scotland manager, it is that those women who paved the way for the current generation of footballers should not be forgotten. Without their efforts then nothing would be possible, and they deserve to be recognised. 'I think the games had progressed and that is great,' says Kerr. 'But I don't think we should forget the legacy part and forget the players who in the past had it really, really tough. Too many have been forgotten and I think that is quite sad for the women's game.'

She would pay them a special tribute in her comments to the media after qualification. 'For the many females before me that played football,' she said, 'I think this is the moment that everyone should share, that everyone who has been connected with the women's game in Scotland should enjoy. It is for all those in the past who paved the way for us to be going to the World Cup finals.'

18

Selection

SCOTLAND'S PREPARATION for France proved much less turbulent than it had been for the European Championship in 2017. The whole squad was fit, with most playing regularly for their club sides, meaning that Shelley Kerr had an abundance of choice for positions in the team.

A friendly against the USA provided the first test for Kerr's newly qualified squad. They were the reigning World Champions and amongst the favourites to lift the trophy in France, so they offered a formidable test. Scotland performed well, losing narrowly 1-0 to a moment of opportunism from Alex Morgan. 'From a mindset point of view,' explains Shelley Kerr, 'I wanted to take the US game right after we qualified because, as bizarre as it sounds, I wanted to put the players under extreme pressure. When we took on the game, people were saying, "Is that the best thing to do? They might take a heavy defeat." It was the furthest thing from my mind. We were solely focused on trying to get a performance and compete against the best team in the world and, thankfully, it proved to be the case. We didn't win the game, but what we did prove was that on our day we are capable of competing against the very best.'

The World Cup draw in December placed Scotland in a group with England, Japan and Argentina. It was an astonishingly difficult set of opponents and the media predictably labelled it 'The Group of Death'. Undaunted, Shelley Kerr and her staff continued their preparations. The Scottish Government announced that funding would be available to allow part-time players to train full-time in the six months before the World Cup, providing a huge personal boost to the six home-based players from Hibernian and Glasgow City. It allowed them to stop work and concentrate on their preparation for the tournament. 'I am one of the older players,' said Jo Love, welcoming the announcement. 'To be able to have the rest and recovery that I need, to be able to play 100% at training and during games, I think that is going to be really beneficial.'

Two narrow defeats to Iceland and Norway in Spain at the start of the year were followed by a successful trip to the Algarve Cup. Scotland comprehensively defeated Iceland, beat Denmark and performed well against Canada, only losing 1-0 to a late penalty. The squad returned to Spain in May where they drew 1-1 with fellow World Cup qualifiers Chile and secured a headline-grabbing 1-0 defeat of Brazil.

The manager was keen that the Scottish players, support and media did not get carried away by the defeat of such a famous name in world football. 'Everyone is talking about a Scottish team beating Brazil,' said Kerr after the win. 'But we have to keep our feet firmly on the ground and we have to be mindful that they are friendly games and the pressures are tenfold when you play in competitive games. The big question is, can we do it when it matters?'

Kerr was acutely aware of the risk of rising expectations. In the months after qualification, she had been under far more pressure than normal as interest in the team escalated. A Scotland side had not participated at a World Cup since

1998 and many in the media were keen to make the most of it. The Scotland manager welcomed the increased focus on the women's game, but it was accompanied by increasing pressure and demands on her time. 'Before we qualified, the media and the scrutiny wasn't really there,' says Kerr. 'But now it was a World Cup, everyone wanted to talk about it. That is a good thing, but it brings added scrutiny. You had to ride the wave.'

If the pressure on the manager was rising from increased media interest, it intensified further when it came to the selection of the players that she would take to France. Kerr had used 35 players during the qualifying campaign, but would only be allowed to take 23 to the World Cup. Difficult and painful decisions would be required. Kerr worked with her staff to narrow down the squad and select the personnel who would give Scotland the best possible opportunity to compete.

Lee Alexander was a straightforward pick as the first-choice goalkeeper, with a strong blend of experience and youth supporting her in the shape of Shannon Lynn and Jenna Fife.

Lynn, who played for Vittsjö GIK in Sweden, was Canadian-born but qualified for the national side through her Scottish parents. It was her father that had introduced her to football and on trips back to Scotland he would buy each of the family a full strip to take back to Canada. She started playing aged three, but it would take until she was much older to find her position as a goalkeeper. 'It happened really randomly,' explains the Scotland international. 'The goalkeeper I played with at the time for some reason quit the team and they needed a goalie and I said, "I'll play in goal!" I had this two-week intense goalkeeper training. I just fell in love with it then. I loved it and I was pretty good at it, so I stayed on.'

A chance meeting in 2008 between Lynn and Scotland defender Rhonda Jones – at an open trial to help players find clubs – proved a defining moment in her career. The goalkeeper was recovering from the tragic early death of her partner,

Sarah, and had only been able to attend with the support of her father. As she struggled to participate, she encountered Jones. The experienced Scotland international had won a sports scholarship to Florida Atlantic University and had remained in the US after graduation, playing for a number of clubs in the W-League, the semi-professional women's soccer league. 'I got put on a team with Rhonda,' recounts Lynn. 'Crazily enough, that's what started it. I met Rhonda and I was, "Oh, meet my dad, he's Scottish and I'm Scottish, but don't sound it," so we chatted a little bit and added each other on Facebook.'

One year later, Jones contacted Lynn to ask if she was interested in playing for Hibernian. The prospect of a fresh start in Scotland appealed. 'Throughout my entire journey and entire story, it's football that has always continued to save my life,' says the Scotland goalkeeper. 'That is such a clichéd thing but it's totally, incredibly true. It's what always got me to go out of my comfort zone. I moved to Scotland when I absolutely did not want to. No one made me, but I wanted to play football.'

Lynn moved to Scotland, making the lengthy commute from her uncle's house in Glasgow to Edinburgh for training three times a week. The Scotland goalkeeper reflects that during this period she was trying to 'run away from her mind' as she was still grieving the loss of her partner. Today, she is a passionate advocate for the need to talk openly about the challenges around mental health. 'I think it is so important for us all to just be open and honest,' says Lynn. 'The way I have been able to get the help I've needed is because I have been honest, and I've gone all the way down to the core and I have to continue to do that. I think it is important that we all kind of stick together and keep talking and keep asking each other how we are doing and continue to be there for one another.'

She is frank about how difficult her own path has been, even when the move to Hibernian brought her to the attention of the Scotland national team and into Anna Signeul's squad. 'Now I have done so much work on myself, so I am a lot more comfortable with who I am,' explains Lynn. 'But when I think back to those first Scotland camps and honestly for the first seven years of camps, I was never comfortable. That was never as a result of anyone else, because everyone was so nice, it was just that I never felt comfortable.

'Every time I was going to go to camp,' continues Lynn, 'I had an anxiety attack and I was like, "I don't think I can go." It was all these different things like, "Who am I going to stay in a room with? Is it going to be okay? Are they going to give me the right sizes of training kit? Am I talking too much? Am I taking food first or taking too much food?" All those thoughts. I was just so uncomfortable with who I was.'

Throughout that period, it was being on the pitch that provided respite. 'That was when I was like, "I am a football player, this is what you're supposed to do,"' says the Scotland goalkeeper.

Over time, Lynn established herself as an integral part of the Scotland squad, although starting appearances were limited by Gemma Fay's dominance of the goalkeeping position. Throughout her Scotland career Lynn has had to contend with being back-up goalkeeper rather than first-choice starter. 'It does take a lot of mental strength,' reflects the Scotland goalkeeper. 'It takes a real love for the game, but I have a lot of pride in being the support for the person that is playing.

'When Gemma retired and Shelley came in,' continues Lynn, 'I can't lie and say that I didn't hope that things would be a little different. I thought I had a little bit of a chance there, but again that is just the way it happened and that is nothing towards anyone. Lee has done an absolutely amazing job and deserves that spot in every way possible, but on a personal level, I thought that might have been a time when it could have happened for me.'

The highlights of her time with the squad remain the scenes at full time in Albania and making her first start in the 2-0 defeat of England in the Cyprus Cup in 2011. 'I made a pretty big save in that game and that is something which I will remember forever,' says Lynn. 'I have felt so happy to be part of the team in general, but actually being on the field for such a huge win, it was an amazing feeling. I have realised in my career that we really need to hold on to those special moments.'

Lynn reflects on her Scotland career and is thankful for having been a constant part of the squad over the last two decades. 'I am so grateful to be involved,' says Lynn. 'I have been involved in every single camp that we have had as a national team since my very first one. That for me is an accomplishment.'

The warm-hearted Lynn was joined in the goalkeeping team by former Hibernian colleague, Jenna Fife. Fife was 24 years old and a rising star in the game, having established herself as the first-choice goalkeeper for Hibernian. She had started her football career at youth side Murieston United as an outfield player. 'I actually played outfield until I was 14,' says Fife. 'I took a turn in goal one day and enjoyed it so much I decided to stay there.'

Her decision to concentrate on goalkeeping proved an inspired choice as she excelled in the position, going on to feature for Scotland at Under-17 and Under-19 level. She had been invited into her first senior training camp in 2015 by Anna Signeul as Scotland prepared for European Championship qualifying, but it was under Shelley Kerr that she truly cemented herself as a regular presence in the squad. In the warm-up matches against Iceland and Denmark, Fife had played the full 90 minutes, performing brilliantly in the latter to help the team to a 1-0 victory. Shelley Kerr knew that in both Fife and Lynn she had extremely capable reinforcement if anything happened to Lee Alexander.

If the goalkeeping selections were relatively straightforward for Kerr, the defensive positions were anything but. Kerr selected regulars Rachel Corsie and Jennifer Beattie, who would form the central pairing at the heart of Scotland's defence. They were joined by the experience of Hayley Lauder and Joelle Murray. Murray provided cover at the heart of the defence, a position that she played for her club side, Hibernian, whilst Lauder offered versatility.

Kerr had coached Hayley Lauder at Spartans, so was familiar with the energy and creativity she brought to wherever she found herself on the pitch. She also brought a wealth of experience, having made her first appearance in a Scotland shirt back in 2010 and played 99 times for her country. Lauder was hopeful of featuring on the pitch in France to join the elite group of players with a century of caps, a long way from her first appearance. 'It was in the Cyprus Cup against Italy,' recalls the Glasgow City player. 'We were getting beat 2-0 and I got the last 15 or something. I remember I took one step on the pitch and got booked for having an earring in. I couldn't let it go in the game. I was just running about thinking, "Oh my God, what have I done? I am going to get sent off."'

Lauder remained on the pitch but there was an awkward moment at full time, when manager Anna Signeul approached her. 'I just remember coming off and I was buzzing with myself,' says Lauder. 'You have made your debut for Scotland and I remember Anna just putting her arm around me and she went, "You know, if that's a qualifier, one more booking and you miss a game," and I just looked and went, "Sorry." I thought she was going to say "well done" or something!'

The experienced Joelle Murray had missed most of the qualifying campaign through injury, so was delighted to get the opportunity to travel to France. 'When you are younger you dream about these things,' says Murray. 'But you never think they are actually going to come to fruition, so when they did it was incredible.'

One experienced defender who would narrowly miss out on selection was Emma Mitchell. The versatile defender from Buckhaven was strong and physical but also technically gifted, having graduated from the National Academy at the University of Stirling. She had forged a successful career, winning four titles in Scotland with Glasgow City and a title with Arsenal. Mitchell had established herself as an integral part of the Scotland squad since making her debut in 2011 and had played the full 90 minutes in the majority of their World Cup qualifiers, but had missed the final few months of the season at her club. Mitchell would later bravely open up about her struggles with mental health during that period in an interview with BBC Sport's Jo Currie. 'I never actually realised how I was feeling until a strange situation in training one day, when I got hit in the face and I broke down,' recalled Mitchell. 'I went off to the side and I was like, "I am really not OK."'

Previously, football had offered her an escape from pressures off the pitch, but realising that now even training felt daunting, she approached her Arsenal manager, Joe Montemurro, and began the process of getting the help she needed. The Scotland defender is a passionate advocate for greater openness about mental health in football. 'I don't think mental wellbeing is spoken about enough in football, not at all,' said Mitchell. 'If you've got a hamstring injury then you can do a test on a machine and see that it's stronger, but because you can't measure how somebody's mental health is, it's difficult to speak about that.'

Focusing on her recovery meant missing most of her club's matches in February, March and April, depriving her of critical match time. Mitchell had missed the European Championship in 2017 with a hamstring injury and now faced missing her second tournament in a row. Mitchell lacked game time, but still had incredible talent, so her omission when it came was a blow. 'That was heartbreaking,' said Mitchell, reflecting on the decision to the BBC's Currie. 'I feel I had truthfully done everything I could possibly do, in terms of giving myself the best chance to get selected.'

After the World Cup, Mitchell would successfully return to the Scotland squad and regain her starting position, but missing another tournament was a cruel disappointment. 'It was no secret,' reflects Shelley Kerr, 'Emma was a really tough one. I had her as a youth player. I made her captain, I brought her to Arsenal. As a player I think she is phenomenal. She has got a bit of character and is a natural leader, but she hadn't played for such a long time at her club. We had players who had been playing and had been doing well. I can understand why players like Emma were really upset at not being selected, and rightly so.'

The remainder of the defensive positions were taken by Nicola Docherty of Glasgow City and three players earning their living in England: Sophie Howard of Reading, Chloe Arthur of Birmingham City and Kirsty Smith of Manchester United. Smith was a former team-mate of Joelle Murray, having started her senior career at Hibernian. She was an elegant right-back with a quick turn of speed who had been part of the European Championship squad under Anna Signeul. Her inclusion in the Scotland squad capped an incredible 12-month period for Smith, having recently made the move to the newly formed Manchester United women's team. 'My biggest dream was to turn professional,' said Smith. 'I also set myself a goal of going to the World Cup with Scotland, so in the space of a year it's just been unreal how much has happened.'

Chloe Arthur was another player who offered versatility. She was a midfielder at club level, but tended to feature as a full-back for the national team. She had featured in Anna Signeul's European Championship squad, although she had been a late addition, having initially been named as a back-up player.

Injury to others handed Arthur her chance and she grabbed it with both hands, performing well at the tournament. 'I was really fortunate to get to play the England and the Spain game,' says Arthur. 'The Spain game, we played really well. Personally, that was one of my strongest games with the national team as a full-back, and I think that gave me a boost.'

Arthur was delighted to have been handed another opportunity to go to a major tournament. 'As a kid, I would never think that I would ever be playing full-time football,' said Arthur, 'never mind going to a World Cup.'

The inclusion of Arthur, Howard and Smith left no room for defender Frankie Brown, who missed out on selection. The right-sided Bristol City defender was among the first intake of the Women's National Academy at the University of Stirling and had been part of the Scotland camp for over a decade, accumulating 96 caps in that time. She had featured at the European Championship in 2017, and although competitive appearances in Kerr's squad had been limited, game time in the warm-up match against the USA and in the friendlies in Spain at the start of the year had offered some hope of selection. The limited space in Kerr's squad meant that Brown would narrowly miss out.

In midfield Kerr had an abundance of talent, with Jo Love, Caroline Weir, Lisa Evans, Leanne Crichton, Kim Little, Lizzie Arnot and Christie Murray selected.

'I was in my room getting ready to go training,' says Christie Murray. 'My phone was ringing, and it was Shelley. I was like, "Oh no, I don't know if this is a good thing or a bad thing!" because usually that's not how we find out. When she told me, it was like a huge relief. After Shelley called, I phoned my mum and dad. I wouldn't be where I am without them, so I wanted to share that moment with them.'

The inclusion of Arnot and Little was particularly poignant given that both had missed the European Championship through injury. 'You never think of anything like that happening to yourself,' says Arnot. 'But I tried not to think of what could've been as it would have made things worse.'

Arnot had fought her way back to fitness and into the squad. She was a player who could make things happen, with an ability to glide past defenders effortlessly, as she demonstrated in the warm-up games, scoring twice in the 4-1 win over Iceland at the Algarve Cup and providing the assist for Kim Little's winner against Brazil. She had made the same transition as Kirsty Smith, going from Hibernian to Manchester United in the summer of 2018, writing her name into the history books of her new club when she scored their first-ever goal in a competitive match, the winner in a 1-0 cup win over Liverpool. The move to full-time football was exactly what she needed to further her career. 'It was important for me to move,' said Arnot in the run-up to the World Cup. 'It was good playing in Scotland, but I needed to get out of my comfort zone. It has been massive for me in that sense. Getting that exposure in a different league and a different country, I feel like I have grown as a person, which is really helpful coming into a World Cup.'

One midfield player who had been uncertain about her place in the squad was Leanne Crichton. The Glasgow City midfielder had not been a consistent starter in the qualifying games and feared being left out. 'I gave everything to get to the tournament, to make sure I was selected,' says Crichton. 'That was the biggest thing. You have that mental battle where you prepare not to go. I had prepared not to be selected.'

A phone call from the Scotland manager would reassure her. 'I was over at my brothers and my niece and nephew are running about mad,' recalls Crichton. 'I had to throw them into another room to speak to Shelley. When the call came it was genuinely just total relief. I literally felt like a weight had just lifted off my shoulders. I went through and I was telling my brother and the kids. "Auntie Leanne is going to the World

Cup!" and they were just like, "Is that good?" You are brought back down to earth with a bang.'

Kerr completed her squad with an array of talented forwards: Erin Cuthbert, Jane Ross, Lana Clelland, Fiona Brown and Claire Emslie. Regrettably, there was no place for the skilful young striker, Zoe Ness, who had scored a vital goal in the home win against Poland. Ness and all the other players not included still received a phone call from the Scotland manager to inform them of her decision. 'We made the decision that I would phone all the players, even the players that weren't selected,' explains Kerr. 'So, I made 33 phone calls and it was the first time that my assistant coach has said, "You are on your own for this one."'

It would prove to be one of the most demanding tasks in her management career. 'I will be honest,' says Kerr. 'Even some of those players who were selected, some of those conversations were tough, because they are waiting in anticipation and were stressed about whether they were going or not. There was a lot of emotion attached to it.'

The difficult decisions made, Kerr could now concentrate on making sure that the 23 players chosen to represent Scotland were in the best possible shape, physically and mentally, for the challenge that lay ahead.

19

Anticipation

SHELLEY KERR appeared in front of the media at Hampden on 15 May to formally announce her squad. The names of the players were emblazoned, Hollywood-style, across some of the country's most famous landmarks in an impressive Scottish FA video, and Kerr was joined by a class of primary schoolchildren, each wearing the surname of a player selected on the back of their strip. Kerr addressed the assembled media with a mix of humility and passion. 'To sit here today and pick a World Cup squad,' said the Scotland manager, '30 years on from my first cap, and to be at the helm to take the Scottish Women's National Team to the World Cup, it is just amazing. That is what dreams are made of. I am really proud.

'Dynamics are huge in any team,' she continued. 'If you want to be successful, then the dynamics are so important. We have got a real mix of characters. We have got the quiet ones, we have got the rowdy ones and we have got the ones that like a wee laugh and a joke. You need that in a group. Every single person is unique. The group of players that we have got are a real special group.'

Her final thoughts reflected on those who had not made the cut. 'I am delighted for the 23, for them and their families,' said Kerr. 'They have worked so, so hard to get there, but there is also a part of me that is disappointed for the players that haven't been selected. Even 24 hours later, I still feel for the ones who haven't been selected, and that will never leave me.'

Scotland's build-up to the World Cup continued apace. The manager and her squad were in demand for interviews, features and appearances, with some in the squad even emblazoned in impressive artwork around the country. 'It's so cool,' enthused Claire Emslie about her own mural in Leith. 'My auntie sent me a photo of it. She tracked it down and posed beside it. She looks so small because it's so massive. It just shows the great support that's going round for the national team at the moment.'

A further indication of the growing support for the team arrived at their final match before the tournament, a friendly at Hampden Park against fellow World Cup qualifiers Jamaica. It would be the first time that the team had played at the venue since the first leg of their European Championship play-off against Spain back in 2012. For many in the squad, it was their first experience of playing at the national stadium and they were determined to make it a memorable occasion. 'In the build-up to that game,' explains captain Rachel Corsie, 'I remember having a discussion with the group, saying, "Let's just do everything we can to make it a really big occasion, because I think it could be something that is really special and I think it could be a big turning point for home games and the women's A squad." We did a huge push as players. People went to speak to primary schools, secondary schools, offices in their area and local club teams.'

Shelley Kerr reinforced the invitation before the match. 'I would urge everyone to come along and support the players,' said the Scotland manager. 'It would mean the world. If we can get 10,000, you'll see a smile on my face for ever more.'

On the night of the match, the attendance eclipsed Shelley Kerr's expectation with a record-breaking 18,555 turning up to support the team, the stadium so taken aback that some fans didn't manage to get through the turnstiles in time for kick-off. It was over four times higher than the previous record of 4,098 for the final home qualifier against Switzerland and a special moment for all associated with the women's game in Scotland. 'Everyone talks about how special the World Cup was and obviously the achievement of getting there and taking part in it,' reflects Shelley Kerr, 'but actually, I always talk about that Jamaica game, because I think for me it was a real watershed moment. I never thought in my lifetime I would ever be at Hampden Park as the manager of the national team and see that many people turn up to watch women's football and the national team.

'My mum and dad had never been to a game since I had been the manager,' continues Kerr. 'But my mum came that night. I had a few members of my family there and it was just so special, my mum getting to experience that. It was amazing from start to finish. It is a moment that I will never forget. It was such a special, special night.'

'You felt like everybody else was part of the journey at that point,' says striker Erin Cuthbert, who had attended the team's previous game at Hampden as a young fan back in 2012. 'That was the game that made us think the country was behind us. My little cousin plays football and even having her there. They sent pictures after the game and there's my little cousin with the Scotland flags painted on her face, the flag and the Scotland strip, and I just thought, "You know what, we are genuinely making a difference."'

During the match, Cuthbert would make a difference on the pitch, firing in an outstanding shot from 30 yards to cancel out Jamaica's opening goal. 'Usually I would shank it,' laughs Cuthbert. 'I try them in training as well, but you never ever dream of them going in, especially in a game like this. To even have the opportunity to play at Hampden was amazing and never in my wildest dreams did I ever picture myself scoring at Hampden. I think that showed from my celebrations. I just put my hand over my mouth. I couldn't quite believe it. I just wish I celebrated better. Honestly, I really do. I wish I had slid to my knees or something.'

It would be left to her team-mate, Caroline Weir, to provide the knee-slide celebration after she added a second Scotland goal with an exquisite free kick to put the Scots ahead. Jamaica equalised in the second half before Sophie Howard headed in the winning goal for a 3-2 victory. It was a redemptive strike given that Howard had earlier made the error that allowed Jamaica to score. 'I can't deny that their second goal was my mistake,' says Howard. 'So, it was an even better feeling to score that winning goal and make sure that we went to France with a win. I'm very aware that not many people get to score a winning goal at Hampden and I'm very proud of that. It was a very special moment.'

For many associated with the Scotland team, the record attendance symbolised the journey that the women's game was on and the progress that was being made. There had been an emotional recognition of the past before kick-off when Elsie Cook, Linda Kidd, Jane Legget, Margaret McAuley, Rose Reilly and Jean Stewart were awarded retrospective caps for their contribution to the national team back in the 1970s.

It was a fitting honour for the women who had paved the way for the generation of female footballers about to take their place on the world stage. The Scotland manager took time out of her pre-match preparation to offer her personal thank you for the role they had played in driving the game forward. 'They were in a box and it was such an honour for me to go up before the game,' says Shelley Kerr. 'Even though I had the game to concentrate on, I wanted to make a point of going up and saying thank you. I had played alongside Jane Legget at

Edinburgh Dynamos and it was so emotional to see them get their caps after all this time.'

There would be one final moment of inspiration before the squad departed for France, when Kerr invited former Olympic athlete and gold medal winner Katherine Grainger to speak to her players. 'She talked about the pressures,' recounts Scotland winger Lizzie Arnot, 'about the fans, the expectation and all that brings. Her best message was to tell us that if we're ever nervous, we should just think about why we started our sport. That brought it home. The way she explained things, that would really get you focused. We could have listened to her all night. It was hugely inspirational.'

The mood amongst the Scotland team was one of anticipation, with many contemplating the significance of what they had achieved and reflecting on their excitement at what lay ahead. 'I think it is huge, not just for women's football, but for Scottish football,' said Caroline Weir. 'I think it is great to have a national team doing well and performing on the big stage. Going to a World Cup, it doesn't get much bigger. Growing up, those were the tournaments I used to watch in the summer. It literally is a dream.'

The older members of the squad were aware of just how long it had been since a Scottish team had last graced a World Cup, and the fact that the tournament was being held in the same country as the last time Scotland had featured was not lost on them. 'I will always remember the France 98 World Cup,' said goalkeeper Lee Alexander. 'That was really the first time where I really focused on football. I was in France on holiday and everything about it was amazing, watching the final and seeing how the French reacted, it was crazy. To think that 21 years down the line, I am heading to France to be a part of it as a player is surreal.'

As the opening match was an all-British clash with England, it understandably became the main focus of media attention. The contest would not just be two rival nations with a long history of competition, it would also be team-mates and friends facing up to each other on opposite sides of the pitch. 'Playing in England, we have played against these players,' said Chloe Arthur. 'We know a lot of the girls and that is a good thing.'

Shelley Kerr was keen to make sure that her squad would not get distracted by the hype surrounding the England match. Her squad had three games to play, each of equal importance. She was also aware that England were amongst the pre-tournament favourites and had comprehensively defeated Scotland in the opening match of the European Championship four years earlier. But, unlike Anna Signeul, Kerr was approaching the match with a fully fit squad to choose from and the experience of a major tournament in their armoury. She was confident that there would not be a repeat of that bruising scoreline.

It was a confidence shared by her players. 'It's going to be very different this time,' said Lizzie Arnot. 'It was hard watching that two years ago, but we've grown. It's two years on and we have used it as motivation to push on. There are a lot of us down in England. Claire and Caroline have just won the FA Cup with Man City, Erin is in the team of the year, Kim and Lisa have won the league with Arsenal. That's massive. We have players involved at the highest level now. We've grown as a squad and are well positioned to challenge them.'

Rachel Corsie shared her team-mate's assessment. 'We were comfortable,' says the Scotland captain, reflecting on how the squad dealt with the memory of the previous England defeat. 'We were confident that we had accepted that game. We knew people were going to talk about it, we knew it had happened, we had experienced it, we felt it, but we also knew where we had grown in the past two years. We believed in the players that we had, so I don't think there was a fear of that happening again.'

The Scotland squad gathered for one last photo at Edinburgh Airport on the steps of their chartered flight to Nice. Shelley Kerr struck a confident tone in her final words to the media. 'You can't just go to a World Cup for the first time and say you are just going to enjoy it,' said Kerr. 'There is absolutely no doubt that our main priority is to get out of that group stage. Do I genuinely believe that we can get out of the group? Yes. We need to win at least one game. Does it need to be the first game? No. I would love it if it was, but we have got the target there. We will be doing our best and let's see where it takes us.

'Will I enjoy it?' added the Scotland manager. 'Probably not, is the answer to that.'

20

Foundation

THE MOST remarkable statistic at the heart of the Scotland squad for France was that of the 23 players who had been selected, 11 of them had at one time or another played for Glasgow City. That one single club had been instrumental in the careers of so many in the squad was impressive enough, but the achievement assumes far greater magnitude when you consider the origins of the club. Here was a club that had come into existence just 20 years earlier, started by two women with a simple belief that things could, and should, be better. 'I genuinely don't know where Scottish women's football would be if City hadn't been founded by Laura and Cas,' says Scotland midfielder Leanne Crichton, assessing the attributes of Carol Anne Stewart and Laura Montgomery, the two friends who had founded Glasgow City. 'Whatever they do, they make it work. They make it happen.'

Her assessment is shared by many in the Scottish game. The history of Scottish football, male or female, is populated with many stories of magnificent clubs who have achieved remarkable things, but the tale of Glasgow City is arguably one of its most inspiring. 'I just remember always wanting to play with a ball,' recalls Carol Anne Stewart, one half of the partnership responsible for establishing the club. 'I got a pram and all I wanted to put in it was a football.'

Stewart's passion for football was shared by Laura Montgomery, and although they grew up a few years apart in entirely different places, they both experienced the negative attitudes that surrounded girls playing the sport they loved. 'I remember to this day chasing the ball about with the boys and then getting told to stop,' says Stewart. 'At primary school I wasn't allowed to play and then at secondary school I wasn't allowed to play. I then went to university and had to fight with the sports union to put in a ladies five-a-side team. The first time I actually played eleven-a-side football, I was 21 years old! I just always remember thinking, "I've just got to change this because it is not fair."'

Montgomery shared the same sense of injustice. 'I couldn't understand why the boys got to go outside and play football and us girls had to stay inside to do dance,' she says. 'When I got to secondary and got a bit older, I was just, "Well, this is just a nonsense." It started to anger me that wee bit more.'

The two women's paths would cross at Glasgow University when they found themselves in the same team. Montgomery was studying law, whilst Stewart was working full-time in insurance, having already graduated from Stirling University. Before long they were both turning out for Glasgow side Maryhill Eagles in the Scottish League.

A serious injury in Montgomery's first game of their second season led to her being out of action for three years and it provided the chance to take stock. Both she and Stewart enjoyed playing for the Maryhill club, but they had a shared frustration surrounding certain aspects of the experience. 'Cas and I became really good friends,' says Montgomery. 'And the more time you spend with someone then the more often you start to talk around all things in life, no matter what they might be, and we just started to slowly share our frustrations about what things were like.'

Their ambition for something better united them, with a growing realisation that, if things were to change, they would have to do it away from Maryhill. 'I could never be one of these people who would play in a team and just complain,' says Montgomery. 'I have always felt a responsibility to make a difference. We quickly realised that you can't really muscle your way in and just take over a team, so we kind of thought, "Let's just start our own team."'

Their decision to start afresh had been influenced by imminent changes to the women's league structure in Scotland, meaning that it would be the last chance for a new club to progress from one of the regional leagues straight into the top division. If they waited any longer, their new club would have to work its way up through the pyramid system into the top flight. Montgomery says, 'We kind of thought, "It is now or never. We need to get a team into the regional division. We need to win it in one year to get promoted, because after that it will be really hard to get up."'

The two women gathered around the breakfast bar in Stewart's flat and began to draw up their plans. Starting a new project with a completely blank piece of paper can daunt most people, but for Stewart and Montgomery it simply fuelled their ambition. Their ultimate aim was to build a club that would be successful not only in Scotland, but also in European competition, which many at that time dismissed as a ridiculous ambition, but they were convinced that if they did all the right things it would be possible.

They invited around 30 players to hear first-hand what they had in mind. 'When we had that presentation, that in itself was very unusual,' reflects Montgomery. 'Women's football was very small, and everybody knew everybody and when new teams formed it was just approaching friends – "I have a new team, come and play for me" – that sort of thing. We said, "No, we are going to hand-pick who we want in our team and we are going to write to you and come and tell you how fantastic we are or how fantastic we are going to be."'

It was a bold strategy, but it paid off. Their professionalism, enthusiasm and clarity of vision impressed those who had been invited along. 'I thought the two of them were a bit crazy,' recalls player Sharon Martin, who would agree to make the switch to the new club, 'but I was intrigued by it as well. It seemed exciting. They were going to create the best team in Scotland, and we were going to be a great force in Scottish women's football. It was something that you wanted to be a part of.'

Glasgow City Football Club was born.

The name had been chosen to reflect their city and resonate not just in Scotland, but across Europe. Their choice of colours sought to do the same, with traditional reds, blues and greens ignored for the vibrancy of orange. Both founders had a fondness for the Dutch team at the time and Montgomery had recently read an article about most successful teams playing in brighter strips.

Women's football was still playing catch-up from the numerous years of indifference from the football authorities. The arrival of Anna Signeul and the transformation of the club environment was still some years away. 'When we started Glasgow City, the national team at that point wasn't even affiliated to the Scottish FA,' says Montgomery. 'The girls wore tartan strips that were just made by some random company. They didn't even wear the national colours.'

The new club set about making an impact on the Scottish game. Their inaugural season went as planned, with promotion to the top division secured. In an early indication of their ambition, little time was taken to reflect on the achievement. 'At the time you didn't really take it in,' says Stewart. 'You just thought, "Oh that's great, that's what we planned to do, to win the league and we are in the top league now, so we will just keep going.'"

The energy and passion both women invested in Glasgow City, all on a voluntary basis, drove the club forward to success. They won the Scottish Cup in 2002, became one of the founding members of the Scottish Women's Premier League and won the title in the 2004/05 season.

Montgomery had returned from injury and was captaining the side. There can be a tendency now for her playing career to be eclipsed by her wider role in establishing and managing the club, but she was an integral part of City's early success on the field. She was a player that team-mates knew they could rely on in the heat of battle and who had a determination and passion that set her apart.

Her passion for the game remains today. 'Football just brings out a unity,' says Montgomery. 'What I love about football so much, is you have a dressing room full of people with whole different demographics and very different upbringings and quite often different views of life, but they bring something together in that unique environment and they all want to succeed together and they all want to work really hard for each other.

'There is no greater feeling than coming back from behind or coming back from adversity and scoring a last-minute winner in a cup final,' continues Montgomery. 'That exhilaration that you feel with yourself and the camaraderie that you have with your team-mates, I have never been able to replicate that anywhere else in life and it was fantastic.'

Co-founder, Carol Anne Stewart, would also feature in some early City sides, but would only make a total of nine appearances for the club. 'There was a flaw in the creation of this team,' Stewart had once joked. 'That I wasn't good enough to play for my own team!'

The two women may not have combined as regularly as they had anticipated on the pitch, but off it they were a force to be reckoned with. 'You could tell from day one where they were trying to take the club,' says former City player Suzanne Lappin. 'They always had the ideas and the drive to get the club to where it is now.'

'It just got bigger and bigger from a financial point of view,' reflects Laura Montgomery. 'We have people that earn a living from our club and for some people it is their sole income, so I do feel a lot of responsibility to make sure that we work very hard to bring in revenue and are sustaining everything. In those early years, I would be walking out on to the pitch shouting instructions to get sponsor banners sorted because the sponsor was turning up. The head coach would be going crazy at me shouting, "Laura, focus on the game!" Then as soon as the game finished and everyone is enjoying hospitality after the match, discussing the game, I have got my laptop out and I am writing a match report and I am collating the images I am about to send to all the press. I actually never got to enjoy the end of a game because I was always working for the next hour and a half to try and get information out to the press so we would actually have some coverage for the result we had just had.'

The commitment and professionalism of the two founders filtered down to their players. 'Although you were not a paid professional, the mindset was professional,' says Scotland midfielder, Christie Murray, who spent two years at the club before signing for Arsenal.

'The quality of players we actually had was just great,' says Scotland midfielder, Lisa Evans. 'Kat Lindner was one of my idols growing up. I used to watch her week in, week out playing for Glasgow City and she was absolutely top class, she really was. Players like Jane Ross, absolutely lethal in front of goal, and Sue Lappin as well, probably one of the best women's players that Scotland ever had. We were so competitive. Every night in training it was such a competitive environment. There were 15 or 16 or 17 really good players at the training pitch.'

The club went on to dominate Scottish football, amassing an array of honours including 14 Scottish League titles, nine Scottish Cups and six League Cups. Domestic trebles were secured in 2012, 2013 and 2014, and an undefeated record of 111 matches established over that period. The club secured a record number of Scottish League Championships in a row, eclipsing the achievements of either half of the Old Firm in the men's game by winning 13 championships in succession. City's dominance would attract the interest of Rangers, who approached the club with a proposal to absorb the club into their own structures, but Stewart and Montgomery knew that their independence was the very essence of their success and rejected their advances.

The extent of their dominance frustrated their opponents. 'I absolutely couldn't stand Glasgow City,' laughs Hayley Lauder, who would later make the move to the club from Spartans. 'It wasn't that I couldn't stand the club or the people, I had friends there, but see, when you are getting beat 7-0 by Glasgow City, you are not enjoying yourself. It's not fun. I respected everything that Glasgow City did, but it was hard when you were not part of it.'

Leanne Crichton, playing for Celtic at the time, also felt the frustration of facing the Glasgow side. 'For the most part of my career until I joined Glasgow City in 2013, the biggest motivator would have been to beat Glasgow City,' she says. 'You lived for the games against them. You just don't know what it is like to be on the other side. You mistake a winning mentality for an arrogance.'

'The Scottish Cup Final last year epitomised Glasgow City,' says Scotland and Hibernian midfielder Rachael Small. 'We obviously came back from behind and led the game and they scored two goals in the last 20 minutes. That's Glasgow City. They don't take no for an answer.'

Arguably, some of City's greatest achievements have come playing in European competition, including reaching the quarter-finals of the Champions League for the first time in 2014. Having lost the away leg to opponents FC Zürich 2-1, a pulsating return leg in Airdrie saw the sides enter the final three minutes of the match with City leading 3-2. It meant that the tie was level at 4-4, but that the Swiss side would progress due to their away goals. The atmosphere inside the stadium was electric as City pushed for the goal needed to take them through.

There were scenes of jubilation when Suzanne Lappin headed in a late winner from a Leanne Ross free kick. 'It was a running joke that Leanne Ross set up all my goals,' says Lappin. 'I just believed that every time she crossed the ball, I was going to score. It was just fate. It was such a great cross from her, and I have just managed to get my head on it. It is just one of those ones that you know, as soon as you have headed it, that it is going in. Honestly, I can't describe the feeling. For me, without a doubt, it is the highlight of my football career.'

'If I watch the highlights back now, it still gives me goosebumps,' says former Scotland defender Leanne Ross. 'It was an amazing feeling. I can still feel the emotions.'

The 5-4 aggregate win earned City a place in the quarter-finals of the Champions League and a tie against European giants Paris Saint-Germain in the Parc des Princes. 'Once we found out that that was where we were going to be playing,' says City goalkeeper Lee Alexander, 'everyone was buzzing to go over there. It is such an iconic place. It is not every day you get to turn up and play on a pitch like that.'

It would be a venue that Alexander would experience again in Scotland's final match of the 2019 World Cup, but six years

Kim Little elegantly skips a challenge

A Scotland goal fires the team back into contention

Celebrating Scotland's first ever World Cup goal

Goalkeeper Lee Alexander roars on the team

Winning new friends in France

The players make the most of their downtime between matches

Scotland captain Rachel Corsie deep in thought

Last-minute motivation before facing Japan

Lana Clelland battles her Japanese opponent

Celebrating a wonder strike from Lana Clelland

Shelley Kerr urges the team forward

Thanking the Scotland fans for their vocal support

Jennifer Beattie powers Scotland two goals ahead against Argentina

The team embrace taking one step closer to the knockout stages

Nicola Docherty evades an Argentinian tackle

Erin Cuthbert holds up a photograph of her younger self after scoring

Agony at the final whistle

An act of compassion from an opponent after Scotland exit the World Cup [Getty]

earlier, for a club the size of Glasgow City, it was a memorable occasion. The club continued to compete successfully in Europe, with memorable ties against Chelsea and Barcelona, and in the 2019/20 competition they again defied expectations, reaching the quarter-finals after a dramatic penalty shoot-out win over Danish side, Brøndby.

The list of potential opponents at the quarter-final stage read like a Who's Who of Europe's top teams – Arsenal, Atlético Madrid, Barcelona, Bayern Munich, Lyon, Paris Saint-Germain and Wolfsburg. For a small, independent club from Scotland to sit comfortably alongside Europe's elite is a testament to the vision, commitment and sheer hard work of Carol Anne Stewart and Laura Montgomery.

The success they have achieved since first outlining their vision to a room of 30 players back in 1998 is phenomenal. 'You could probably hunt high and low across world football or any club team in any sport to find two people that sat down one day and decided that they would start a team,' says Leanne Crichton. 'And that for 13 years they would dominate in national football and that they would qualify for the Champions League, an elite tournament where every team in it is professional other than them. They have set the mark for Scottish football.'

Yet, amongst all the trophies and thrilling performances on the pitch, as much satisfaction today is derived from what they achieved off it. Opportunities for young girls in Scotland who want to play football have been transformed over the last 20 years and Glasgow City has been at the heart of that transformation. 'I took a breath at one of our Player of the Year events,' reflects Montgomery. 'I looked around and there are 150 kids in a room, of all ages, from six years old upwards, and they are all having a great time and, probably most importantly for me, they are all in awe of 18 players sat at two tables who are the first team. Every single girl in that room is wanting to be one of them one day. They want to pull on a first-team jersey, they want to play for Scotland.'

It was a contribution that she was reminded of in a message on the eve of Scotland's opening match in the World Cup. 'The night before Scotland's first game,' recalls Montgomery, 'one of the national team players private-messaged me to basically thank me for what I had done for them and what I had done for the national team. They said, "You do realise the amount of us out here that have been part of your club? And if the club had never existed then Scotland would probably not be about to start the World Cup."'

Glasgow City players have a mantra that reflects their relationship with the club: 'Once City, Always City.' It is a club that leaves an indelible mark on every single player who represents it. The 11 former or current players in the Scotland squad would ensure that when the team took to the field against England in Nice, the spirit of this extraordinary club would be present.

21

Opposition

SCOTLAND AND England had faced each other 25 times before the teams met for the opening game in Group D at the World Cup. In those matches, the Scots had managed just two wins and one draw. England had finished third at the previous World Cup and had recently won the She Believes Cup, edging out the USA. They would be formidable opponents.

The Scotland team's base on arrival in France was a hotel in the centre of Nice, just a few minutes' walk from the beach. The location allowed the players to witness first-hand the number of Scotland fans gathering for the match in the days leading up to the game. It was evident that many had made the journey to be there for Scotland's first-ever match at a Women's World Cup, including a large number of family groups, women and young girls.

Along with the numerous English fans arriving to support the Lionesses, it helped create the perfect atmosphere in the French coastal resort. 'To know that people were spending their summer and spending their money to come and watch us,' says Rachel Corsie, 'I think that was something that was new to us and we were so appreciative.'

The presence of a large Scotland support for her team entered Shelley Kerr's thoughts in a final moment of quiet reflection on the eve of the game. 'The night before, I had to do a press conference,' explains Kerr. 'And there was a moment I was just in the stadium on my own. I had a look around and thought, "Tomorrow, this is going to be full of Scottish fans supporting a national team at the World Cup."'

The Scotland manager had already selected the 11 players that would take to the field against England the following day. Lee Alexander in goal; Rachel Corsie, Jen Beattie, Sophie Howard and Nicola Docherty in defence; Christie Murray, Caroline Weir, Kim Little, Claire Emslie and Lisa Evans in midfield; and Erin Cuthbert up front. For those chosen, it was a proud moment to be the first Scottish players to step on to the pitch at a World Cup. 'I hadn't played a minute in the Euros,' explains Christie Murray. 'So, going into the World Cup I had always been focused on getting on the pitch. That was my goal, to get on the pitch. When I found out I was starting, it was mad. Those are the moments and the games you want to play in. You give up so many things in your family life, miss different events and moments to be part of that, so it is amazing. I was really proud that I was chosen to play.'

'I don't get overwhelmed that easily, but when we were preparing for the game,' reflects Kim Little, 'that was really overwhelming. It's our first World Cup, it's obviously against England, but a lot of my family were there, family that wouldn't normally come and watch football – my immediate family, my sister, her family, my mum and dad, some friends. It was a really emotional feeling.'

For the players not named in the starting 11, there was inevitable disappointment, but the togetherness in the squad meant that those players not selected remained resolutely behind their team-mates. 'You work so hard to get there and you want to be a part of it,' says striker Lana Clelland. 'So, when you are not you are disappointed, but you have just got to respect the decision and move on. It is just football. People play. People have got to be on the bench. If Erin Cuthbert is there playing before me, I am supporting her. I am her number-one fan.'

Kerr was confident that the players she had selected would give her team every chance to take something from their first game. Speaking to the BBC in her final pre-match interview, she underlined the importance of the occasion. 'As a nation this is what we have been waiting for,' said the Scotland manager, adding, 'It doesn't get any bigger and it doesn't get any better.'

The two teams walked out onto the pitch in the Stade de Nice, into the glorious sunshine of the South of France. The stadium was not full, but it was still populated by thousands of supporters from both countries – supporters who had mingled amicably all day in the centre of town and at the family-friendly fan zone. Around the stadium, pockets of fans sat next to each other with a commonality of purpose that seemed to unify rather than divide, but the emergence of the teams from the tunnel provided a sharp reminder that they were there to support their respective nations.

The Scotland support immediately dominated with their familiar refrain of 'No Scotland, No Party' to the tune of The White Stripes' 'Seven Nation Army'. It was an enthusiasm and energy they took into the national anthems. 'It is a surreal moment,' reflects manager Shelley Kerr. 'You walk out in that stadium and you hear the national anthem, it is an incredibly proud moment, for everyone, not just for me but for the team as well. There was a big crowd there and you could hear all the Scottish support.'

'It's everything I dreamed of as a little girl,' says striker Erin Cuthbert. 'I was quite emotional at the national anthem. I managed to keep it together because when the whistle goes you must play the game, not the occasion.'

Cuthbert was not the only Scotland player trying to keep calm during 'Flower of Scotland'. 'I remember during the anthems it was close to overwhelming,' says Sophie Howard. 'I had to pinch Christie Murray, who was standing next to me, to refocus on what was actually going on. We were about to play a game and we couldn't let all the emotion get the better of us.'

'I just tried to block it all out,' says Christie Murray. 'I know that sounds bad, but I am quite an emotional person, so had I allowed myself to feel that my family were there or to look at them, I couldn't. It would have distracted me, and I would have been overemotional.'

The formalities concluded, Rachel Corsie gathered in the centre circle with England captain Steph Houghton and the referee. Scotland won the coin toss and decided to take kick-off. The Scotland captain was aware of the responsibility of leading her country into such a crucial match. 'There was a lot of weight on my shoulders,' recalls Corsie. 'I have a huge amount of respect for anyone that is their national team captain. That's a major challenge when you're in a major tournament like that, and it is the first time for everybody at a World Cup. We knew that England were one of the best teams in the world at that moment, but it was a case of "let's know what we are good at, we have worked hard, we have been solid, we have worked on things" and off we went.'

The stadium announcer counted the crowd down to kick-off and Erin Cuthbert rolled the ball to Caroline Weir. Scotland's World Cup adventure was underway. The first few minutes of the game were evenly matched. Erin Cuthbert made a couple of early runs into her opponents' box, which electrified the Scottish support, but each time was crowded out by the English defence. Claire Emslie robbed Alex Greenwood and combined with Kim Little, but again the England back line stood firm. Moments later, a Jill Scott cross threatened to find Lucy Bronze in front of the Scottish goal, but Sophie Howard intercepted perfectly to clear the danger. It was an incredibly open start to the match, with both sides confident in possession and creating chances. For a team appearing at their first World Cup, there was no sense of the Scots being overwhelmed by either the occasion or their opponents.

A moment of misfortune in the 11th minute would unravel their confident start. Fran Kirby gathered the ball on the right wing and crossed it into the Scotland penalty area, the ball glancing off the arm of Scotland defender Nicola Docherty as it made its way across. There was little reaction from the crowd or any England players other than Kirby in the seconds afterwards, so the game raged on. 'The game was just going so fast,' recounts defender Nicola Docherty. 'You couldn't really hear much, and you were just all focused on the game in that moment. I have kind of not even felt it hit my hand. It didn't even cross my mind that I had handballed it at that point, but as soon as the referee blew the whistle and pointed to the VAR (video assistant referee), I was, "Aww, I think that was me."'

Docherty's inclusion in the squad had been a late one. She had not featured in the qualifying matches, but had fought her way into contention with strong performances in the warm-up games, after having been invited back into the camp for the USA friendly. 'I was a wee bit shocked actually,' explains the Scotland defender. 'I didn't play against the USA, but to be back in the squad after quite a bit of time out, it was a chance that I wasn't going to let slip away.'

Docherty was well known to Shelley Kerr, having featured in her Under-19 side that qualified for their first-ever European Championship back in 2010. The young defender made the quick transition into the full national squad. 'I think at that age, going into the squad is quite nerve-racking,' says Docherty. 'You go in not knowing too many people and they are obviously a lot older than you as well. I was at Falkirk Ladies and then I went to Rangers. Nobody was in the national team set-up from my clubs, so I was kind of on my own. It was actually Jennifer Beattie who was the first one to come over and make me feel welcome, so I will always thank Jen for that one.'

Her Scotland career did not follow the path that she had hoped and over the next few years she would struggle to feature regularly in squads. 'I was trying to get into the Euros squad,' recounts Docherty. 'I worked as hard as I could, but sometimes it either goes for you or it doesn't. The competition in the squad for Scotland is probably the toughest it has ever been, so to not be in that Euros squad was obviously disappointing, but it is one of those things you have got to take on the chin as a footballer.

'To watch it at home on TV was a bit bittersweet,' she continues. 'I was obviously proud of the girls representing our country at a major tournament, but of course I wanted to be there. It made me stronger because I thought, "Right, I am going to work even harder for the next campaign."'

She would have to wait until after Scotland had secured qualification for her opportunity. With Emma Mitchell not featuring regularly for her club side, Kerr explored a number of defensive options in the run-up to the tournament. Docherty delivered strong performances in the warm-up games, most notably at the Algarve Cup, which put her in contention for selection. She was out walking her dog in Queen's Park when the confirmation came. 'We knew that there were phone calls going about and we knew that certain players didn't make the cut,' explains the defender. 'I have seen this missed call from Shelley, and I was in a real panic. I thought, "Oh no, what is this going to be?" But then I thought, "No, Nic, you have got to call her. Just call her. Just get it done."

'She started talking to me,' continues Docherty, 'and said, "You've done really well this year," and I thought it was going to be one of those ones, where it's, "You've done really well, but you're not in." But she said, "You've done really well, so just to let you know, I'm going to take you to the World Cup." I actually said to her, "Shelley, you are joking. You are actually lying to me." I just pure burst out crying. It was so overwhelming.'

The surprise at her inclusion still lingers. 'I am still shocked to this day,' laughs Docherty. 'I can't actually describe how it felt to be told that you were going to a World Cup. I still get goosebumps to this day talking about it. To say that I was part of the first squad that ever went to the World Cup was unbelievable and is something I will never ever forget. It is probably going to be the biggest highlight of my career. I will always be thankful for Shelley bringing me back into the squad because I thought I was out of the mix.'

Her surprise extended to being handed a start in the opening match against the English. 'I am just one of those players,' says Docherty. 'I have no expectations. I just look to focus on working hard and if my chance comes then great. To get a start, and especially against England, what more could you want in life?'

Five seconds after Kirkby's cross had glanced against Docherty's arm, the referee put her hand to her ear and paused the game. In the BBC commentary position, her club manager, Scott Booth, and former England player, Sue Smith, watched the replay and agreed that to award a penalty for the incident would be severe. 'I think this would be really harsh,' said Smith. 'It is far too close.'

Unfortunately, after viewing the incident pitchside, the Czech referee disagreed. Docherty is pragmatic about the incident now. 'When I looked at it back,' says the Scotland defender, 'obviously it is a handball under the new rules, but I feel like it was harsh. I have raised my leg up to block the cross and I have raised my arm up ever so slightly, but when you look at it as stopping the cross, I think the ref has got to give it, unfortunately. You know what, it is just football. These things happen and you have just got to take it on the chin, but it is just a gutter that it is my first World Cup and I give away a penalty.'

Nikita Parris fired the spot kick to the top right of the goal, out of reach of Lee Alexander, and England had the lead. The impact of the goal shifted the entire momentum of the match as the stadium fell silent and Scotland struggled to come to terms with the setback. The confidence and fluency of their play in the opening ten minutes appeared to evaporate as England began to control possession.

After 20 minutes, Beth Mead collapsed to the floor inside the box under pressure from Sophie Howard, but the referee waved play on. A minute later Ellen White fired towards goal, Lee Alexander pulling off a terrific save with her leg. The England striker found space alone in the box moments later and prodded the ball into the net after a delightful pass from Keira Walsh. Thankfully for Scotland, the assistant referee's flag went up to signal that White had drifted offside, much to the striker's displeasure. Ten minutes later White was protesting again, claiming another Scotland handball inside the box. Scotland supporters inside the stadium feared the worst as the referee again reached towards her ear, but it was a false alarm and play continued.

England were threatening to overrun Scotland with their attacking play, with Bronze and Parris a particularly effective combination on the right-hand side of the pitch. Parris drew cheers from the crowd when she cleverly turned and nutmegged Nicola Docherty near the touchline. The Scotland defender would gain her revenge five minutes later when she gathered the ball and wrong-footed the England attacker, leaving her unceremoniously sitting on the pitch. Docherty had arguably the toughest task of any Scotland player on the pitch, facing the combined talent of Parris and Bronze, two of England's best players. 'It was difficult,' reflects Docherty. 'Their right-hand side was just brilliant. They were so skilful. To play against that kind of talent was amazing, but for me it was a really challenging 45 minutes.'

Scotland were finding it difficult to hold on to the ball and the match was beginning to run away from them. Shelley Kerr's side were struggling to retain possession further up the field, which meant that once cleared the ball simply returned towards the Scotland goal at pace. Finally, after 39 minutes the pressure told when, after Scotland failed to clear, Ellen White pounced on the ball to bend it past Alexander for England's second. Erin Cuthbert offered a brief moment of hope when she flashed a shot towards goal in Scotland's first attack after conceding, but the ball drifted wide and England finished the first 45 minutes with their two-goal advantage intact.

As the teams left the pitch, there was still frustration amongst the Scotland team and their supporters about the circumstances surrounding the first England goal and the impact that it had had on the game. It was a theme picked up on by Hope Solo in her half-time analysis for the BBC. 'Scotland came into this match ready to execute their game plan,' said Solo. 'But unfortunately, the penalty and the VAR call took the wind out of their sails. In my opinion, they haven't really been able to recover.'

It was a fair assessment of Scotland's first 45 minutes of World Cup football. Shelley Kerr knew that if her team repeated the performance in the second half, there was no chance of securing a result. 'I felt that we were in the game initially,' reflects Kerr. 'They obviously got the penalty and then we struggled for ten or 15 minutes and they went 2-0 up. If you are playing a team that is ranked third in the world, that is tough.

'In the first half,' continues Kerr, 'I was disappointed with our performance because I felt we could have played better, but a lot of credit has to go to England because I thought they played extremely well, especially from midfield to front. In the second half, we were better organised, and we changed a couple of things tactically.'

Scotland returned to the pitch in Nice determined to prove that they deserved their place at the World Cup.

22

Resolve

THE SECOND 45 minutes proved a significant improvement on their first-half showing, despite the shock of England having the ball in the net within just 30 seconds of the restart. Beth Mead turned the ball home, but Ellen White had been offside in the build-up, delivering the Scots a much-needed reprieve. To have fallen three goals behind would have left them with an almost impossible task, but at 2-0 Shelley Kerr knew that her team were still in with a chance of rescuing something from the game.

Kerr made her first substitution after 55 minutes, when she swapped Nicola Docherty for Kirsty Smith. The replaced defender is refreshingly candid about her role in giving away the penalty and the effect it had on her first World Cup performance. 'It was all a bit overwhelming,' says Docherty. 'After that penalty I was just trying to focus on staying in the game and trying to forget about it, but it was one of those ones where my head was kind of gone and I was just struggling. I gave away a foul early in the second half as I kind of tried to give Nikita Parris the message, "I am still playing here," and I think Shelley thought, "Right, Nic, off you come."'

As the game unfolded, Scotland finally began to find their rhythm. Kim Little began to dominate possession in midfield, allowing her team-mates time to find space more easily, and Kirsty Smith provided the team with an attacking threat higher up the pitch. 'Most of the first half it was nervy,' says Christie Murray. 'You could see we were nervous as a team. That was maybe to be expected, given that it was the first game in a World Cup. After half-time it was just, "OK, let's relax and just play." We came out fighting. We were calmer on the ball and more composed.'

Scotland were growing into the game and offering a much more potent threat. Erin Cuthbert forced her way into the box and shot straight at Karen Bardsley in goal, Caroline Weir whipped in a corner that sailed towards goal, forcing the goalkeeper to tip over the bar, and a Rachel Corsie shot was blocked by Lucy Bronze. England were not the attacking threat they had been in the first half, but they still crafted a number of chances, with Lee Alexander forced into making a number of excellent stops to keep her team in contention.

The ascendancy of the Scots on the field was soon matched off the field as their supporters recognised that there was a real opportunity to get back into the match. 'At times, the noise of Scotland's travelling contingent seemed to will the ball into the goal,' wrote Katie Whyatt in her match report for The Telegraph. Their vocal support was finally rewarded on 78 minutes when Claire Emslie fired Scotland back into contention in spectacular fashion. England captain Steph Houghton played a loose ball straight to Lisa Evans, who seized her opportunity and drove directly at the heart of the England defence. She prodded the ball through to Emslie who controlled it and fired it into the roof of the net.

'When the ball went in,' recalls Emslie, 'I didn't even think to celebrate, I just tried to grab the ball and tried to see if we could score another one, obviously, to get the result.'

Scotland were back in the game, a fact that the England defender Lucy Bronze had recognised as she picked up the ball and clung onto it to waste a few valuable moments. A tussle ensued between Emslie, Erin Cuthbert and Lucy Bronze in the back of the net as the Scots sought to retrieve the ball to restart the game as quickly as possible.

Across on the sideline, Shelley Kerr sat down in the dugout and checked her watch to see just how long her team had to find an equaliser. After the restart, England immediately slowed the game down, retaining possession and going down injured to erode the remaining 12 minutes on the clock. Their actions frustrated the Scotland fans in the stadium, who greeted every injury or perceived attempt at time-wasting with vociferous booing, but in truth, if the roles had been reversed, the professionalism of the game management would have been lauded.

In the closing minutes of the match a clash between Lucy Bronze and Christie Murray resulted in the Scottish midfielder having to be replaced by Lizzie Arnot. It would be a collision that ended her tournament. 'Lucy Bronze caught me in the box when I was in defending,' recalls Murray. 'I thought I was okay when I got up, but when I started running my knee kept giving way. We were pushing for a goal, so I thought, "I need to come off." I could be the difference between us getting a 2-2 or nicking a win. It was disappointing, but I was really happy that I got to play at a World Cup. It is the highlight of my career, without a doubt.'

Scotland attempted to find another goal, but England saw out the match to secure the win. The second-half performance from Scotland had been fantastic, but it had not been enough to take something from the game. Speaking to the press after the match, Shelley Kerr spoke of the pride she had in her players for their performance in the second period. 'I have to give the players huge credit because they played one of the favourites to win this tournament and we came back in the second half,' said Kerr. 'At a top competition like the World Cup, you need to scrutinise yourself to the max, there were a lot of positives for us in the second half.'

The Scottish manager expressed her frustration at the penalty decision and the impact it had seemed to have on her team. 'There are rules in place,' said Kerr, 'and it is a hard, hard job for the officials. VAR is there to help them and, by the letter of the law, it is a penalty, but I thought it was harsh.'

Goalscorer Claire Emslie, despite becoming the first Scottish woman to score for her country at a World Cup, struck a frustrated tone in her after-match comments. 'I was just disappointed we never got a result,' she said. 'That's really where it's at now. It's not really sunk in yet. I think we were both attacking in the second half, we kept the ball a bit better, we played a bit calmer and we kept tight. We didn't lose the ball in the second half so we can carry that on to the next game.'

The striker singled out the Scottish support inside the stadium for special praise. 'It was brilliant to hear the echo from the fans coming back to us,' said Emslie. 'The fans were absolutely fantastic. It's magic that we've managed to inspire so many to come out to support us.'

Looking back on the match now, Shelley Kerr is proud of the performance her players put in. 'I think people underestimated how good England were,' reflects the Scotland manager; '2-1 against England, who were one of the favourites to win the tournament, I don't think it is a bad result. Everybody said, "Why didn't you play the way you did in the second half?" The biggest factor there is that we were two goals down. It is easy to play without pressure when you are two goals down.'

Amongst the squad, there remains frustration about both the narrowness of the defeat and their performance in the opening stages of the match. 'I don't think we did ourselves justice,' says defender Sophie Howard. 'We can be way better than what we showed in that game. I think we gave them too much respect. I think we weren't on the front foot enough. We gave them the ball and waited for them to act, for us to react, and that is not us. That is not how we win games. We need to be on the front foot, and we need to attack for us to show who we are.'

Despite the frustration of the defeat, there is recognition that England were a strong side, eventually reaching the semi-final of the competition. For their first match in a World Cup, it was always going to be a tough ask to defeat their neighbours for only the third time. 'As much as we hate to say it, they are England,' says Lana Clelland. 'They are so many years ahead of Scotland. We just need to keep working on ourselves, try and be better, improve the league so that it can get better, so the youth coming through can be better, so that sooner rather than later, we'll smash them.'

Their first match at the European Championship against the same opponents four years previously had ended in a bruising six-goal defeat. Scotland had competed far more effectively this time around and had reduced their rivals to hanging on for the victory in the closing minutes. Scotland may not have won the points, but they had won the respect of those watching. Their second-half performance offered hope. 'They weren't afraid anymore,' says Gemma Fay. 'They believed in themselves and it made a difference.'

Their debut match behind them, Shelley Kerr's focus turned to their next opponents. Japan had drawn their first match against Argentina, which placed an intense pressure on their squad.

With a tough contest against England to come in their final group match, their match against Scotland took on extra significance for the Japanese. 'They had to win that game because they had drawn their first game,' explains Shelley Kerr. 'So the coaching staff knew we were going to have a more difficult challenge.

'The Japan game will be a tough one, for sure,' said Kerr in the run-up to the match. 'They keep the ball for fun and have possession all over the pitch. We need to look at how their game against Argentina went. We need to put them under pressure. We need to be more physical. We need to stop them playing – that's the big thing for us.'

The perceived wisdom in the press was that the Japanese squad was one in transition, with their minds focused more on their home Olympics the following year. However, even the most casual observer of the women's game knew that they were a talented side, having reached the last two World Cup finals, and in 2011 they won the competition. 'You go to a World Cup and you have media and journalists coming in who have not been exposed to the women's game,' says Kerr. 'You have a core group of fans who support the women's team and go to the games and they are probably more knowledgeable. So the press were saying, "Japan aren't the team they were." They had won the World Cup!'

The Scotland squad moved to Rennes and a far more secluded location than they had experienced in Nice. Kerr let the players rest from the exertions of the England match and began to prepare them for their next match. The players tried to balance the demands of competing at a major tournament with enjoying their World Cup experience. 'When I went out to France, me and Claire Emslie were rooming,' says Caroline Weir. 'We were constantly trying to remind ourselves, as much as it was pressurised and it was big games and big crowds and stuff, we were like, "Let's just make sure we enjoy it as much as possible." We did try, but it is hard, because you also want to win and there were tough results and frustrations in the games.'

Shelley Kerr was aware that qualification may come down to their last match, so she took the opportunity to refresh her team with four changes. Kirsty Smith was handed a start after her impressive second-half display against the English, and Hayley Lauder came in on the left-hand side of defence, with Nicola Docherty and Sophie Howard dropping out. 'You are gutted that you aren't starting the game, but it is tournament football,' reflects Nicola Docherty. 'Shelley is there to make decisions in terms of what she thinks is best for the team. And when Shelley makes a decision, we all respect it.'

Christie Murray, who had also started in the midfield against England, had a knee injury and was not available for selection, so Kerr brought in Lizzie Arnot and striker Jane Ross, with goalscorer Claire Emslie moving to the bench. The move would allow Erin Cuthbert to drop back to the number-ten role and Kim Little to sit deeper alongside Caroline Weir.

The match against Japan in Rennes proved remarkably similar to their first match. Scotland struggled to get into the game in the first half and conceded two soft goals. The team performed better in the second half, fighting their way back into the match and giving themselves hope when substitute Lana Clelland reduced the deficit with a magnificent strike after 82 minutes. 'I have been put on and I had been told, "There is not long left. Just give it everything you have got,"' says Clelland. 'I had actually struggled with injury going into the tournament so to even be there for me was already massive, because there had been a stage when I thought I wasn't even going to make it. I felt that in the game we weren't shooting enough, and I knew that if I got a chance, I was going to take it.'

When her chance arrived, Clelland seized it spectacularly. The striker gathered the ball 30 yards from goal, struck it beautifully and it sailed over the head of the Japanese goalkeeper and into the net. 'The ball drops to me and I have just hit it,' recounts the Scotland striker. 'It was one of those ones where when it leaves the boot I knew exactly where it was going. I still can't even put that moment into words. I just get a smile on my face. To come on and score the way that I did. I will remember that for the rest of my life.'

The one regret the striker has now is that she didn't savour the moment and celebrate properly. She was too focused on restarting the match so that her team could push for an equaliser. It would take until after the final whistle to start to fully appreciate what she had just achieved. 'After the game, when I saw my mum and dad, I just burst into tears,' says Clelland. 'The emotion and the adrenaline starts to wear off and you start to realise what you've done. After the tournament, I was watching the World Cup at home when they chose the top ten goals of the tournament and my goal was on there. I have grown up watching some of these players – Alex Morgan and all these people that have scored these absolutely wonderful goals – and my name is up there with them. I think that is something I will always remember.'

Scotland finished strongly in the closing stages of the game but couldn't find the goal they needed to secure the draw. They had a number of strong penalty appeals rejected late on, and television pictures later showed a clear handball by a Japanese defender. Unlike his counterpart in the England game, however, the video assistant referee watching from a remote location was unwilling to intervene.

The inconsistency was a huge source of frustration for both the squad and their supporters. 'I've watched it back three times and it is a penalty,' said Kerr in her post-match comments. 'There's no other comment to make on that, it's a penalty. But there's no point dwelling on it. This game has gone.'

Kerr had been frustrated by the nature of the goals her team had conceded in the match. 'If I look at the goals we conceded in the tournament,' says the Scotland manager, 'I think some of them could have been avoided. You can always say that about the games and of course, as the manager and as the staff, we have to take responsibility. Obviously, we conceded two bad goals in the Japan match, they were mistakes, but take them out of the game and it was much closer.'

Reflecting back on the first two results now, the Scotland manager believes that the team performed credibly in both matches. 'We always knew it would be tough,' reflects Kerr. 'I think we came back in both games, and 2-1 against England and Japan, those weren't the worst results in my opinion. I think if we had gone out there early and played a high-pressing game, then we might not have got the scoreline that we got. We finished both those games only losing by a single goal and put ourselves in a brilliant position.

'If I am being honest,' continues Kerr, 'when we were planning, we kind of knew it would come down to the last game. We thought it would be tough to get something out of England and Japan. Did we think we could? Absolutely, but we knew it would be a tough ask. So, we were trying to focus on making sure we had a fit squad who were ready to go for the Argentina game, which was the most important.'

The assessment is shared by her former team-mate, Pauline Hamill. 'It's easy to lose sight of the fact we played the third and seventh-best teams in the world in England and Japan,' says Hamill. 'I think overall the two scorelines were okay. You think of scorelines in the past and I think it was respectable. You never want to lose, but if you are going to lose then by one goal is okay. If we had maybe nicked a draw from one of them it would have been fantastic, but it wasn't to be.'

Amongst the squad there was frustration at the two defeats and the performances in the opening stages of both games. 'The results never went our way in the first two games,' says Leanne Crichton. 'And for me, not playing in those two games, it was difficult because you knew we had more, and you knew we had the potential to get results from those game. That was a frustration.'

They knew the match against Argentina would be their final chance and they could not afford to start slowly again.

23

Hope

THE MATCH against Argentina was due to take place at the Parc des Princes in Paris. It was a setting seared into the consciousness of Scotland supporters as the location of James McFadden's magnificent turn and shot to win the match against France in 2012. It was also a special venue for the family of Jennifer Beattie, her father John having scored a try for the Scotland rugby team there years before.

The squad was in determined mood. They knew that this was their last chance to make their mark in the tournament. Win and there was a good chance that they would progress to the knockout stages, with Germany the most likely opponents. Draw or lose and they would be returning home.

The team based themselves outside the French capital, but found time to explore the city a little in the days before the game. More Scotland supporters travelled to support the team than had in the previous two games, encouraged by both the accessibility of Paris and the importance of the occasion. Amongst them was Pauline Hamill. The former Scotland striker had been offered the chance to be in France as part of an official Scottish FA coach development group, but had decided to travel with her family instead. 'I went as a fan,' explains Hamill. 'I thought long and hard about what I wanted to do, and I thought, "I want to share this with my family." You go through your career as a player and you miss out on a lot of family things and I thought, "This might never happen again," so I went out with my partner and my wee boy for four days in Paris.'

Hamill was not the only former player determined to support the team; Ifeoma Dieke also travelled to back her former team-mates. 'I just thought, "You know what, I am actually going to go and be a fan," explains Dieke. 'I went to every single Scotland group game. I didn't know how to be a fan. I didn't know what the match-day experience was like. The whole having a drink before a game, it was all new to me. The fans were teaching me how to be a fan. It wasn't a case of, "I'm Ife, I used to play for Scotland." I didn't even get tickets through the SFA. I just wanted to go and enjoy the experience as just a fan, not as a former player. It was all about supporting the team.'

Hamill and Dieke were joined by thousands of other Scottish supporters and friends and family of the team. There was anticipation and nervousness in equal measure as the match approached, emotions shared by Scottish midfielder Leanne Crichton as she waited to see if she would be included in the starting line-up. 'You have that worry about not playing,' says Crichton. 'You have friends and family there, and people don't understand that you manage their emotions and frustrations as well. You want to play, not just for you, but from the selfish aspect of thinking, "My friends and family have travelled, and they have come to see me play."'

The Glasgow City midfielder was relieved to discover that she had made the team that would take to the pitch against Argentina. 'By the time it came to the Argentina game and the squad was announced,' recalls Crichton, 'I just felt relief and I think I played that night with relief.'

The midfielder had been included to add a degree of steel to the centre of the pitch. Shelley Kerr knew that Crichton's defensive instincts would allow Kim Little, Caroline Weir and Erin Cuthbert to link up further up the pitch, taking the game to their opponents. Crichton joined a line-up that included Kim Little, Caroline Weir, Lisa Evans, Claire Emslie and Erin Cuthbert in the forward-facing positions. Behind them were Nicola Docherty, Jennifer Beattie, Rachel Corsie, Kirsty Smith and Lee Alexander in goal. It was a formation that underlined Scotland's ambition to progress from the group.

The mood amongst the players was one of confidence, with most keen to prove to their critics from the first two games that they could perform when it mattered. 'Now is the time to showcase what we can really do,' said defender Jen Beattie before the match. 'Nobody feels that we have done that yet. To have a win at a major tournament and for young girls, boys, anyone to be able to see a Scotland team winning at a World Cup would just be incredible.'

The Scotland manager struck an equally confident note in her final comments before the game. 'We have gone with an attacking line-up,' said Kerr. 'We are not ready to go home.'

Kerr had been buoyed in the days before the match by a phone call from Scotland's most successful manager, Sir Alex Ferguson. Well-wishes from such a legendary figure in football were a huge personal endorsement for both Kerr and her squad for their achievements. An hour and a half before kick-off there had been a huge downpour in the French capital, forcing the Scotland fans who had gathered outside the stadium to huddle under umbrellas and in bars and doorways, but by the time the teams emerged onto the pitch the sun was glinting brightly in the evening sky.

Rachel Corsie and Estefanía Banini met in the centre circle with referee Ri Hyang-ok. The North Korean official was a former player who had represented her country at the World

Cup tournaments in 1999 and 2003. Corsie won the coin toss and elected for Argentina to start the match. The next 90 minutes would decide the fate of both teams.

Amongst the cacophony of noise from the 28,000 supporters inside the stadium, one Scotland player heard a comforting call as the teams waited to start. 'When I was standing at the centre circle about to kick off,' recounts Leanne Crichton, 'I swear I heard my mum shout, "Come on, Leanne!" from the side, and I thought, "Surely not. Surely that's not her in this atmosphere." I don't know if I was maybe tuned in to where our families were. I thought, "That is so funny. How can you still hear just one voice?"'

The opening moments of the match were encouraging for Scotland. Mindful of their previous slow starts, they immediately took the game to their opponents and within the first minute Weir, Emslie and Docherty combined down the left to present a chance for Erin Cuthbert. The young Chelsea striker didn't connect properly, and the ball drifted harmlessly wide, but it was an early indication of Scotland's attacking intent. The inclusion of Crichton in midfield had an immediate impact, offering a strong physical presence and allowing Weir and Little the freedom to push forward, something they had lacked in the early stages of their first two games. 'Within the first ten minutes,' says Gemma Fay, 'Leanne Crichton had won the ball three times and committed three fouls, so they certainly knew she was there!'

Scotland were getting close to their opponents and closing them down quickly, denying them the space to build any fluency. Argentina had not started well, but after 16 minutes they managed to create the first real chance of the game. Banini split the defence with a pass to Bonsegundo, who gathered and fired towards goal. The ball struck the crossbar and rebounded to the Argentinian striker, who blasted the ball back towards goal. Lee Alexander blocked the shot with her body and the defence scrambled the ball to safety. It proved the wake-up call that Scotland needed.

Just two minutes later, they pushed forward and worked the ball out to Erin Cuthbert on the left-hand side of the box. She made space and let fly with a terrific shot. The Argentinian goalkeeper was equal to it, but the ball returned straight to Cuthbert, who cleverly crossed it back to the middle of the box for Kim Little to force the ball into the net with an outstretched leg. Scotland had the lead that they desperately craved.

The goal injected a confidence into Shelley Kerr's side. For the rest of the half they found the attacking rhythm they had demonstrated in the qualification campaign but had been missing for large chunks of the first two matches. Erin Cuthbert and Kim Little provided energy and invention in the centre of the pitch, with Cuthbert pouncing on any hesitation to rob her opponents of the ball. In her half-time analysis, Gemma Fay branded Cuthbert 'the football equivalent of the artful dodger', whilst co-commentator Laura Bassett also sang the praises of the Scotland striker, stating, 'Erin Cuthbert is just a firework between the defence and the midfield. She is just relentless.'

Argentina were forced into relying on long balls, which the central pairing of Beattie and Corsie dealt with comfortably. The confidence the Scotland team were showing was embraced by their supporters, who got behind their team with enthusiasm and passion. 'The atmosphere in that game was probably the best atmosphere I have ever played in,' recounts Caroline Weir. 'Everything was going so well for us. I remember consciously thinking, even at half-time when we went in 1-0 up, "Wow, we are really actually in it now. We are in a World Cup."'

The mood at half-time was positive on and off the pitch. There was a sense that Scotland were finally beginning to show what they were capable of. If there was one note of caution, it came from Scotland's most-capped player on the

BBC gantry. 'I don't want us to do the Scotland thing,' said Gemma Fay, mindfully, in the moments before the restart. 'To tempt us with this success and get the rug pulled from us at the last moment.'

If the Scotland fans and players had enjoyed the first half, then the opening moments of the second half delivered a further injection of euphoria as within two minutes they had doubled their lead. Erin Cuthbert forced a corner, which Caroline Weir took. Her cross was cleared by the defence but fell to Kim Little on the edge of the box. She fed the ball back out to Weir who whipped in the perfect cross for Jen Beattie to rise and bullet the ball past the Argentinian goalkeeper. Her defensive partner, Rachel Corsie, immediately leapt onto Beattie's back in celebration and there was soon a mountain of pink shirts as her team-mates joined them. Across on the bench, Shelley Kerr and her assistant, Andy Thomson, exchanged smiles as they reflected on the fact that their team had a two-goal lead in a must-win game.

Argentina attempted to react to the loss of a second goal, but adrenalin and confidence were now oozing through the Scotland side. The team were playing on the front foot with an intensity that their opponents simply couldn't match. Leanne Crichton was winning everything in midfield, Weir and Little were assured in possession, and Erin Cuthbert's combination of strength and skill was ensuring that there was no respite for the Argentinian back line. Any attempt at an attack was thwarted by the dominance of goalscorer Beattie and Rachel Corsie at the heart of the defence. Frustration began to creep into the South American side's play and Larroquette was lucky not to be booked after brutally scything down Nicola Docherty after 51 minutes. Fifteen minutes later, the Scotland defender was again on the end of some rough treatment, brought down by substitute Menéndez, the 22-year-old having been a surprise replacement for Argentinian star Estefanía Banini.

It would not be long before a third Scotland goal arrived. Scotland won a corner on the right, which Caroline Weir delivered perfectly to the head of Leanne Crichton. The midfielder headed the ball deliberately towards goal, but the Argentinian goalkeeper managed to reach the shot and force it on to the right-hand post. Erin Cuthbert watched as the ball rebounded off the post and dropped perfectly just in front of her, before angling her body to strike a shot into the empty net. The striker ran towards the crowd with her arms outstretched. 'No other goal I've ever scored comes close to what it felt like running towards thousands of celebrating Scotland fans,' says Cuthbert. 'It was almost an out-of-body experience because it was so surreal, but I remember it so clearly.'

After celebrating with her team-mates, she reached into her sock to bring out a photograph. It was a picture that her father had given her before the World Cup. 'He said, "Don't leave without saying goodbye,"' recounts the Scotland striker. 'And disappeared back into the house, which I thought was strange. Then he came out and gave me this wee picture, maybe about the size of a bank card, of me when I was a kid outside Ibrox with a Rangers trackie on. He had written on the back of it, "Do it for this wee girl who had a dream and practised and practised until it came true."

'For the first two games, against England and Japan,' continues Cuthbert, 'I had it in my washbag, but there was so much riding on the Argentina match that I wanted to carry a bit of the old man with me. I always looked at him for approval when I was playing as a kid, so I stuffed it down my sock and it almost felt like he was there on the pitch with me. I swear, it genuinely never crossed my mind to celebrate with it. I just remember whipping it out instinctively. He was at the game, obviously, and I just wanted to show my appreciation to him and show that every young girl can live her dream.'

Cuthbert held the photograph up to the air and kissed it. Unbelievably, Scotland were 3-0 up. It was a scoreline that was unthinkable to most supporters before the match. Even amongst the players there was a degree of incredulity. 'I would love to see what my heart rate was when the first few goals went in,' laughs Nicola Docherty. 'My heart was racing. It was unbelievable. When that third goal went in and I am jumping on the girls, it is literally just, "Wow!" I have no more words for it.'

'We were finally ourselves again and playing the way we can do,' says Sophie Howard. 'That is why we went up 3-0. We were finally playing the way we had been playing for the past three years. I just remember all of us on the pitch hugging each other and thinking, "Yes, we are back."'

'If I could freeze life at 68 minutes when we'd scored the third goal,' says Leanne Crichton, 'to almost enjoy the moment longer and appreciate it and take it in … '

Scotland had one foot in the next round. There were just 20 minutes left of the match. The squad was on the brink of making history as the first senior Scotland team, male or female, to progress beyond the group stages of a major tournament. All they had to do was to protect their three-goal lead.

24

Heartbreak

'YOU COULD pick the bones out of it for a hundred years,' says Shelley Kerr, reflecting on how the match concluded in Paris, adding ruefully, 'And I probably will.'

Numerous words have been written about what happened in the closing stages of the Argentina match, with many commentators and pundits eager to have their say, but none can come close to encapsulating the experience of anyone who witnessed it, either in the stadium or watching at home on television. The drama and the emotion went far beyond the simple facts that Scotland conceded three goals to exit the tournament. For those in the Parc des Princes, it was crushing. 'You are 3-0 up and you are like, "Girls, we have done it. This is it,"' says Lana Clelland. 'And then minutes later, your head is in your hands and you don't know what has just happened. It was like I was watching a film. I can't even describe anything that went on. To start with, it was a blur, it was, "What just happened?" Then obviously just all the chaos at the end.'

The path to that chaos began in the 73rd minute. Argentinian substitute Dalila Ippólito capitalised on a momentary lapse in concentration in the Scotland ranks to feed the ball through to Menéndez, who calmly slipped the ball past Lee Alexander to make the score 3-1. The creator of the goal, Ippólito, was just 17 years old and playing in only her second appearance for her country. She had been the Argentinian coach's last throw of the dice immediately after Erin Cuthbert had put Scotland three goals ahead, and had rewarded his boldness by providing the assist that handed the South American side a route back into the match. Cuthbert's goal left their opponents with nothing to lose and allowed the Argentinian coach the space to gamble on the raw talent of Ippólito, a substitution that helped shift the dynamics of the match. Reflecting back on events now, Shelley Kerr believes that Scotland's third goal may have inadvertently played a part in their undoing. 'When we scored the third goal,' says Kerr, 'we celebrated massively, and I think that gave them a lift. Those are the psychology moments in a game that can either go for you or go against you.'

The Menéndez goal gave Argentina the energy they needed, yet many within the Scotland camp remained composed. 'When the first goal went in,' recalls Nicola Docherty, 'on the pitch we were like, "Come on, girls. Let's settle this down. Let's take the sting out of the game," but obviously we didn't do that. The game was so stretched. We should have been more compact in our play and tried to take the sting out of it and keep the ball a bit better, but we didn't.'

'You start to see wee things,' reflects Pauline Hamill. 'It is difficult sometimes when you are watching football. Because whilst I am there as a fan with my family, you start to look at the tactical side at that point. You started to see wee things happening and players doing stuff that they hadn't done up to that point. You could see the nerves setting in. It gave the Argentinians a wee bit of confidence.'

Initially there had been no panic in the Scottish ranks, but a second Argentinian goal changed all that.

Immediately before the goal, Scotland had the chance to score again when a Kim Little corner reached Erin Cuthbert, but the ball bounced at an awkward height for the Chelsea striker and the danger was cleared. Ippólito instantly broke forward and, after a poor clearance from the Scotland back line, the ball reached Bonsegundo on the edge of the box. The Argentinian striker twisted and turned to create space, then fired a shot towards goal. The ball sailed towards the net, but Lee Alexander tipped the ball onto the crossbar. It was a great save, but as the ball rebounded back off the bar it hit the goalkeeper's outstretched glove and headed back towards goal, inching agonisingly over the line. It was a moment of extreme misfortune for the Scotland number one.

On the sidelines, coach Shelley Kerr felt powerless. 'I was watching things unfold and I felt helpless,' reflects Kerr. 'That is how I felt as the manager. I could see it coming. Ultimately, I can't go on the pitch. There is a big crowd there and you try and get messages on to get them to try and stay and keep in their shape, but it is what it is. It is torture.'

The Scotland manager later faced criticism for not making substitutions and slowing the game down, but with hindsight football is an extremely easy game to play. 'People have criticised us for not making substitutions,' says Kerr. 'But when we went 3-0 up, we were absolutely cruising. We looked at the way the game was going. People say, "You could have made a sub. You could have slowed the game down." Yes, you have to take the responsibility of that. Would it have changed anything? Who knows? The biggest thing is we didn't manage the game as well as we could have and should have. We didn't stick to the basics.'

The second Argentinian goal electrified the neutrals in the stadium and injected a belief into Scotland's opponents that they would carry with them for the final 12 minutes of the match. Argentina were hungry for the ball and winning every tackle, with their opposite numbers now looking nervous and weary. Cuthbert and Weir were booked for time-wasting as the fluency of the Scottish play earlier in the game evaporated, the match descending into a chaotic struggle to hang on.

With just five minutes left and Argentina awarded a free kick, Shelley Kerr decided to refresh her side by bringing on Sophie Howard and Fiona Brown. It was an attempt to provide a momentary respite from the relentless pressure that they were experiencing, and to introduce new energy into the team for the closing minutes. Howard was first to enter the field of play. 'The circumstances were difficult,' says Howard. 'It was a 3-2 score and there are not many minutes to go, so coming on as a defender is difficult. If you come on and it's a 5-0 lead then it is a different story, but you are coming on from having been 3-0 up and it is now 3-2 and your job is to defend for your life.'

The game rapidly descended into farce as the referee waved for the Argentinian free kick to be taken at the very moment Scotland's second substitute, Brown, entered the field of play. The Scottish management team were still vociferously protesting that their replacement had not even had time to get into position, when the ball reached an Argentinian attacker inside the box. 'The ball went past me,' recounts Howard. 'My only chance was to slide tackle otherwise she would score. That tackle was a tackle that, if the same situation came about now, I would probably still do, because in my eyes that was the only thing I could do to prevent the potential goal, but it went wrong.'

The Argentinian player collapsed under Howard's intervention.

The match continued as the referee gestured for the teams to play on and Scotland cleared the ball, but it wasn't long before the referee raised her hand to her ear and stopped the game. There was an impending sense of inevitability about what would come next. Looking back at the footage of the incident now, there remains an element of doubt. Howard clearly brings down her opponent, but it is less clear as to whether she connected with the ball first before doing so. The closeness of the call was underlined by the fact that the North Korean referee took a full four minutes to reach a conclusion. 'My heart rate was so fast when they were going to VAR,' says Sophie Howard. 'It was horrible on the pitch, the waiting.'

The referee eventually signalled that she was awarding the penalty. By the time Bonsegundo stepped up to take the kick, the match had slipped into injury time. The Argentinian striker struck the ball well, but astoundingly Lee Alexander dived, blocked and kept it out. With Bonsegundo advancing to score from the rebound, the Scottish goalkeeper recovered quickly to make a second block, Jennifer Beattie gathering the loose ball and firing it to safety. 'I was doing co-commentary for talkSPORT,' says Laura Montgomery, 'but I just lost all decorum when she saved that penalty. I have known Lee since she was 16 years old. I have seen her become a young woman. I have seen her meet her partner and get engaged. You know what she had given up just to be there. I just had such love for Lee.'

It was a love shared by every single Scotland supporter watching. Scotland had maintained their one-goal lead and now just needed to see out the final few minutes to advance. It was a huge reprieve, but as everyone now knows, the reprieve was temporary. The North Korean referee stopped the game and again put her hand to her ear. The subsequent television pictures showed that Alexander was a matter of inches over her line when the penalty was struck, but it was enough to be deemed an infringement and for the referee to order a retake. Afterwards, former Scotland goalkeeper Gemma Fay expressed her incredulity at the decision. 'I am literally speechless with what has happened there,' said Fay. 'I can't believe I have just seen that. To be Lee Alexander, to not just save the penalty, not just that but to get up, spread your body and make the second save, and then for it to be called back, it is heartbreaking.'

The strict new interpretation of the rules made it incredibly difficult for goalkeepers to adjust their approach to penalty kicks, a fact that exasperated Fay. 'Lee has trained for 27 years one way,' continued Fay. 'And now at a World Cup we're saying, "No, you can't train that way, you have to train a completely different way." As a goalkeeper, thank goodness I am no longer playing. This is beyond ridiculous.'

The Argentinian striker stepped up for the retake and scored. It was an equaliser that shattered the Scots. 'I was on such a high after scoring,' says Jennifer Beattie. 'But then came the low of the retaken penalty. You do get highs and lows in sport, but this was something else.'

Beattie's despondency was shared by former Scotland international Suzanne Grant, who had the unenviable task of providing live updates in the Sky Sports studio. Grant had won over 100 caps for her country in an impressive career and had played alongside many in the team, so her impassioned reaction to the final moments of the match was understandable.

'I have obviously watched the video of it back a few times,' says Grant. 'And I am like, "Oh my goodness, Suzanne, what were you doing?" But obviously I have worn that shirt, I know what it means to wear the shirt, and I am so supportive of Shelley and the girls, so for me it was as if I was sitting at home watching it on the telly. I am so thankful I never said a bad word live on national TV. One minute I was buzzing, and it just got ripped away. I was honestly devastated for Shelley and the girls because they just deserved so much more.'

The one consolation was it had taken over ten minutes from the moment the game was stopped after Howard's tackle to the penalty being retaken. There would still be adequate time to retrieve the situation. 'After they scored that penalty,' says Sophie Howard, 'Rachel Corsie told me, "Just go up, go forward. We have still got time, just go for it," and shortly after that the final whistle was blown.'

Incredibly, less than two minutes after the ball had hit the back of the Scotland net from the retaken penalty, the referee abruptly ended the game. There was confusion amongst both sets of players. 'She blew the final whistle,' recalls Lana Clelland, 'but there was still so much time that should have been played. It was just so surreal.'

'Even the Argentinian team didn't know what was going on,' says Sophie Howard. 'How could every single player on the pitch not know what had happened? I think the referee was just overwhelmed with the whole situation and the whole game, and therefore pretty much had a mentality of "get me out of here".'

Howard's assessment seems entirely reasonable. The referee had looked out of her depth at points during the match, none more so than in the final ten minutes. After the match, even the Argentinian camp questioned the premature ending of the match, which denied both teams the chance to find a goal that could have secured progression in the tournament. There were to be no winners.

All over the pitch, the realisation that the farcical circumstances at the end of the match had just ended their World Cup journey began to hit. Scottish faces transformed from confusion and disbelief, to pain and hurt, with many breaking down in tears. Scotland captain Rachel Corsie stood alone, her hands on her head in disbelief.

Her solitude was momentary. The team had reached the World Cup together and if they were to depart it, she knew that it should be together. She set about gathering the squad in the middle of the pitch. Corsie recalls: 'I remember just thinking, "You have to get everyone together." I knew that we were going to be criticised and slaughtered in the media, everyone is going to have an opinion on it, but the only thing we had comfort in was that at least we are all in this together. We are not doing this on our own. It is nobody's fault. There is no blame. This is just one of these things that has happened. "Let's just stay together. Don't be on your own, don't be silent, just stay together." That was just the message I said.'

Amongst the huddle of Scottish players, there was one person hurting more than most. 'Because I'd played a big role with the tackle, I blamed myself,' says Sophie Howard. 'All the girls came up and said, "Soph, it's not your fault. You weren't the only person on the pitch." But no one really knew what to say. I was in tears.'

As the players' huddle dissipated, the defender's main thought was to find her family. 'I had a lot of people from my family in the stand,' explains Howard. 'My first thought was, "Get to the family and I will be safe." And that is what happened, I went to my family and just stayed with them for probably ten minutes. I knew nothing could happen to me once I went in the stands.'

Reflecting back on the World Cup, the likeable defender has made peace with the events of that night. 'I can smile about it now,' she says. 'It took me a long time, if I'm being honest. In that moment, it was agony to watch and be part of. When I think about it now, I know it's not my fault. The tackle's my fault, but the game's not. Deep down, I now know that many things went wrong before that penalty, but in that moment I was devastated.'

'That last 15 minutes were just madness,' says fellow defender Nicola Docherty. 'Still to this day, see even talking about it, it is actually still the most gutting thing. The way that we went out when we were playing so well and having scored three goals. I can talk about it now, but at the time it was still very raw. I have watched back the games to see what actually went wrong, but for a long time I couldn't even watch the games because I was just so heartbroken.'

The lasting legacy of the night was a theme that Shelley Kerr picked up on in her post-match comments. 'What happened in the last period will stick with us for a long time,' said Kerr. 'We've all had disappointments in the past, but this was on a different level.'

She voiced her frustration at the performance of the officials. 'What I'm still scratching my head at,' said Kerr, 'is how there were so many errors by the officials throughout the match. It's just incredible. We're making a substitution and the referee is letting play go on; there's two balls on the pitch at one point; she's missed at least one red card for Argentina. Whatever anyone says, we've been extremely unlucky with big calls at vital moments.'

Her captain was equally forthright in her post-match opinions on the pitch. 'We just weren't going to get the decisions,' said Rachel Corsie. 'That's the bottom line. Their first goal was a foul and the third goal is just ridiculous. It was clear for everyone to see. They're making it up and I don't understand how that can be allowed at this level. It's just so disappointing that that is what cost us the tournament.'

The frustration was understandable, given how the game had ended. The team departed the pitch knowing that their World Cup was over. 'There were people who were upset,' recalls Lana Clelland, 'and people who were still raging about what had happened, but when you got into the dressing room afterwards there was mostly silence.'

It had been one of the most dramatic nights that Scottish football had ever witnessed, the darkness of the Parisian night as the stadium emptied providing a sharp contrast to the bright sunshine in which the game had kicked off. Yet amongst that darkness was a pride in what the squad had achieved. For most it would take weeks, perhaps months, to fully emerge, but it was there in the immediate aftermath of the match. 'I felt an unbelievable heartbreak,' says Nicola Docherty. 'But at the same time, when I was looking at all the other girls in the dressing room upset, I couldn't help but feel a sense of pride as well. I was thinking, "We just got to a World Cup. Yes, it is absolutely heartbreaking but I am still so proud of everyone." I couldn't help but feel proud of all my team-mates and all the staff that had come together to get us to this World Cup.'

It was a pride reflected by many of those watching. 'As heartbreaking as that moment was,' recalls Ifeoma Dieke, 'you think about it in terms of what they had done to inspire the nation. I had people texting me telling me that they had never watched football before, but because it was the women's team, they had watched it for the first time. They got people to watch women's football that have never watched football before. You have got them to support you. You have got them behind you. That was the bigger picture and the bigger message.'

25

Reflection

THE MOOD in the squad after the tournament was one of frustration. There was frustration at their performances in the opening two games, frustration that they had not progressed further in the competition, and intense frustration at having surrendered a three-goal lead in their final match. This helped escalate a routine debrief in the team's Paris hotel the day after the game into a frank and tense exchange.

How Scotland had exited the tournament was still raw and the discussion was fuelled by the hurt of the previous evening's events. Shelley Kerr later expressed her regret to the squad at how the session had been handled and how the discussion had unfolded. The memories of the last 15 minutes in the Parc des Princes would not fade quickly. 'A lot of the girls feel regret from the tournament,' says Rachel Corsie. 'They feel like they underachieved. As athletes, those two things – when you put so much into it and you have this one stage to perform and you don't quite do it – I think the overhanging feelings are extremely intense.'

'It was a tough one to take,' says Caroline Weir, reflecting on how the tournament ended. 'I am usually quite good at separating football; when the game is over, that is it done for me and I can move on. With the World Cup, I actually did find it quite difficult because up until the 70th minute I was on such a high. To then lose the game in such dramatic fashion.'

'I remember getting home a few days later,' continues Weir. 'I actually got back to my parents' house and that night I watched the last 12 minutes because I had to just get it out of my system and see what it was like on TV and what actually happened. After that, I couldn't watch any of the World Cup for like a week or so. I just had to switch off.'

'Ultimately, the matches never lived up to the expectations we set for ourselves and that was the most disappointing thing,' says Leanne Crichton. 'The couple of months after the World Cup weren't nice. If you are like me, you need to have something in the diary that motivates you. There has to be the next thing. Coming out of the back of the World Cup, I don't think I gave myself that. It was two weeks off, back to training, probably still feeling a bit sorry for myself. Still managing the emotions of it, the disappointment and the what-ifs?'

'Initially they were really low,' says Laura Montgomery, reflecting on the mood of the Glasgow City players returning from the competition. 'I think Scott [Booth] had quite a job to get them back up at first. To go to the World Cup, which was the biggest high, then to experience the biggest low and then the aftermath of that, it was hard.'

'There was a period where it was on my mind every single day,' wrote Erin Cuthbert in her BBC blog one year on. 'Just going round and round, tearing away at me. But once you separate the emotion from it, you realise that it's football and sometimes football is cruel.'

Football had been cruel, with the role of video-assisted refereeing during the tournament proving particularly punishing, intervening to penalise Scotland harshly in the games against England and Argentina, yet noticeable by its absence in the game against Japan, when they needed it most.

Rachel Corsie says, 'You kind of kept thinking, "We'll have to get a break. One of these games we will get a break." And we just absolutely didn't. They were over-scrutinising the smallest of things, but other things seemed to be very loose. That was hard to take.'

'I said before the tournament that I was in favour of VAR,' reflects Shelley Kerr. 'And I have to give credit to the officials, because after the initial stages, they really improved. They started to get a lot of the decisions spot on, but in the group stages I don't think it was great.'

The Scotland manager is mindful not to blame her team's exit on officials. The inconsistency of VAR was deeply frustrating and appeared to work against the Scottish cause at times, but there is an honest recognition that failure to progress rests wholly with the Scotland camp. 'I have watched the game back numerous times and we lost our discipline and our shape,' says Kerr. 'We were easily penetrated and even for the goals, when you look at them, it wasn't as if we didn't have bodies back. We just seemed to lose concentration. As a head coach, I have to take responsibility, and as a collective, we have to take responsibility for not getting over the line.'

It is an assessment shared by her captain. 'To know that you failed on what you originally set out to do, was one of the hardest things to process,' says Rachel Corsie. 'Ultimately, we needed to beat Argentina. We were 3-0 up and we threw away that lead. That is on the team. That is on the players and the staff, who were in a position to control that and make decisions. We messed up. We own that.'

Twelve months on, Shelley Kerr reflects on her experience across the three weeks of the tournament. 'I didn't really enjoy the World Cup,' says the Scotland coach. 'I didn't sleep a lot. I probably averaged four hours while I was there. The pressure increases to a degree that you have never had before, and the weight of the world, or the weight of your country, is on your shoulders because everyone is expecting you to do well.'

Kerr is now accepting of how events unfolded across the tournament. 'Football is a game filled with emotions and it is a rollercoaster,' continues the Scotland manager. 'We have experienced as a squad some heartbreaking moments and some challenging times, but we have also been in some really, really joyous times as well. If you ask any top athlete or any team, that is what is going to happen in sport.

'It is fine margins in football,' continues Kerr. 'But I think once you have time to reflect, you look at the positives of the tournament. We were 15 minutes away from doing something remarkable. It didn't end the way we wanted it to, but no one should overlook how much of an achievement it was, getting to the World Cup.'

This is where Kerr derives most of her satisfaction, from having created a very personal piece of history as the first manager of the women's national team to take her country to the tournament. 'I am a proud, passionate Scottish person,' she says. 'I have worked my way tirelessly in the women's game and it was a real privilege and an honour to be at the helm and take the team to the first World Cup. To get an opportunity to manage the Scottish women's national team at a World Cup, it's just the pinnacle, almost at times you have to pinch yourself. It was a massive achievement and it is one I will look back on with fondness.'

It is a fondness that the majority of her squad now share, even if it would take the passage of time for some to fully appreciate the significance of the achievement. 'I think it is just great,' reflects Kim Little. 'It shows that the game and where we have come in Scotland, with qualifying for back-to-back tournaments and obviously the World Cup, is the absolute pinnacle. We didn't perform the way we wished or wanted to, but that aside, it was a great experience.'

'It meant a lot of our families could come out,' continues Little. 'I think the whole experience, and just having family out there who don't get to come and watch me play too often, it was quite overwhelming, to be honest. When I look back on it now, I definitely think about how special that was.'

'Qualifying for the World Cup and to get there was unbelievable,' says Manchester United defender Kirsty Smith. 'It's the highlight of any player's career. The support we had, both at home and in France, was incredible.'

'It was literally a dream come true, and being part of the first Scottish women's World Cup squad is definitely the highlight of my career,' says Christie Murray. 'The support was amazing from everybody at home and the people who came out to support us. We knew we were going out to face some really tough opponents, so it definitely wasn't going to be easy, but I think we definitely showed that we can compete with the world's best.'

'Having missed the Euros I was like, "I am going to absorb every second of this,"' says Jennifer Beattie. 'I completely shut off from all social media, everything, and tried to just enjoy every day, and I genuinely did. I loved every minute of being out there. So many amazing moments, from walking out for that first game in Nice to even scoring on the same pitch that Dad did. It is something that I will never ever forget.'

'I had a dream to play for Scotland and I had a dream to play in the World Cup,' wrote Erin Cuthbert. 'It was both my dreams coming true. There was a lot of noise around us – good and bad – but we held each other together and were the glue for each other. That is something I'll remember, even if there are bits I'd rather forget.'

'I still get goosebumps speaking about being at the World Cup,' reflects Nicola Docherty. 'I don't even have a word for you. I will never, ever, ever experience something like that again. People ask me about it, and honestly, I still cannot believe that I went to a World Cup. It is something that will live with me for the rest of my life.'

The memories and pride at the team finally competing on the world stage are shared by all involved in the women's game. 'The achievement of Shelley and the team, in just getting to a World Cup for the first time, was massive,' says Scotland youth coach Pauline Hamill. 'Our next generation are getting to see girls perform on a world stage. They've got role models now, people to aspire to be like. Seeing those players get to a Euros and then a World Cup, back to back, must give them so much belief and confidence that if they work hard enough, then they might have a chance to be part of the next group of people who create a wee bit of history.'

There can be a tendency in Scotland to adopt a glass-half-empty approach to football, to focus on the moments and results that didn't work out. The failures and disappointments endured over the years are used as evidence that there is a Scottish mentality that refuses to embrace success. Those that think that way will point to the last 15 minutes in the Parc des Princes as reinforcing that narrative in the most spectacular fashion. They will file it in their minds as yet another failure. But it was not. The squad's presence at the World Cup was a triumph, their performances and goals proof that they more than deserved their place amongst the world's elite.

'After the World Cup,' recounts Shelley Kerr, 'I went on a walk and I met an older gentleman. He approached me and said, "You're the women's manager," and I thought, "Oh no, what is coming next?" He says, "I want to say thanks. I never thought that I would get to see Scotland playing in a World Cup again in my lifetime. I thought you were a credit to the country."'

Scotland's World Cup journey had been noticed. It had engaged a nation and etched into memory moments of brilliance that will endure and be reflected on for years to come: Lee Alexander's stoic penalty save to turn the game in Paisley; Lisa Evans's unthinkable winner in Poland; a glorious, euphoric huddle in Albania; 18,555 fans in the sunshine of Hampden; the emotion of the anthems in Nice; Claire Emslie smashing the ball into the English net; Lana Clelland rocketing in a preposterous long-range shot against Japan; Kim Little stretching out a leg against Argentina; Jennifer Beattie powering home a header; Erin Cuthbert kissing a photo of her younger self, whose only dream was to play for Scotland; and the togetherness of a squad at the final whistle in Paris, hurting, but knowing that collectively they had created history.

Each inspirational moment was witnessed by an ever-growing legion of admirers, including a generation of young Scots seeing their nation on the world stage for the first time – feeling that sense of pride that comes with watching your country compete at a World Cup, experiencing the highs and lows, and perhaps even being inspired to kick a football for the first time or strive to emulate, or even better, what had just been achieved. This was a beginning, not an end.

A first Women's World Cup, but not the last.

Afterword

Revival

THE SCOTLAND captain vocalised the team's resilience in an emotional pledge on the pitch immediately after the final whistle in Paris. 'We'll bounce back,' said Rachel Corsie. 'We always do.'

The Scotland Women's National Team stepped on to the pitch at their next competitive game and defeated Cyprus 8-0, Kim Little scoring five of the goals. They followed this up with a 5-0 win in Albania in their next European Championship qualifier. At the start of 2020, they recorded wins over Ukraine, Iceland and Northern Ireland to lift the Pinatar Cup in Spain. Across these five fixtures they scored 19 goals and conceded only once. It sent a message that the squad was more determined than it had ever been, and integral to their recovery was learning from the experience of what happened in those final 15 minutes in the Parc des Princes. 'Sometimes, you find out more from being in more challenging moments,' reflects Shelley Kerr. 'For the first few weeks after the World Cup, I watched every training session back. I watched all the games, more than once. I looked at all the data. I looked at my own management, how I managed myself when I was there. I looked at the staff, the support team, absolutely everything.'

Kerr felt armed with the knowledge and mindset to move forward, with a renewed understanding of her team and her own management. The opportunity to build on their successful revival on the pitch was removed when all football was suspended in early 2020 due to the COVID-19 pandemic. The interruption to their recovery appeared to unsettle the Scotland squad and, when football eventually resumed towards the end of that year, the team struggled to regain their momentum. Three narrow defeats to Portugal and Anna Signeul's Finland side ended their hopes of securing qualification for the European Championship and a third tournament in a row. It was a huge disappointment for all of the squad and management team, yet there remains a sense of optimism about the future. 'The Scotland squad at the moment is really strong and a real mix of characters,' says Nicola Docherty. 'Everyone has high standards and is ambitious. Erin Cuthbert is different class. She is one of the best midfielders I have played with, and to say that for someone so young is amazing. We have got a top-class leader in Rachel Corsie, she is a magnificent captain, and we have got Kim Little. Who doesn't want a Kim Little in their team?'

'With the last two qualifications, we have set a benchmark,' says Lana Clelland. 'Now, Scotland is on that stage and we have to stay on that stage. Everybody has to play their part and grow this. We experienced it and we don't want it to be the last. We want more people to experience it and we want it to be normal that Scotland qualifies for tournaments.

'We are such a strong group,' continues Clelland. 'We have been through hell and back, but we just push forward. Every time we get knocked down, we pick ourselves back up and we go again, because that is what we are all about. We are Scottish and we never give up.'

The Scotland Women's National Team has a track record of recovering from adversity to scale greater heights. Anna Signeul's side built on the near misses against Russia,

Spain and the Netherlands to qualify for the 2017 European Championship. Shelley Kerr's squad learnt from the frustration surrounding the European Championship to qualify for the World Cup in France. And the current Scotland side will build on their disappointment in missing out on qualification for the 2022 European Championship to push themselves on to even greater success. Arguably, the quality of the players available for the task has never been stronger. The squad that played in their first World Cup remains largely intact, with additional new talent having emerged since the tournament.

Kirsty Hanson of Manchester United, Abbi Grant of Birmingham City, Lucy Graham of Everton, Hannah Godfrey of Tottenham Hotspur, and Martha Thomas of West Ham have all made their mark in the team since the World Cup, with all playing at an elite level in the Women's Super League in England. Add in the exciting young talent of Jamie-Lee Napier at Chelsea and the future looks remarkably bright.

And it is not just the emerging players that are strengthening the squad. The evolution of women's football in Scotland has seen significant recent investment, creating the opportunity for full-time, professional contracts in the Scottish Women's Premier League. Nicola Docherty, Zoe Ness, Sam Kerr and Jenna Fife are four of the Scotland squad who have seized that opportunity, no longer having to balance the competing demands of full-time work, study and football. 'Growing up for me,' says goalkeeper Jenna Fife, 'it wasn't something that was ever seen as a viable career option. I would never have expected that this would be a chance that would be offered in Scotland. I always thought that if professional football was to be an option, then it would mean leaving the country. It feels like a really privileged position that we are in now.'

The array of talent on offer to a Scotland manager has never been better. 'Picking a squad is actually a very tough job for me,' said Shelley Kerr in the months after the World Cup.

'When I first came in, I think I would be looking at maybe 20 to 25 players that I would be choosing from. Now that figure is more like 35 to 36 players from which to select, so our critical mass is really good. It can be a headache for us as a coaching staff, but it is brilliant for the team and the country.'

If the future of the Scotland Women's National Team provides cause for optimism, then the same is true of the wider game. Significant advances have been made, with more women and girls playing, greater investment and growing interest. Female players no longer have to pay for the privilege of playing football. Scotland players are not required to fund their own away trips, source their strips in a jumble sale or share tracksuits. 'I feel lucky to have been part of a generation that has seen both aspects of the women's game,' says Scotland striker Lana Clelland. 'We have seen the struggles. We have seen where it was before, but we also see where it is going. If you go back even just ten years, I was 17. I was playing for Rangers and back then I was having to pay to play football. If you look ten years on, the girls at Rangers are now professional. I think that shows the massive strides that have been taken.'

'Each time we qualified, we put women's football on the map in Scotland,' says Caroline Weir. 'I think that is a hugely important thing, driving the team forward and getting people to maybe change their way of thinking about women's football.'

'We did more than just play,' says former Scotland defender Ifeoma Dieke. 'We used our voices. People wanted to play because they saw us out there competing. They saw us at a European Championship. They saw us at a World Cup.'

Qualification for two major tournaments has created a platform for women's football to be visible and to be recognised. 'People like Shelley Kerr, Rachel Corsie and Erin Cuthbert are now household names,' says Laura Montgomery. 'I always dreamt of that being the case and it has come to fruition. At Glasgow City, we get emails and messages all the time about young girls wanting to come and play, but it quadrupled during the World Cup.'

With more and more young girls now interested in playing the sport, the role of the Scotland players as ambassadors for the game is one that all in the squad are aware of and embrace. 'If a young girl coming through looks up to you and sees you as a role model and says, "That's what I want to do," then I think that is so important,' says Hibernian defender Joelle Murray. 'If we can inspire a generation and get more girls involved in the game at grassroots level, then that's a sense of achievement in itself.'

Murray is one of many playing an active role in nurturing the next generation, managing the Girls Academy at her club and, through her soccer centres, providing the platform for young girls in Edinburgh to participate. 'It is a proud moment,' says Murray, 'seeing your name on the back of a top and seeing the little girls at the soccer centres running about with your squad number and your name on the back. It could bring a tear to your eye, because those are the girls that hopefully, in years to come, are going to be on the national team stage.'

There is much to be positive about, but challenges still remain. Qualification for the 2017 European Championship and 2019 World Cup were undeniable successes, but they are not the final destination. They are simply the latest staging post on the journey that the women's game continues to travel. 'We have taken it so far,' says Scotland midfielder Leanne Crichton. 'We have qualified for two major tournaments and that was always the aim. That has been achieved, but I think we are at that stage now where the next step is the most crucial. I think it is really important now that there is a bit of reflection about how far we have come in the last decade and how we really invest and keep it where it is.'

At the heart of this debate is finance. There is an onus on those with responsibility for the women's game to provide it with the proper support and backing it needs to flourish. While new investment entering the club game in Scotland is welcome, the issue of long-term sustainability looms. 'If you look across the UK just now,' continues Crichton, 'there are not that many women's teams that are self-sufficient, that generate their own income, that don't depend on a source of income from the men's game. That is quite alarming, because that then means that all it takes is a change of heart by a chairman or chairwoman to decide that the women's game is not important.'

'If you compare the finances in the women's game between now and when I started playing, then it is night and day,' reflects Ifeoma Dieke. 'If you look over the last 20 years, it has gotten so much better, but it is still not where everybody wants it to be. If you want to make football strong then that means making both the men's game and the women's game strong. We need to work hand in hand together.'

There also remains the trying issue of attitudes towards the game. A cursory glance at social media or the BBC website when women's football is mentioned provides a stark reminder of how some view the sport. A queue will form of people, predominantly men, seeking to demean and ridicule or, most bizarrely of all, pronounce loudly that they don't care. It is opinion fuelled by the same hostility that voted against recognising women's football in 1971, that banned Rose Reilly and Edna Neillis from the Scotland national team, that labelled Shelley Kerr a 'tomboy' for wanting to play, or suggested torching Fir Park after a women's qualifier. It may have shifted to the margins rather than the mainstream, but it still exists. And arguably, it filters into the media to sustain the imbalance in coverage for women's sport or to encourage the occasional moment of condescension or sexism. These are thankfully rarer than they have ever been, and more likely to be called out when they do occur, but they still persist.

So the struggle is not yet over, and if the generations that came before fought to make things easier for those that followed, there is an obligation on the current players to do the same. 'We need to be the generation that creates more for those behind us,' says Scotland forward Fiona Brown. 'I am reaping the benefits of the generations before me that have already done that. It can only get more and more and more, and be bigger and bigger and bigger, and I think we have to drive that. We can't settle for what it is now. We need to keep pushing until it gets to the best it can be.'

Brown eloquently sums up the beauty at the heart of women's football: the shared sense of duty to advance the game, create opportunity, break down barriers so that those who follow have a slightly less arduous path than your own. This is the invisible thread that runs through the women's game, joining the past, the present and the future. That is why Scotland's participation in the World Cup not only created an opportunity to inspire a new generation, but also rewarded the generations that had gone before. It rewarded the women who struggled for the right to play when society told them that they couldn't. It rewarded the people who fought for a Scotland women's team to exist when those in authority didn't see the need. It rewarded those who argued and cajoled to get the national team the proper support and resource it needed to prosper. The Scotland team taking their place on the world stage in France meant that all that effort, all that hard work, and all that sacrifice, had not been in vain.

The concluding match of the 2019 World Cup ended with the USA defeating the Netherlands, but most striking of all after the final whistle was not the celebration of the winners, but the unity of the entire crowd in Lyon around chants of 'Equal play, equal pay.' It is a rallying call that still resonates. 'There is still a lot of work to be done,' says Shelley Kerr. 'I am 51 years old this year and have been involved in women's football most of my life. I have seen change and improvements. Has it been quick enough? No. Will I see massive strides in the future? I am not so sure. I still think there are many challenges now that were there when I first started playing the game, and that is tough. They will always be there until we change mindsets and that is a hard, hard thing to do.'

Shelley Kerr is correct. Changing mindsets is difficult and it will take time, but if there is one group of players who have done more than most to help move things forward and offer hope that one day that battle will eventually be won, it is the Scotland Women's National Team.

Bibliography

THIS BOOK was compiled through a series of interviews with players, management and others involved in Scottish women's football over the last 40 years. This was supplemented by reflections from the following sources:

- Alexander using insults to become better goalkeeper, *The Times*, Paul Forsyth, 1 June 2019
- Anna Signeul delighted to witness Scotland's continued success, Susan Egelstaff, *The Herald*, 9th September 2018
- Anna Signeul has taken Scotland Women to new heights, *The Scotsman*, Alan Pattullo, 17 September 2016
- Anna Signeul in tears over move from Scotland to Finland, Alan Campbell, *The Herald*, 18 January 2017
- Arsenal's Kim Little 'best player in the world', *The Times*, Molly Hudson, 25 August 2018
- British National Female Coaches on Coaching, Interview with Anna Signeul, Leanne Norman in *Learning Culture Through Sports; Perspectives on Society and Organised Sports*, Second Edition, Rowman & Littlefield Publishers, 2011
- Caroline Weir, Alba Matters Podcast – Episode 1, June 2020
- Caroline Weir, Behind the Goals Podcast: Episode 3, Leanne Crichton and Rachel Corsie, May 2020

- CFB with Laura Montgomery, Football CFB: Unique Football Content Podcast, May 2020
- Chloe Arthur Interview, Full Time Football Podcast, March 21, 2019
- Christie Murray – The Magnificent 7 EP10, 6, 8 or 10 Podcast, 2016
- Christie Murray Talks Scotland, Liverpool And New Balance, Soccerbible, 29 May 2019
- Claire Emslie Interview, PawedCast Episode 193, Michael Citro, 23 April 2020
- Coatbridge's Christie Murray's 'dreams come true' with World Cup start v England, *Airdrie and Coatbridge Advertiser*, 11 June 2019
- Dare to dream as World Cup call-up became reality for Christie Murray, Ben's Football Blog, Ben McNicol, 3 July 2020
- Emma Mitchell: Arsenal defender opens up on mental health, BBC Sport Website, Jo Currie, 9 October 2019
- Emslie determined to enjoy ride after Euro snub, *Belfast Telegraph*, Andy Newport, 5 June 2019
- Erin Cuthbert – EP17, 6 ,8 or 10 Podcast, 2017
- Erin Cuthbert pays tribute to 'best mate' grandfather who inspired career, *The Times*, Rebecca Myers, 23 February 2019
- Erin Cuthbert, BBC Sport World Cup column, June 2019
- Erin Cuthbert, Behind the Goals Podcast: Episode 9, Leanne Crichton and Rachel Corsie, June 2020
- Erin Cuthbert, London is Blue Podcast, January 2020
- Erin Cuthbert, Perched atop the pigeon-hole, Alba/Matters, 21 May 2020
- Erin Cuthbert: I'm living the dream, but it won't last for ever. I want other things in my life, *The Times*, Graham Spiers, 3 June 2019
- Euro squad snub left Claire Emslie determined to reach World Cup, *The Times*, Alan Campbell, 19 June 2019

- Evergreen Lisa Evans is revelling in a 'mad' schedule, *The Times*, Molly Hudson, 10 February 2020
- Exclusive Shelley Kerr Interview, Scotland National Team, YouTube, 3 October 2019
- Extended Interview with Leanne Ross, Glasgow City FC Channel, YouTube, 13 December 2015
- Fay: It's good to take yourself out of the comfort zone, FIFA. com, 7 February 2017
- Fiona Brown – Scots Abroad, Trampled Bet Podcast, 26 January 2020
- Fiona Brown – SE03 EP01, 6, 8 or 10 Podcast, 30 July 2020
- Fiona Brown, Behind the Goals Podcast: Episode 14, Leanne Crichton and Rachel Corsie, 20 July 2020
- Former Hibee Kirsty Smith looks back on a dream 12 months with Manchester United and Scotland, *The Evening News*, Neil McGlade, 14 August 2019
- Frankie Brown, Behind the Goals Podcast: Episode 22, Leanne Crichton and Rachel Corsie, October 2020
- Getting Pernickety, REthink Podcast, Rachel Corsie and Erika Tymrak, 9 July 2019
- Glasgow City FC – The Story continues, Interview with Laura Montgomery and Carol Anne Stewart, Glasgow City FC Channel, YouTube, 16 December 2015
- Glasgow City's Laura Montgomery: 'We still face negative views on women in sport', Robin Scott-Elliot, Monday 11 November 2013, *The Independent*
- Glasgow City's Leanne Ross: 'The girls now deserve to be paid', Ewan Murray, *The Guardian*, 29 July 2018
- Graham Spiers meets Rachel Corsie, *The Times*, Graham Spiers, 25 January 2020
- Hayley Lauder, Behind the Goals Podcast: Episode 4, Leanne Crichton and Rachel Corsie, May 2020

- How the Hooverettes and Prima Donnas won the Long Game, Nutmeg Magazine, Alan Campbell, June 2017
- I'll struggle to get over Scotland exit from Women's World Cup, admits Shelley Kerr, *The Times*, Alan Campbell, 21 June 2019
- Interview with Kim Little, Beyond Canal Park Podcast, 9 August 2020
- Interview: Rose Reilly, *Nutmeg Magazine* Podcast – Episode 35, August 2019
- Jane Ross – Talk\Matters, Alba Matters Podcast, 6 September 2020
- Jane Ross, Behind the Goals Podcast: Episode 16, Leanne Crichton and Rachel Corsie, 3 August 2020
- Jen Beattie beats father and brother on big stage, *The Times*, Alan Campbell, 6 June 2019
- Jennifer Beattie, Behind the Goals Podcast: Episode 18, Leanne Crichton and Rachel Corsie, 7 September 2020
- Jo Love – SE02 EP03, 6, 8 or 10 Podcast, 2019
- Joelle Murray – SE02 EP01, 6, 8 or 10 Podcast, 2019
- Joelle Murray and Liam Craig, Let it BRFC Official Berwick Rangers Podcast – Episode 12, June 2020
- Julie Fleeting, Behind the Goals Podcast: Episode 20, Leanne Crichton and Rachel Corsie, 21 September 2020
- Kim Little, What the Football? Episode 2, Shebahn Aherene, 17 August 2020
- Lana Clelland – Scots Abroad, Trampled Bet Podcast, 13 May 2020
- Laura Montgomery, Behind the Goals Podcast: Episode 10, Leanne Crichton and Rachel Corsie, June 2020
- Laura Montgomery: 'There were probably other people at the time that said it was arrogance. I think Cas and I genuinely believed we could do things better.' Pride of the Terraces, Andrew Henderson, 9 May 2020

- Leanne Crichton SE02 EP13, 6, 8 or 10 Podcast, 2020
- Leanne Crichton, Full Time Whistle Podcast – Episode 9, 26 June 2020
- Leanne Crichton, What the Football? Episode 3, Shebahn Aherene, 30 August 2020
- Leanne Ross – El Capitan EP14, 6,8 or 10 Podcast, 2017
- Leanne Ross says her Scotland retirement is because she 'could not commit as much', Andrew Southwick, BBC Online, 21 August 2017
- Leanne Ross, Behind the Goals Podcast: Episode 11, Leanne Crichton and Rachel Corsie, June 2020
- Lee Alexander – Safe Hands EP03, 6, 8 or 10 Podcast, 12 May 2016
- Lisa Evans, Behind the Goals Podcast: Episode 4, Leanne Crichton and Rachel Corsie, May 2020
- Lizzie Arnot: Scotland have the quality to beat England, *The Times*, Paul Forsyth, 5 June 2019
- One to One with Suzanne Grant, PLZ Soccer – *The Football Show*, 6 January 2020
- Open Goal: On the Road with Shelley Kerr, Open Goal, YouTube, 13 November 2019
- Players making history: Stalwart Dieke to bow out on a high, *The Herald*, Alan Campbell, 2 April 2017
- Rachael Boyle, Northern Goal Podcast, June 2020
- Rachel Corsie – Scots Abroad, Trampled Bet Podcast, 9 March 2020
- Rangers keeper Jenna Fife relishing life in full-time football, *The Herald*, Alison McConnell, 22 February 2020
- Rose Reilly, BBC Alba, 13 November 2019
- Scotland have best squad ever, says women's coach Shelley Kerr, *The Times*, Graham Spiers, 19 February 2020
- Scotland women's football team on brink of big time, *The Scotsman*, Peter Ross, 30 March 2014

- Scotland's Heroes – The Road to France, BBC Alba, 31 May 2019
- Scottish star Fleeting is a top scorer, *North County Times*, Brian Hiro, 31 July 2002
- Servant Leader Shelley Kerr sets Framework for further Scotland Success, Pure Fitbaw, 4 November 2019
- Shannon Lynn, Behind the Goals Podcast: Episode 17, Leanne Crichton and Rachel Corsie, August 2020
- Shelley Kerr – SE02 EP21, 6, 8 or 10 Podcast, 8 July 2020
- Shelley Kerr drained and emotional but also a very proud Scot ahead of Women's World Cup, *The Times*, Paul Forsyth, 16 May 2019
- Shelley Kerr interview: People say the women's game is different. It's not, *The Times*, Michael Grant, 1 June 2019
- Shelley Kerr on World Cup Qualification Campaign, Scotland National Team, YouTube, 6 June 2019
- Shelley Kerr Press Conference – SWNT World Cup Squad Announcement, Scotland Women's National Team, YouTube, 15 May 2019
- Shelley Kerr regrets Scotland debrief drama, *The Times*, Alan Campbell, 16 August 2019
- Spirit of adventure for Scottish striker Julie Fleeting had been head-hunted to play in California, *The Herald*, Daryl Broadfoot, 21 June 2002
- Suzanne Lappin – Always Believe She'll Score Goals – EP11, 6, 8 or 10 Podcast, 2016
- Suzanne Winters – Episode 8/14, MFC Podcast, 1 May 2020
- The LGBT Sport Podcast: The one with Laura Montgomery, BBC, 19 April 2019
- The Women Who Built Glasgow City, BBC Alba, 5 April 2020
- There's Yer Dinner with Christie Murray – Ep. 50, Leading the Line Podcast, 12 May 2020

- There's Yer Dinner with Lana Clelland – Ep. 36, Leading the Line Podcast, 6 March 2020
- Transformation of women's football in Scotland down to game-changer Anna Signeul, *The Herald*, Alan Campbell, 4 January 2020
- Women's World Cup: Caroline Weir takes inspiration from takeaway art, *The Guardian*, Louise Taylor, 8 June 2019

The following were used as a source of background information:

- 1921: the year when football banned women, *History Extra*, Jim Weeks, December 2017
- A new dawn on and off the pitch for Scottish women's football, *The Times*, Michael Grant, 30 May 2019
- Anna Signeul to step down after EURO 2017, Scottish Football Association, 17 January 2017
- Chelsea's Erin Cuthbert carries Scottish hopes of World Cup surprise victory over England, *The Times*, Harriet Marsden, 8 June 2019
- Claire Emslie, Behind the Goals Podcast: Episode 21, Leanne Crichton and Rachel Corsie, September 2020
- Clear-the-air meeting went well, says Scotland captain Rachel Corsie, *The Times*, Alan Campbell, 28 August 2019
- England survive late Scotland scare to edge victory in opening World Cup game, The Telegraph, Katie Whyatt, 9 June 2019
- Fleeting Visit; It's official. Scottish football is alive and well, *The Sunday Herald*, Vicky Allan, 16 May 2004
- From Mary, Queen of Scots to the FIFA Women's World Cup: a brief history of women's football, *History Extra*, Dr Ariel Hessayon, 2015
- I plan to have a ball playing in America; Rising Scots footballer Julie Fleeting is off to the US in search of success, *The Daily Record*, Sasha Mansworth, 2002

- Julie Fleeting believes Scotland's women are hitting their peak, BBC Sport online, 19 October 2014
- Lana Clelland last-gasp strike leaves Scotland clinging to hope at Women's World Cup, *The Times*, Alan Campbell, 15 June 2019
- Little injury has major impact on Euro preparation for Scotland, *The Sunday Times*, Alan Campbell, 28 May 2017
- Scotland's Ross and Dieke Retire, SheKicks, Wilf Frith, 18 August 2017
- Scotland can still get out of the group insists Shelley Kerr, *The Times*, Alan Campbell, 15 June 2019
- Scotland coach critical of referee after Euro 2013 play-off loss in Spain, BBC Sport Website, 25 October 2012
- Scotland manager Shelley Kerr warns of Japan's brilliance ahead of Women's World Cup clash, *The Times*, Alan Campbell, 14 June 2019
- Scotland suffer late loss to Spain in Euro 2013 play-off, BBC Scotland, Alasdair Lamont, 24 October 2012
- Scotland throw it all away in dramatic collapse against Argentina, *The Times*, Alan Campbell, 20 June 2019
- Scotland women cut loose with dominant Euro 2021 qualifying victory over Albania, *The Times*, Alan Campbell, 9 November 2019
- SFA told to boost women's football, *The Sunday Times*, Jason Allardyce, 20 August 2006
- Shelley Kerr's plan to pick off England leaves Erin Cuthbert isolated, *The Guardian*, Sophie Lawson, 9 June 2019
- Signeul's side face uphill task in Madrid on Wednesday if they are to clinch place at Euro 2013 finals in Sweden, *The Sunday Times*, 21 October 2012
- The Hidden History of Scottish Women's Football, *The Herald*, Rohese Devereux Taylor, 8 July 2019

- We will not limit ourselves to thoughts of last 16 at World Cup, says Scotland's Rachel Corsie, *The Times*, Paul Forsyth, 31 May 2019
- Women's Football in Scotland: An Interpretive Analysis, Thesis submitted for the degree of Doctor of Philosophy, Department of Sports Studies, University of Stirling, Jessica Louise MacBeth, January 2004
- Women's World Cup: Cool climate will suit us, insists Scotland coach Shelley Kerr, *The Times*, Alan Campbell, 14 June 2019